欢乐英雄 下

古 龙 著

河南文艺出版社
·郑州·

古龙

1938—1985

作为华语小说界一代宗师，“古龙”二字本身已成为一个文化符号。

古龙以惊人的才华，创作出《小李飞刀》《陆小凤》《楚留香》等七十多部精彩绝伦的经典。这些作品中涌动着永恒的热血、自由和生命力，不仅征服了一代代读者，更引发了巨大的文化浪潮，被无数次改编为影视、游戏、动漫，风靡整个中文世界，半个世纪风行不衰。

古龙为人，像他笔下的英雄们一样，豪气干云、放浪形骸、嗜酒如命、风流倜傥。其传奇一生的尽头，在医生下达严禁饮酒的告诫之后，豪饮三天三夜，大醉归西。

古龙是孤独的，一颗滚烫狂放的自由灵魂，与冷漠的现实世界显得那么格格不入；古龙又是幸运的，无数读者通过他的作品与他成为了知己。

中文世界如果没有古龙，将多么寂寞！没有读过古龙的人生，将多么寂寞！

目 录

第二十四章

心如蛇蝎的红娘子

01

每个人都有过去，每个人都难免会在自己的好朋友们面前，谈到自己的过去。

有时那就好像是在讲故事似的。这种故事大多都不会很吸引人——听别人吹牛，总不如自己吹有劲，但无论什么事都有例外的。

王动在说的时候，每个人都瞪大了眼睛听着，连打岔的都没有。

第一个开口打岔的，自然还是郭大路。事实上，他已憋了很久，听到这里才实在憋不住了，先长长吐出口气，才问道：“那位老人家每天都在等你？”

王动道：“就在坟场后面那树林里等我。”

郭大路道：“你每天都去？”

王动道：“无论刮风下雨，我没有一天不去的。”

郭大路道：“一共去了多少次？”

王动道：“去了三年四个月。”

郭大路又吐出口长气道：“那岂非有一千多次？”

王动点点头。

郭大路道：“听你说，你只要学得慢点，就要挨揍，揍得还不轻。”

王动道：“开始那一年，我几乎很少有不挨揍的时候。”

郭大路道：“既然天天挨揍，为什么还要去？”

王动道：“因为那时我觉得这种事不但很神秘，而且又新鲜、又刺激。”

郭大路想了想，笑道：“若换了我也会去的。”

林太平也忍不住问道："你从来没有问过那位老人家的名字？"

王动道："我问了几百次。"

林太平道："你知不知道他是从什么地方来的？"

王动摇摇头道："每次我到那里的时候，他都已先到了。"

林太平道："你为什么不早点去？"

王动道："无论我去得多早，他都已先在那里。"

郭大路扬眉道："你为什么不跟踪他，看他回到哪里去？"

王动苦笑道："我当然试过。"

郭大路道："结果呢？"

王动道："结果每次都是挨一顿臭揍，乖乖地一个人回家。"

郭大路皱起眉头，喃喃地道："他每天都在那里等着你，逼着你去练武，却又不肯让你知道他是谁？"

王动道："还有更奇怪的，他也从来没有问过我是谁。"

郭大路叹了口气，道："这样的怪事，倒真是天下少有，看来也只有你这样的怪人，才会遇见这种怪事。"

燕七忽也问道："你准备脱离他们的时候，连红娘子都不知道？"

王动道："我从没有在任何人面前提起过。"

燕七道："可是那红娘子……她对你岂非蛮不错的吗？"

王动的脸色更难看，过了很久，才冷冷道："她对很多人都不错。"

燕七也发现自己问错话了，立刻改变话题，道："后来你怎么走的？"

王动淡淡道："有一次他们准备去偷少林寺的藏经，叫我先去打探动静，我就趁机溜了。"

燕七也吐出口气，道："这些人居然敢去打少林寺的主意，胆子倒真不小。"

郭大路道："你溜了之后，他们一直没有找到你？"

王动道："没有。"

他忽然站起来，走到窗口。夜很黑，很冷。

他木立在窗口，痴痴地出了半天神，才慢慢地接着道："我回来之后，就很少出去。"

郭大路道："你是不是忽然变得不想动了。"

王动道："我的确变了，变得很快，变得很多……"

他的声音嘶哑而悲伤，接着道："因为我回来之后，才知道我出去后第二年，我母亲就……"

他没有说下去，他紧握双拳，全身发抖，已说不下去。这次连郭大路都没有问，既不忍问，也不必问。大家都已知道王动的遭遇，也都很了解他的心情。

等到他回来，想报答父母的恩情，想尽一尽人子的孝思时，已经来不及了。

为什么人们总要等到来不及的时候，才能了解父母对他的感情呢？

林太平垂下头，目中似已有泪满眶。

郭大路心里也觉得酸酸的，眼睛也有点发红。

现在他才知道，为什么王动会变得这么穷，这么懒，这么怪。

因为他心里充满了悲痛和悔恨，他在惩罚自己。

假如你一定要说他是在逃避，那么，他逃避的绝不是红娘子，也不是赤链蛇，更不是其他任何人。

他逃避的是他自己。想到第一次看见他一个人躺在床上，躺在黑暗中，任凭老鼠在自己身上爬来爬去的情景，郭大路又不禁长长地叹了口气。

一个人若非已完全丧失斗志，就算能忍受饥饿，也绝不能忍受老鼠的。那天晚上，若不是郭大路糊里糊涂地闯进来，糊里糊涂地跟他做了朋友，他是不是还会活到今天呢？

这问题郭大路连想都不敢想。

王动终于回过头，缓缓道："我回来已经快三年了，这三年来，他们一定不停地在找我。"

郭大路勉强笑了笑，道："他们当然很难找得到你，又有谁能想得到，一飞冲天鹰中王会耽在这种地方，过这种日子？"

王动道："但我却早就知道，他们迟早有一天会找到我的。"

燕七眨眨眼，道："已经过了这么久，他们为什么还不肯放手？"

王动道："因为我们还有笔账没有算清。"

燕七道："你自己算过没有？是你欠他们的？还是他们欠你？"

王动又沉默了很久，才缓缓道："有些账本就是谁也算不清的。"

燕七道："为什么？"

王动道："因为每个人都有他自己的算法，每个人的算法都不同。"

他神情更沉重，慢慢地接着道："在他们说来，这笔账只有一种算法。"

燕七道："哪种？"

王动道："你应该知道是哪种。"

燕七不说话了。他的确知道，有的账你只有用血去算，才能算得清。

一点点血还不够，要很多血；你一个人的血还不够，要很多人的血。

燕七看着郭大路身上的伤口，过了很久，才叹息着道："看来这笔账已愈来愈难算了，不知道要到什么时候才能算清。"

王动叹道："你放心，那一定用不着等很久的，因为……"

他忽然闭上嘴。每个人都闭上了嘴，甚至连呼吸都停顿了下来。

因为每个人都听到了一阵脚步声。

脚步声很轻，正慢慢地穿过积雪的院子。

"来的是什么人？"

"难道现在就已到了算这笔账的时候？"

林太平想挣扎着爬起来冲出门去，又忍住，郭大路向窗口指了指，燕七摇摇头。

只有一个人的脚步声，这人正慢慢地走上石阶，走到这扇门外。

外面突然有人敲门，这人居然敢冠冕堂皇地来敲门，倒是他们想不到的事。

王动终于问道："谁？"

外面有人轻轻道："我。"

王动道："你是谁？"

外面的人突然笑了，笑声如银铃，却远比铃声更清脆动人："连我的声音你都听不出来了么，真是个小没良心的。"

来的这人是个女人，是个声音很好听，好像还很年轻的女人。

看到王动的脸色，每个人都已猜出这女人是谁了，王动的脸色如白纸。

燕七拍了拍他的肩，向门口指了指，又向后面指了指。

那意思就是说："你若不愿见她，可以到后面去避一避，我去替你挡一挡。"

王动当然懂得他的意思，却摇了摇头。

他对自己的处境，比任何别的人都明白得多，他已退到最后一步。

那意思就是说他已无法再退，而且也不想再退。

"你为什么还不来开门？"

谁也没有见过红娘子这个人，但只要听到这种声音，无论谁都可以想象得到她是个多么迷人的女人。

"是不是你屋子里有别的女人，不敢让我看见？你总该知道，我不像你那么会吃醋。"

王动忽然大步走过去，又停下，沉声道："门没有闩上。"

轻轻一推，门就开了，一个人站在门外，面迎着从这屋子里照出去的灯光。

所有的灯光好像都已集中在她一个人身上，所有的目光当然也都集中在她一个人身上。

她身上好像也在发着光，一种红得耀眼，红得令人心跳的光。

红娘子身上，当然穿着红衣服，但光不是从她衣服上发出来的。事实上，除了衣服外，她身上每个地方好像都在发着光，尤其是她的眼睛、她的笑靥，每个人都觉得她的眼睛在看着自己，都觉得她在对自己笑，假如笑真有倾国倾城的魔力，一定就是她这种笑。

燕七的身子移动了一下，有意无意间挡住了郭大路的目光。

无论如何，能不让自己的朋友看到这种女人的媚笑，还是不让他看见的好。

每个人岂非都应该要自己的朋友远离罪恶？

红娘子眼波流动，忽然道："你们男人为什么总他妈的是这种样子……"

这就是她说的第一句话，说到这里她突然停顿了一下，好像故意要让“他妈的”这三个字在这些男人的脑袋里留下个更深刻点的印象，好像她知道这屋子里的男人，都很喜欢说这三个字，也很喜欢听。这三个字在她嘴里说出来，的确有种特别不同的味道。

就在她停顿的这一下子的时候，已有个人忍不住在问了：“我们男人都他妈的是什么样子？”

声音是从燕七背后发出来的，燕七可以挡住郭大路的眼睛，却挡不住他的耳朵，也塞不住他的嘴。

红娘子道：“你们为什么一见到好看的女人，就好像活见了鬼，连个屁都放不出来了？”

她皱起鼻子，脸上又露出了那种燕七不愿让郭大路看见的笑容，然后才轻轻接着道：“你们之中至少也该有个人先请我进去呀。”

事实上，这句话还没有说完的时候，她的人已经在屋子里了。屋子里每个人都知道她是谁，也都知道她是来干什么的，看到她真的走了进来，大家本该觉得很愤怒、很紧张。

但燕七忽然发觉郭大路和林太平看着她的时候，眼睛里非但完全没有仇恨和紧张之色，反而带着笑意，就连燕七自己，都已经开始有点动摇，有点怀疑。

在他想象中，红娘子本不应该是个这么样的人，自从她说出“他妈的”那三个字后，屋子里的气氛就好像完全改变了，别人对她的印象也完全改变了，一个毒如蛇蝎的妖姬，说话本不该是这种腔调的。

直到这时，燕七才发现她手里还提着个很大的菜篮子。

她重重地将篮子往桌上一放，轻轻地甩着手，叹着气道：“一个女人就为了替你们送东西来，提着这么重的篮子走了半个时辰，累得手都快断了，你们对她难道连一点感激的意思都没有？”

王动突然冷冷道：“没有人要你送东西来，根本就没有人要你来。”

直到这时，红娘子才用眼角瞟了他一眼，似嗔非嗔，似笑非笑，咬着嘴唇道：“我问你，这些人是不是你的朋友？”

王动道：“是。”

红娘子轻轻地叹了口气，道：“你可以看着你朋友挨饿，我却不能。”

王动道："他们是不是挨饿，都和你一点关系也没有。"

红娘子道："为什么没有关系？你的朋友，也就是我的朋友，做大嫂的人，怎么能眼看着弟兄挨饿？"

燕七忍不住道："谁是大嫂？"

红娘子笑了，道："你们都是王老大的好朋友，怎么连王大嫂是谁都不知道？"

她掀起篮子上盖着的布，嫣然地说道："今天是大嫂请客，你们谁也用不着客气，不吃也是白不吃。"

燕七道："吃了呢？"

红娘子笑道："吃了也是白吃。"

燕七冷笑道："白吃的人，命都不会长的。"

红娘子看着他，脸上的表情就好像被人掴了一耳光似的。

过了很久，她才转身面对着王动，道："你们是不是认为我带来的东西有毒？"

王动道："是。"

红娘子道："你认为我这次来，就为了要把你们毒死的？"

王动道："是。"

红娘子道："不但要毒死别人，还要毒死你？"

王动道："是。"

红娘子眼圈似也红了，突然扭转头，从篮子里拿出条鸡腿，嗄声道："这么样说来，鸡腿里面当然也有毒了？"

王动道："很可能。"

红娘子道："好，好……"

她在鸡腿上咬了一口，吞下去，又拿出瓶酒，道："酒里是不是也有毒？"

王动道："也很可能。"

红娘子道："好。"

她又喝了口酒——

总之她将篮子里的每样东西都尝了一口，才抬起头，瞪着王动问道："现在你认为怎么样？"

王动想也不想，立刻回答道："还是和刚才完全一样。"

红娘子道：“你还认为有毒？”

王动道：“是。”

红娘子的眼泪已经快流下来了，可是她勉强忍住，过了很久，才慢慢地点了点头，黯然道：“我明白你的想法了。”

王动道：“你早就该明白了。”

红娘子道：“你认为我早就吃了解药才来的？”

王动道：“哼。”

红娘子凄然道：“你始终认为我是个心肠比蛇蝎还毒的女人，始终认为我对你好只不过是想利用你……”

说到这里，她眼泪终于忍不住流了下来。

听到这里，郭大路和林太平的心早已软了，嘴里虽没有说什么，心里已开始觉得王动这么样对她，实在未免过分。

无论如何，他们以前总算有一段感情。

若是换了郭大路，现在说不定早已经把她抱在怀里了。

但王动脸上却还是连一点表情都没有，这人的心肠简直就好像是铁打的。

只见红娘子将拿出来的东西，又一样样慢慢放回篮子里，咬着嘴唇道：“好，你既然认为有毒，我就带走。”

王动道：“你最好赶快带走。”

红娘子身子已在发抖，颤声道：“你若是认为我对你始终没安着好心，我以后也可以永远不来见你。”

王动道：“你本就不该来的。”

红娘子道：“我……我只想问你一句话……”

她突然冲到王动面前，嘶声道：“我问你，自从你认得我之后，我有没有做过一件对不起你的事情？”

王动突然说不出话了。

红娘子捏紧双拳，还是忍不住全身发抖，嗄声道：“不错，我的确不是个好女人，的确害过不少男人，可是我对你……我几时害过你？你说，你说。”

王动冷冷道：“现在我们已没有什么话好说的。”

红娘子怔了半晌，又慢慢地点了点头，黯然道：“好，我走，我走……你放心，这次我走了，永远也不会再来找你。”

她慢慢地转过身，提起篮子，慢慢地走了出去。

郭大路看着她又孤独、又瘦弱的背影，看着她慢慢地走向又寒冷、又黑暗的院子……

院子里的风好大，将树上的积雪一片片卷了起来，眨眼就吹散了，吹得干干净净。

这岂非就好像人的情感一样？

积存了多年的情感，有时岂非也会像这积雪一样，眨眼间就会被吹散，吹得干干净净？

郭大路只觉心里酸酸的，只希望王动的心能软一软，能将这可怜兮兮的女子留下来。

但王动的心肠硬得像铁打的，就这样眼睁睁地看着她走出去，连一点表示都没有。

眼看着红娘子已跨出门槛，郭大路几乎已忍不住要替王动把她留下来了。

突然间，红娘子身子一阵抽搐，就好像突然挨了一鞭子。

然后她的人就倒了下去。

一倒在地上，四肢已抽搐在一起，一张白生生的脸已变成黑紫色，眼睛往上翻，嘴里不停地往外冒出白沫。

白沫中还带着血丝。

燕七动容道：“她带来的东西里果然有毒？”

郭大路抢着道：“但她自己一定不知道，否则她自己怎会中毒？”

王动却还是石像般站在那里，连动也不动，就好像根本没有看到这回事。

连燕七都有点着急了，忍不住道：“王老大，无论怎么样，你也该先看看她……”

王动道：“看什么？”

燕七道：“看她中的是什么毒？还有没有救？”

王动冷冷道：“没什么好看的。”

郭大路忍不住叫了起来，道：“你这人是怎么回事？怎么连一点人性都没有？”

若不是燕七将他按住，他已经要挣扎着爬起来了。

只见红娘子不停地痉挛、喘息，还在不停地轻唤着道："王动……王动……"

王动终于忍不住长长叹了口气道："我在这里。"

红娘子挣扎着伸出手，道："你……你过来……求求你……"

王动咬了咬牙，道："你若有什么话要说，我都听得见。"

红娘子道："我不知道……真的不知道这些东西里有毒，我真的绝不是来害你的，你……你应该相信我。"

王动还没有说话，郭大路忍不住大声道："我相信你，我们都相信你。"

红娘子凄然一笑，道："赤链蛇他们虽觉得你对不起他们，虽然是想来杀你的，可是我……我并没有这意思……"

她蜷伏着，冷汗已湿透重衣，挣扎着，接道："我虽然不是个好女人，可是我对你，却始终是真心真意的。只要你明白我的心意，我……我就算死，也心甘情愿了……"

说完了这句话，她似已用完了全部力气，连挣扎都无力挣扎。

郭大路看着她，眼睛也已湿了，咬着牙道："王老大，你听见她说的话没有？"

王动点点头。

郭大路又咬牙道："既然听见了，为什么还站在那里不动？"

王动道："我应该怎么动？"

郭大路道："她是为了你，才会变成这样子的，你难道不能想个法子救救她？"

王动道："你叫我怎么救她？"

林太平忽然道："你既然能解小郭中的暗器之毒，就应该也能解她的毒。"

王动摇摇头，缓缓道："那不同，完全不同。"

郭大路道："有什么不同？"

王动突又不说话了。

他虽然在勉强控制着自己，但目中似也泛起了泪光，那不仅是悲痛的泪，而且还仿佛充满了愤怒。

他的手指也在发抖。

燕七沉吟着，道："假如连王老大都不能解她的毒，世上只有一个人能解她的毒了。"

郭大路道："谁？"

燕七道："赤链蛇。"

郭大路道："不错，我们该问赤链蛇要解毒药去。"

燕七叹了口气，道："那只怕很难。"

问赤链蛇去要解药，那简直就好像去要老虎剥它自己身上的皮一样困难。

这道理郭大路自然也明白的。

红娘子的喘息声已渐渐微弱，却还在低呼着王动的名字："王动……王动……"

呼唤声也愈来愈微弱，郭大路听得心都要碎了，忍不住大叫道："你们既不能救她，又不肯去问赤链蛇要解药，难道就这样眼看着她死在你们面前？你们究竟是不是人？"

燕七又叹了口气，道："你认为应该怎么办呢？"

郭大路道："就算是赤链蛇，也绝不会眼看着她被毒死的，你们……"

林太平一直坐在那里发怔，此刻突然打断了他的话，大声道："对，赤链蛇也绝不会眼看着她死，所以我们应该送她回去。"

这法子虽不好，但也算没有法子中唯一的法子。

燕七皱着眉，道："问题是，谁送她回去呢？"

郭大路道："哼。"

他虽然什么都没有说，但眼角却在瞟着王动。

当然是王动应该送她回去。

只要这人还有一点点良心，就不该眼看着她死在这里。

谁知王动还是连一点反应也没有，就好像根本听不懂，就好像是个白痴。

王动当然不是白痴。

他是在装傻。

郭大路又忍不住大叫起来，道："好，你们都不送她回去，我送她回去。”

他用尽平生力气，跳了起来。

燕七立刻紧紧抱住了他。

王动回过头，看着他们，目光中又是悲痛，又是怜惜。

谁也不知道他心里究竟在想着什么。

过了很久，他终于跺了跺脚，道：“好，我送她回去。”

他转过头，刚想抱起红娘子。

林太平突然箭一般蹿过来，用力将他一撞，撞得他退出七八尺，一跤跌在墙角。

就在这时，林太平已抱起了红娘子。

王动突然变色，大声道：“你想干什么？”

林太平打断他的话，道：“只有我才能送她回去，燕七要照顾小郭，你是他们的眼中钉，你去了他们绝不会放过你。”

他嘴里说着话，人已走了出去。

王动跳起来，冲过去，大声喝道：“快点放下她，快……”

喝声中，林太平突然一声惊呼。

那奄奄一息的红娘子已毒蛇般自他怀中弹起，凌空一个翻身，掠出了三丈，一眨眼间就没入黑暗中。

只听她银铃般的笑声远远传来道：“姓王的王八蛋，你见死不救，你好没良心，你简直不是个好东西。”

说到最后一句话，人已去远，只剩下那比银铃还清脆悦耳的笑声飘荡在风里。

好冷的风。

摄魂的银铃。

02

林太平倒在雪地里，前胸已多了一点乌黑的血迹。

没有人动。

没有人说话。

连最后一丝甜笑也终于被风吹散。

也不知过了多久，王动终于慢慢地走出去，将林太平抱了回来。

他的脸色比风还冷，比夜色还阴暗。

郭大路的泪已流下。

燕七看着他，也已泪流满面，柔声道："你用不着难受，这也不能怪你。"

他不说这句话还好，一说出来，郭大路怎么还能忍得住，怎么还受得了？

他突然像是个孩子般，失声痛哭了起来。

又不知过了多久，王动才慢慢地抬起头，道："他还没有死。"

燕七又惊又喜，失声道："他是不是还有救？"

王动点点头。

燕七道："要怎么样才能救得了他？"

这句话说出来，他脸色又变了。

因为他已想到，世上也只有一种法子能救得了林太平。

最可怕的一种法子。

他看着王动，目中已不禁露出恐惧之色，因为他知道王动在想什么。

王动当然也知道他在想什么，脸色反倒很平静，淡淡地道："你应该知道，要怎么样才能救得了他。"

燕七用力摇头，道："这法子不行。"

王动道："行。"

燕七大声道："绝对不行。"

王动道："不行也得行，因为我们已别无选择的余地。"

燕七突然倒了下去，倒在椅子上，似乎再也支持不下去。

郭大路正瞪大了眼睛看着他们，他脸上还带着泪痕，忍不住问道："你们说的究竟是个什么法子？"

没有人回答，没有人开口。

郭大路着急道："你们为什么不告诉我？"

燕七终于轻轻叹了口气，道："你就算知道了也没有用的。"

郭大路道："为什么没有用？若不是我乱出主意，林太平也不会变成这样子，我比谁都难受，比谁都急着想救他。”

王动冷冷道：“你现在只能救一个人。”

郭大路道：“谁？”

王动道：“你自己。”

燕七柔声道：“你受的伤很不轻，若再胡思乱想，只怕连你自己的命都很难保住。”

郭大路瞪着他们，忽然道：“我中的暗器是不是也有毒？”

燕七道：“嗯。”

郭大路道：“是谁救了我的？”

燕七道：“王老大。”

郭大路道：“王老大既然能解得了我中的毒，为什么就不能解林太平的毒？”

燕七又不肯开口了。郭大路道：“他们暗器上的毒，应该是同一路的，是不是？”

燕七又沉默了很久，才长长叹息一声，道：“你为什么要问得这么清楚？”

郭大路大声道：“我为什么不能问清楚？你们若再不告诉我，我就……我就……”

他用力捶着床铺，气得连话都说不出了。

燕七咬了咬牙，道：“好，我告诉你，你中的毒，和林太平中的毒，的确都是赤链蛇的独门毒药，所以也只有他的独门解药才能救得了。”

郭大路道：“但王老大……”

燕七道：“王老大准备脱离他们的时候，他就已经偷偷地藏起了一点赤链蛇的独门解药，以防万一。”

郭大路道：“解药呢？”

燕七一字字道：“救你的时候已用完了。”

郭大路失声道：“全都用完了？”

燕七道：“连一点都没有剩。”

他咬着嘴唇，缓缓道：“那些解药本是准备用来救他自己的，但却全用来救了你，我本来以为他还留着一点，谁知他却生怕你中的毒太深，生怕解药的分量不够，所以……”

说到这里，他也眼眶发红，再也说不下去——这件事本只有他知道，因为那时林太平还在外面守望。

郭大路捏紧双拳，黄豆大的冷汗，已流了一脸，过了很久，才喃喃道：“林太平是我害的，唯一能救他的解药也被我用光了，我真有办法，真了不起……”

燕七黯然道：“这本是谁也想不到的事，你并没有要我们……”

郭大路嘶声道：“不错，我并没有要你们救我，你们自己非这样子做不可，但你们为什么不想想，这样子叫我怎么能安心活得下去？”

王动沉着脸，道：“你非活下去不可，我既已救了你，你想死也不行。”

郭大路道：“但林太平……”

王动沉声道：“你用不着担心他，我既能救你，当然也有法子救他。”

郭大路咬牙道：“现在我总算已知道你有什么法子了。”

王动道：“哦？”

郭大路道：“你想问赤链蛇去要解药，是不是？”

他又咬着牙道：“刚才你不肯去，只不过因为你太了解红娘子，但现在为了林太平，就算要用你的命去换解药，你也非去不可的。”

王动淡淡地笑了笑，道：“你以为一飞冲天鹰中王是个这么好的人？”

郭大路道：“我不认得什么鹰中王，只认得王动，也很了解王动是个怎么样的人。”

王动道：“哦？”

郭大路目中又有泪光道：“王动这个人的脸看起来虽然又冷又硬，其实他的心肠却比豆腐还软，比火还热。”

王动沉默着，终于缓缓地道：“你既然了解我，就应该知道我若想做一件事，便谁也拦不住我的。”

郭大路道：“你也应该很了解我，我若想做一件事时，也没有人能拦得住的。”

王动道：“你想做什么？”

郭大路道："去问赤链蛇要解药。"

燕七动容道："你怎么能去？"

郭大路道："我非去不可，而且也只有我能去。"

燕七道："但你的伤……"

郭大路道："就因为我受了伤，所以你们更要让我去。"

他不让别人说话，接着又道："现在我们已只剩下两个人，两个人去对付他们三个，已很吃力，所以你们绝不能再受伤了，否则我们大家都只有死路一条。"

燕七道："这话虽然有道理，可是……"

郭大路又打断了他的话，道："可是我们又绝不能看着林太平中毒而死，所以只有让我去，我反正已受了伤，已出不了力，何况……"

他笑了笑，接着道："赤链蛇他们至少也算是个人，总不会对一个完全无回手之力的人来下毒手吧。"

王动冷笑道："你以为他们不会杀你？"

郭大路道："想必不会的。"

王动道："是你了解他们？还是我？"

郭大路道："是你。"

王动道："那么，我告诉你，他们不杀的只有一种人。"

郭大路道："哪种人？"

王动道："死人。"

突然间，风中又传来一阵银铃般的笑声。

燕七冲出去，就看到一只淡黄色的风筝自夜空中慢慢地飘落下来。

风筝是方的，上面还用朱笔画了弯弯曲曲的花纹。

现在燕七已知道这并不是风筝，而是道一见就送终的催命符。

催命符上写着的是什么，谁也看不懂。

只有到过地狱的人才看得懂。

王动看得懂。

淡黄色的风筝上，画满了朱红色的符箓，红得就像是血，就像是地狱中的火。

王动凝视着，冷淡的目光中不禁露出了恐惧之意。

燕七没有看这风筝，只在看着王动的眼睛——他虽然看不懂风筝上的符箓，却看得懂王动眼睛里的神色。

他忍不住问道："这上面写着些什么？"

王动沉默了很久，还是没有回答，却又推开窗子，望着窗外的夜色。

星已渐稀，夜已将尽。

灰蒙蒙的夜色中，又有一只风筝正冉冉升起。

王动轻轻叹息一声，道："天快亮了。"

燕七道："天一定会亮的。"

王动道："我也一定要走的。"

燕七失色道："为什么？"

王动道："因为天亮之前，我若还没有赶到那风筝下面，林太平就得死。"

03

天快亮了。

曙色带给人们的，本是光明、欢乐和希望。

但现在带给王动他们的，却只有死亡。

"天亮之前，王动若还没有站在那风筝下等着，林太平就得死。"

这就是那符箓写的意思。

这意思就是说，王动已非去不可，非死不可。

郭大路大声道："我早就说过，只有我能去，谁也休想拦住我。"

王动淡淡道："好，你可以去，但无论你去不去，我还是非去不可。"

郭大路道："我既已去了，你为什么还要去？"

王动道："因为他们要的是我，不是你。"

燕七抢着道："你去了他们也未必会将解药给你，你应该比我更明白。"

王动道："我明白。"

燕七道："这不过只是他们的诱兵之计，只不过是个圈套，他们一定早在那里布下了埋伏，就等着你去上钩。”

王动道：“这点我也比你明白。”

燕七道：“但你还是要去？”

王动道：“你要我看着林太平死？”

林太平呼吸已微弱，牙关已咬紧，脸上已露出了死灰色。

无论谁都能看出他已离死不远。

燕七黯然道：“我们不能看着他死，但也不能眼看着你去送死。”

王动淡淡一笑，道：“你怎么知道我一定是去送死？说不定我很快就能带着药回来呢。”

燕七瞪着他，道：“你这是在骗我们？还是骗你自己？”

王动终于叹了口气，道：“我也知道能回来的希望不大，但只要有一分希望，我就得去。”

燕七道：“若连一分希望都没有呢？”

王动道：“我还是要去。”

这句话他说得斩钉截铁，已全无转圜的余地。

燕七突然站起来，大声道：“好，你去，我也陪着你去。”

王动慢慢地点了点头，道：“好，你也去，能去的都去，就让不能去的留在这里，等着别人来宰割吧。”

燕七说不出话来了。

郭大路忍不住道：“你究竟要我们怎么做？为什么不干脆说出来？”

王动道：“我一个人去，你们带着林太平到山下去等我。”

郭大路道：“然后呢？”

王动道：“然后你们想法子去准备一辆马车，无论去偷去抢都一定要弄到。”

郭大路道：“然后呢？”

王动道：“然后，你们就坐在马车里等，太阳下山后，我若还没有去找你们，你们就赶快离开这地方。”

郭大路道：“离开这里到哪里去？”

王动笑了笑，笑得已有些凄凉，道：“天地之大，哪里你们不能去？”

郭大路也慢慢地点了点头，道：“好，好主意，这种主意真亏你怎么想得出来的！”

王动道：“这虽然不能算是好主意，却是唯一的主意。”

郭大路道：“很好，你为了林太平去拼命，却要我们像狗一样夹着尾巴逃走，你是个好朋友，却要我们做畜生。”

王动沉下了脸，道：“你难道还有别的主意？”

郭大路道：“我只有一个主意。”

王动道：“你说。”

郭大路道：“要活，我们开开心心地活在一起；要死，我们也要痛痛快快地死在一起。”

郭大路就是郭大路，既不是王动，也不是燕七。

他也许没有王动镇定冷静，也许没有燕七的机智聪明。

但这人却真他妈的痛快，真他妈的有种。

04

风吹过的时候，死灰色的冷雾刚刚自荒冢间升起。

鬼火已消失在雾里。

谁说这世上没有鬼？谁说的？

此刻在这雾中飘荡的，岂非正是个连地狱都拒绝收留的游魂？

谁也看不清他的脸。

因为他的脸是死灰色的，似已和这凄迷的冷雾融为一体，鼻子已融入雾里，嘴也融入雾里。

只剩下那双鬼火般的眼睛。

眼睛里没有光，也分不出黑白，但却充满了恶毒之意，仿佛正在诅咒着世上所有的事、所有的人。

无论这双眼睛看到什么地方，那地方立刻会沾上不祥的噩运。

现在，这双眼睛正在慢慢地环顾着四方，每一座荒冢，每一片积雪，他都绝不肯错过。

然后他眼睛里才露出一丝笑意。

谁也想象不出这种笑意有多么恶毒、多么可怕。

就在这时，迷雾里又响起了一阵银铃般的笑声。

不是银铃，是摄魂的铃声。

红娘子幽灵般出现在迷雾里，带着笑道："都准备好了么？"

这游魂慢慢地点了点头，道："除非人不来，来了就休想活着回去。"

红娘子眼波流动，道："你想他会不会来？"

这游魂道："你说呢？"

红娘子眨着眼，道："为什么要我说？"

游魂道："你比我们了解他。"

红娘子笑盈盈走过来，用眼色瞟着他，道："你现在还吃醋？"

游魂道："哼！"

红娘子道："你以为我真的对他有意思？"

游魂目中的恶毒之意更深，道："他在的时候，你从来没有陪过我一天。"

红娘子道："你难道已忘了是谁叫我那么做的？"

游魂不说话了。

红娘子冷笑道："你为了要拉拢他，叫我去陪他睡觉，现在反来怪我了，你有良心没有？"

游魂道："没有。"

红娘子又笑了，道："想不到你偶尔也会说句老实话。"

游魂道："你呢？"

红娘子道："我在你面前，说的句句都是实话。"

游魂道："我若不叫你去陪他睡觉，你难道就不会去？"

红娘子道："还是一样会去。"

游魂道："为什么？"

红娘子嫣然道："因为我喜欢陪男人睡觉。"

游魂咬着牙道："陪什么样的男人睡觉？"

红娘子道："除了你之外，什么样的男人都喜欢。"

游魂目中的恶毒之色已变为痛苦，但眼睛却反而亮了。

红娘子看着他的眼睛，道："你的话问完了吗？"

游魂突然一把揪住她的头发，反手重重掴她的脸，嗄声道：“你这贱人。”

红娘子既不惊惧，也不生气，反而笑得更甜，道：“我本就是个贱人，但你却比我更贱。”

游魂又重掴她的脸。

红娘子还在笑，道：“你不但喜欢我去陪别的男人睡觉，还喜欢问我，天天问我，这些话你已不知问过我多少次了。”

她不让游魂开口，接着又道：“因为你喜欢这些话，喜欢被我折磨，只有在我折磨你的时候，你才是个人，你才会快活。”

游魂喉咙低嘶一声，用力将她拉了过来。

红娘子吃吃地笑，道：“你是不是又想……”

突听一人冷冷道：“现在不是你们打情骂俏的时候。”

声音冷得像冰。

因为这声音本就是从积雪下发出来的。

红娘子笑道：“原来你已钻到雪里面去了。”

一张脸突然从地上的积雪中露出来。

一张比死人还可怕的脸。

红娘子道：“下面怎么样？”

赤链蛇道：“很凉快。”

红娘子笑道：“世上比你那里更凉快的地方，的确再也找不到了。”

赤链蛇道：“你是不是也想钻进来陪我睡一觉？”

红娘子道：“只要你有耐心在下面等，我迟早会钻进去的。”

游魂冷笑道：“只可惜他对你没胃口。”

赤链蛇眼看着天，突然道：“时候已不早，你还是快去死吧。”

游魂道：“你想他会不会来？”

红娘子抢着道：“一定会来。”

游魂道：“为什么？”

红娘子道：“因为他除了对你们之外，对别的朋友都不错。”

游魂也仰头看了看天色。

曙色已白。

世上的孤魂野鬼，都已到了应该回去的时候。

游魂道："我要去死了。"

红娘子道："你赶快去死吧。"

游魂慢慢地走过去，走到旁边一座荒坟前，自怀中取出个瓷瓶，放在坟头上。

然后他的人就突然消失在坟墓里。

红娘子长长叹了口气，喃喃道："他若永远在里面不出来，那有多好。"

赤链蛇道："有什么好？"

红娘子垂首看着他，眼睛水汪汪的，柔声道："只剩下我们两个人还不好？"

赤链蛇冷冷道："那也得等天下的女人都死光了再说。"

红娘子冲过去，一口口水唾在他脸上，恨恨道："你是不是人？"

赤链蛇阴恻恻一笑，道："不是。"

这句话没说完，这张脸已隐没在积雪里。

红娘子发了半天怔，好像突然有了很多心事。

过了很久，她身形突又掠起。

她立刻就消失在雾里。

风吹过的时候，死灰色的迷雾已迷漫了大地。

天也是死灰色的。

荒冢、冷雪，没有人，甚至连鬼都没有。

只剩下一只风筝正慢慢地落下。

不是风筝，是催命鬼的符箓。

风筝已落下。

苍穹一片灰白，什么都看不见了。

王动在路上慢慢地走着，脸上还是连一点表情都没有。

他就算心里有恐惧，也绝不会露在脸上。

无论谁受过他所受的痛苦和折磨，都已该学会将情感隐藏在心里。

各种情感都隐藏在心里。

但情感却像酒一样。

你藏得愈深，藏得愈久，反而愈浓愈烈。

现在他只有一个人。

他的朋友们当然没有来。

是他们背弃了他，还是他说服了他们？

谁也不知道。

谁也没法子从他脸上的表情看出来。

但大家都知道，天下无不散的筵席，无论多好的朋友，迟早都有分手的时候。

人生聚合本无常，是聚也好，是散也好，又何必太认真？

天色朦胧，但总算已有了光亮。

他走得虽慢，但总算已走到了地头。

人生本就如此，很多事都如此，你又何必太匆忙？

风还是很冷，冷得像刀，刀一般刮过他的脸。

他慢慢地穿过荒坟，默数着一块块墓碑。

墓碑有的已倾倒，有的已被风雪侵蚀，连字迹都分辨不出。

坟墓里的人是谁？已不再有人关心了。

他们活着的时候，岂非也有他们的光荣和羞辱、快乐和悲伤？

但现在他们已一无所有。

那么你又何必将生死荣辱，时时刻刻地放在心上？

王动轻轻地叹息了一声，突然停下脚步。

因为他已听到红娘子的笑声。

红娘子正银铃般笑着道："我早就知道你会来的，你果然来了。"

王动道："我来了。"

他已看见她，站在积雪的枯树下，还是穿着那身鲜红的衣裳，仿佛还跟他第一次见到她时一样。

但逝去的时光，已经不再来，逝去的欢乐和悲伤，也已将淡忘。

就算还未遗忘，迟早也必将淡忘。

红娘子也站在那里看着他，目光中也不知是嗔是怨？是爱是恨？

她是爱也好，是恨也好，都已无妨。

红娘子终于笑了笑，道："你真是为林太平拿解药来的？"

王动道："是。"

红娘子咬着嘴唇，道："为了我，你就不肯来？"

王动道："不肯。"

红娘子笑得很凄凉，道："你对别的朋友，为什么总比对我好？"

王动道："因为你不是我的朋友。"

红娘子道："我不是你的朋友？你难道忘了我们以前在一起时，有多么开心。"

王动道："我忘了。"

红娘子摇摇头，道："无论你嘴上说得多硬，我知道你心里绝不会忘的。"

她眼波如雾，幽幽地接着道："你还记不记得，有一次我们躺在华山之巅，用白云做我们的被，大地做我们的床，天地间仿佛只剩下我们两个人。"

她声音更低迷，更轻柔，又道："还有一次，我们躺在无边无际的大沙漠上，数着天上的星星，直到我们两个人都已被埋在沙里……这些事你能忘得了吗？"

王动不再说话。

这些事的确是谁也忘不了的。

他真的能忘记？

面对着他生平第一个恋人，他的心真如他的脸一样冷静？

红娘子凝视着他，目中已有泪光，道："这些事我是永远也忘不了的，所以我才恨你，恨你走的时候，连说都不说一声，恨得想要你死，可是……"

她垂下头，道："只要你肯回心转意，只要你肯说一句话，我现在就跟着你走，无论到天涯海角，我都跟着你走。"

王动突然大声道："我哪里都不去。"

他说的声音那么大，似乎想将自己从梦中惊醒。

红娘子咬了咬嘴唇，道："你哪里都不去，又为什么要来呢？"

王动冷冷道："我是来拿解药的。"

红娘子道："除此之外，就没有别的原因？"

王动道："没有。"

红娘子道："你不想来看看我？"

王动道：“不想。”

红娘子的脸色突然发青，青得就像是一只青蝎子。

她目中的柔情蜜意也已不见，用力跺了跺脚，道：“好，解药就在后面，你自己去拿吧。”

王动回过头，就看到坟头上那瓷瓶。

红娘子道：“这次我们将解药给你，只因为我们还是拿你当作朋友，你拿了之后最好赶快走。”

王动脸上还是没有表情。

无论她说什么，他连一个字都不信。

他知道他们是绝不会将解药就这样轻易给他的。

但他还是走了过去。

他非拿到这瓶解药不可。

这瓶解药若是在水里，他就跳下水里去；这瓶解药若是在烈火里，他就跳进火里去。

积雪冷而柔软。

王动只走了六七步，就已可伸手拿到解药。

他伸出手。

瓷瓶很冷，冷得像死人的手。

他拿起了瓷瓶。

他的手比瓷瓶还冷。

因为他已感觉到死的气息。

一双手突然从坟墓里伸出来，点中了他膝盖上的“环跳”穴。

另一双手同时从积雪下伸出来，挥手射出两颗寒星，射入了他的足踝。

他跪了下去，跪在坟墓前。

然后他才看到，坟墓下已露出个洞穴。

这坟墓原来是假的，是空的。

红娘子银铃般的笑声又响起，甜笑着道：“你现在真的哪里都不必去了……”

05

王动跪在坟墓前，脸上还是全无表情，但脸色却苍白得可怕。

他很了解这些人，很了解这些人的手段。

他在等，等他们使出手段来。

坟墓中终于发出了声音："你输了。"

他知道这是催命符的声音，催命符无论在什么地方说话，都像是从坟墓里发出来的。

"我输了。"

他只有认输。

催命符道："这次你已没有翻本的机会。"

王动道："我没有。"

催命符道："你知不知道输的是什么？"

王动道："我只有一条命可输。"

催命符道："你还有别的。"

王动道："你还要什么？"

催命符道："你总该知道，从棺材里伸出手来，要的是什么？"

王动道："要钱？"

催命符道："不错，是要钱。"

王动道："若是要钱，你就找错了人。"

催命符道："我从未找错人。"

王动道："要钱的本该是我，公账里的钱我本该也有一份。"

催命符道："你当然有一份，但却不该将四份都独吞。"

王动没有说话，脸上的表情忽然变得很奇怪。

催命符道："那几年我们的收入不错。"

王动道："很不错。"

催命符道："是不是只有我们五个人知道，我们的收入究竟有多少？"

王动道："是。"

催命符道："是不是也只有我们五个人，才知道我们究竟存了多少、存在哪里？"

王动道："是。"

催命符道："有没有第六个人？"

王动道："没有。"

催命符道："那笔钱无论谁拿去，都足够舒舒服服地享受一辈子。"

王动道："就算最浪费的人也已足够。"

催命符道："但等你走了后，我们才知道，能享受那笔钱的只有你一个人。"

06

王动道："你认为我已将那笔钱带走？"

催命符道："那一笔钱已一文不剩，你认为是谁带走的呢？"

王动长长吐出口气，道："我现在才知道你们是为什么来的。"

催命符冷笑道："我早已知道你是为什么走的了，那笔钱已足够令任何人出卖朋友。"

王动忽然笑了。

催命符说道："你认为我们很可笑？认为我们是笨蛋？"

王动道："我才是笨蛋，无论谁有了那笔钱，都不会过我这种日子，除非是个笨蛋。"

催命符道："你过的是什么日子？"

王动道："穷日子。"

红娘子忽然掠过来，银铃般笑道："你有多穷？"

王动道："很穷。"

红娘子眨眨眼道："听说有个人在这县城的奎元馆里，一晚上就输了好几万银子，这人是谁？"

王动道："是我。"

红娘子道："听说有个人在山下的言茂源，一个月就买了几百两银子的酒，这人又是谁？”

王动道：“是我。”

红娘子道：“还有个人家里，最近刚换了批家具，连后院小屋里的椅子，都是檀木做的，最少也值十两银子，这人又是谁？”

王动道：“是我。”

红娘子笑了，悠然道：“一个人过的是这种日子，能算很穷吗？”

王动道：“不能算。”

红娘子道：“我们已打听过，这里虽叫作富贵山庄，但从上一代开始，除了这名字外，就再也没有一点富贵的地方。”

王动道：“不错。”

红娘子道：“这么些年来，你也没有再出去做过生意？”

王动淡淡道：“一个人可以在家里享福，为什么还要出去？”

红娘子道：“银子是绝不会从天上掉下来的。”

王动道：“但却可以从地下挖出来。”

红娘子嫣然道：“想不到你承认得倒很快。”

王动道：“我不承认行不行？”

红娘子道：“不行。”

王动道：“既然不行，我为什么还不承认。”

他笑了笑，笑得很勉强，又道：“你们若要调查一个人的底细，连他祖宗三代都要被挖出来，若要一个人说实话，连哑巴都不能不开口，这点我总比别人知道得清楚些。”

催命符冷冷道：“所以你根本不该走的。”

王动叹道：“只可惜，很多人都常常会做不该做的事。”

催命符道：“好，我们走吧。”

王动道：“走？到哪里去？”

催命符道：“去拿回我们的那三份。”

王动道：“好，你们去拿吧。”

催命符道：“到哪里去拿？”

王动道：“你们高兴到哪里去拿就到哪里去拿。”

催命符道：“你若不说，我们怎知道钱藏在哪里？”

王动道：“我为什么要说？我什么都没有说。”

催命符厉声道："你还不承认？"

王动淡淡道："就算钱是我拿的，但承认拿钱是一回事，答应还钱又是另外一回事了。"

催命符冷笑道："你要钱？还是要命？"

王动道："能活下去的时候，当然要命，若已活不下去，就只好要钱了。"

催命符道："你要怎么样才肯答应？"

王动道："你们肯答应还我的命，我就答应还你们的钱。"

催命符沉默了半晌，忽然道："好，还你的命。"

王动道："一条命，一份钱。"

催命符道："你有几条命？"

王动道："我一条，郭大路一条，林太平一条，燕七一条，四条命，四份钱。"

催命符道："一条命，四份钱。"

王动道："不行。"

催命符道："不行也得行，你是活的，钱是死的，我们既能找到你，还怕找不到钱？"

王动也沉默了很久，才缓缓道："好吧，就先还命来。"

催命符道："还谁的命？"

王动道："你要谁还钱？"

红娘子又笑了，吃吃笑道："我早就知道他总算还是个聪明人，总算还知道，无论谁的命，都不如自己的命值钱。"

王动道："先解我的毒，再解穴道，我就带你们去拿钱。"

催命符道："只解毒，不解穴道。"

王动道："穴道若不解，你们随时还是可以要我的命。"

催命符道："我答应留下你的命。"

王动道："除了命呢？"

催命符道："有了命你已该知足。"

红娘子笑道："是呀，活着总比死好，你还是想开些吧。"

王动又沉默了很久，终于长长叹息一声，道："看来我已没有别的路可走。"

催命符冷冷道："你带走那笔钱的时候，就已走上了绝路。"

王动道："环跳穴被点住的人什么路都不能走。"

红娘子媚笑道："你不能走，我背你，莫忘了以前你总是压着我的。"

催命符冷冷道："你跟着我走。"

红娘子眨眨眼，道："那么谁背他呢？"

一个人忽然从积雪中钻出来，蛇一般钻出来，道："我。"

王动伏在赤链蛇背上。

赤链蛇的身子柔软、潮湿、冰冷。

雾已将散。

但天色依旧阴冥，看不见太阳，也看不见光明。

根本就没有光明，因为已全无希望。

赤链蛇忽然道："这是你回家的路。"

王动道："只希望不是回老家。"

赤链蛇道："你把钱就藏在家里？"

王动道："若是你，你藏在哪里？"

赤链蛇道："当然是可以随时摸得到的地方，钱就像女人一样，最好放在随时可以摸得到的地方。"

王动笑了，道："想不到你也懂女人。"

赤链蛇道："就因为我懂，所以才不要。"

王动道："你只要钱？"

赤链蛇道："钱比女人好，钱不会骗你，世上绝没有比钱更忠实的。"

王动道："所以，钱可以放在客厅里面，女人却不能。"

赤链蛇道："钱就在客厅里？"

王动道："一个人的家里，还有什么地方比客厅更宽敞、更显眼？"

赤链蛇点点头，道："不错，愈显眼的地方，别人反而愈不会注意。"

催命符从不肯走在任何人前面。

世上的确有这种人，因为他在背后暗算别人的次数太多。

所以他永远不愿让任何人走在他背后。

他紧紧贴着红娘子，就好像是一条影子。

红娘子甚至可以感觉到他那冰冷的呼吸——带着死尸的气味的呼吸。

她的脸色难看极了。

催命符看不见她的脸，只能看见她的脖子。

他正在看着她的脖子，脸上带着欣赏的表情，因为她光滑白嫩的脖子上，已因他的呼吸而起了一粒粒鸡皮疙瘩。

红娘子却在看着前面的王动，忽然道："你认为他真的会带我们去拿钱？"

催命符道："他已别无选择。"

红娘子道："我却觉得有点不对。"

催命符道："哪点不对？"

红娘子道："他不是这么容易对付的人，也不该这么怕死。"

催命符冷笑道："随便他是怎么样的人，现在都已无妨。"

红娘子道："为什么？"

催命符道："因为他现在已是个死人。"

红娘子道："死人？"

催命符道："你以为我真会留下他的命？"

红娘子嫣然道："我当然知道你不会，但现在他还没有死。"

催命符接道："虽然还没有完全死，但已死了一大半。"

红娘子道："他还有朋友。"

催命符道："一个是快死了的朋友，另外两个简直已等于死了，我们三个人无论谁都已足够对付他们，你还担心什么？"

红娘子忽又笑了笑，道："我不是担心，只觉得有点可惜。"

催命符道："可惜什么？"

红娘子悠然笑道："可惜我还没有跟那三个小伙子睡过觉。"

催命符忽然一口咬住她的脖子。

就好像是一条疯狗，咬住了一条母狗。

天色阴暗，所以客厅里还是暗得很。

窗子是开着的，从外面可以隐约看到两人的影子。

赤链蛇道："什么人在里面？"

王动淡淡道："想不到你的眼睛近来也不行了。"

赤链蛇的眼睛本来就不行。

任何人若是一生都钻在各式各样的毒药里，眼力都不会好。

但就算眼力再差的人，只要多看几眼，也能看得出那只不过是两个稻草人。

两个披麻戴孝的稻草人。

王动忽然笑了笑，道："你若还没有看清，我不妨告诉你：我若死了，他们就是我的孝子；你若死了，只怕也只有用他们来做孝子。"

赤链蛇道："这样的孝子，至少总比败家子好。"

王动道："所以你宁可绝子绝孙？"

赤链蛇道："最好连朋友都没有。"

红娘子忽然赶上来，道："你的朋友呢？"

她问的是王动。因为这些人里只有王动才有朋友。

王动道："他们在山下等我。"

红娘子道："为什么要到山下去？"

王动道："你若是他们，在这种情况，会在哪里等我？"

赤链蛇道："她根本就不会等你。"

第二十五章

稻草人的秘密

红娘子眨了眨眼，道：“我一向总觉得最了解我的人就是你，你知道是为了什么？”

赤链蛇道：“哼。”

红娘子道：“因为只有女人才能了解女人，这道理谁都知道的。”

王动道：“他是女人？”

红娘子道：“你以为他是男人？”

王动道：“看起来他好像是的。”

红娘子道：“就算他本来是个男人，但在毒药里泡了几十年，也早就变成个女人了。”

赤链蛇的脸忽然僵硬，就好像是一条蛇忽然被人捏住了七寸。

红娘子吃吃笑道：“这是他最大的秘密，我本来不该说出来的，幸好你也不是外人，所以……”

她故意压低语声，悄悄道：“我还可以告诉你个秘密。”

王动道：“什么秘密？”

红娘子道：“你猜猜看，那大蜈蚣死了后，谁最伤心？”

王动道：“我知道他和大蜈蚣是好朋友。”

红娘子又笑道：“你错了，他们不是朋友，他们已是……”

赤链蛇一直在瞪着她，冷冰冰的眼睛已变成碧绿色，忽然对准她的脸吹了口气。

他只不过轻轻吹了口气，但红娘子却像是在闪避着世上最歹毒的暗器一样，连话都来不及说完，身子已跃起，凌空一个翻身，已掠到屋背后，她身后的催命符却早就不见了。

王动忽然道：“她说的话，我本来连一个字都不信的。”

赤链蛇道："你本来不笨。"

王动道："但这次我却相信了。"

赤链蛇道："为什么？"

王动笑了笑道："因为她说的若不是真的，你何必要她的命？"

赤链蛇冷冷道："你是不是也想叫我要你的命？"

王动淡淡道："我这条命早已不姓王了，谁要去都没关系，但你呢？"

赤链蛇道："我怎么样？"

王动道："你若死了，谁最伤心？"

赤链蛇道："没有人伤心。"

王动道："有没有人开心？"

赤链蛇道："有。"

王动道："你也知道她恨你？"

赤链蛇道："哼。"

王动道："她为什么一直没有要你的命？"

赤链蛇道："因为她知道我活着比死了有用。"

王动道："以后呢？"

赤链蛇道："以后？"

王动道："以后分钱的时候。"

赤链蛇的脸又已僵硬。

王动道："大蜈蚣死了，他们是不是也很伤心？"

赤链蛇道："哼。"

王动道："他们为什么不伤心？"

赤链蛇道："因为三个人分钱，总比四个人分得多些。"

王动道："若只有两个人分钱呢？"

赤链蛇回过头，盯着他，一字字道："你究竟想说什么？"

王动道："我想说的事，你本该早就明白了的。"

赤链蛇碧绿色的眼神突又变成死灰色，冷冰冰的全无表情。

王动道："一个馒头两个人吃，总比三个人吃好些，这道理本就谁都明白，现在的问题是，是哪两个人能吃到馒头呢？"

赤链蛇道："你说。"

王动缓缓道："我知道你的功夫，你当然不怕红娘子。"

赤链蛇道："哼。"

王动道："但她和崔老大是什么关系？你和崔老大又是什么关系？你能不能比得上她？"

赤链蛇冷笑。

在某种情况下，一个人若是冷笑，只不过表示他已无话可说，表示他心里已不安。

一个对每件事都完全有把握的人，是很少会这么样冷笑的。

所以王动立刻又接着道："所以你若想吃到馒头，就最好赶快另想法子。"

赤链蛇迟疑着，终于忍不住问道："什么法子？"

王动道："另外找个人，来帮你抢那馒头。"

赤链蛇又在冷笑，道："找什么人？"

王动道："第一，那人要不太贪心。"

赤链蛇道："世上有这种人？"

王动道："我就不是个贪心的人。"

赤链蛇道："哼。"

王动道："以前我也许是，但现在我已懂得，两个人分馒头吃，总比没有馒头吃的好。"

赤链蛇凝视着他，道："第二呢？"

王动道："第二，那人要不如你。"

赤链蛇道："为什么要不如我？"

王动道："因为他若不如你，就绝不敢在你面前动歪脑筋。"

赤链蛇道："你不如我？"

王动笑了笑道："我若比你强，现在怎会要你背着我呢？"

赤链蛇死灰色的眼睛里，忽然出现了一点光，道："你真是站在我这边的？"

王动道："我只有站在你这边。"

赤链蛇道："为什么？"

王动道："因为他们那边的人已太挤了。"

赤链蛇的眼睛又亮了些，道："你能够替我做些什么？"

王动道："我还有手。"

赤链蛇道："你的手能做什么？"

王动道："至少还能拉住一个人。"

赤链蛇不再冷笑。

因为他对这件事已渐渐开始觉得有了些把握。

王动道："现在只有一个问题了。"

赤链蛇道："你说。"

王动道："你能不能对付崔老大？"

赤链蛇道："你看呢？"

王动道："若真的动手，我不知道，但若骤出不意，攻其无备，那就……"

他突然闭上了嘴。

赤链蛇也闭上了嘴，这才慢慢地走进了屋子。

催命符和红娘子已在屋子里。

屋子里已经很亮了。

催命符的脸在天光下看来，就像是一张白纸。

一张又干又皱的白纸。

有些人好像都见不得天光的，他显然就是这种人。

赤链蛇将王动放在椅子上道："你们已看过了。"

催命符道："每个地方都看过了。"

红娘子嫣然道："连厕所里都看过了，奇怪的是，那里居然不太臭。"

她瞟了王动一眼，又道："所以我知道你的朋友里，一定有个很喜欢干净的人。"

王动冷冷道："你还知道什么？"

红娘子笑道："我还知道那人一定不是你。"

赤链蛇道："他的朋友呢？"

催命符道："全走了。"

红娘子又瞟了王动一眼，媚笑道："看来你最近交的，也并不是什么好朋友。"

王动淡淡道："天下本没有真能陪着你死的朋友。"

红娘子嫣然道："这样子的夫妻都没有，何况是朋友。"

这次她眼波瞟的是赤链蛇。

赤链蛇好像根本没听见，也没看见，道："这屋子里已没有别的人？"

催命符道："只有这两个稻草人。"

王动道："稻草人不是人。"

催命符突然阴恻恻地一笑，道："莫忘了稻草人有时也能杀人的。"

王动的脸色好像忽然有些变了。

催命符一直在盯着他的脸，就在他脸色微变的那一瞬间，催命符已出手。

很少有人知道催命符杀人用的是什么。

因为他杀人是真杀，一出手就绝不会再让对方有活下去的机会。

否则他就不出手。

只有看过他杀人的人，才知道他杀人用的是什么。

只有四个人看过他杀人。王动看过。

他杀人用的是两根刺。

两根钢丝般的刺，可以游魂般缠着你，缠住你的兵器，扼断你的脖子，也可以一下子就刺进你心脏里。

那就是他的出手双飞游魂刺。

江湖中有很多人是以他们的独门兵器而成名的。

因为他若有种奇特的独门兵器，在和人交手时，就往往会占到很多便宜。

很多意想不到的便宜。

所以你若能创造一件令人意想不到的独门兵器，你就一定会在江湖中闯出名头来——用别人的血写出你的名头来。

虽然你以后也会死在另一件令你意想不到的独门兵器下。

稻草人身子看起来很臃肿。

比他们在放风筝时臃肿得多了。

这点别人也许看不出来，但催命符却绝不会看不出来。因为稻草人就是他做的。

他虽有张笨脸，却有双巧手——真正聪明的人，是绝不会将聪明摆在脸上的。

稻草人不吃肥肉，也不喝酒，为什么会忽然在一夜之间长胖了呢？

是不是有人藏在稻草人里，准备突然间跳起来出手？——这就是王动和燕七他们早已商量好的最后一击？

王动的脸色变了。

因为这时催命符的出手双飞游魂刺，已闪电般刺入稻草人的心脏。

刺得很深。深极了。

第二十六章

最后一击

01

世上的确很少有真能和你共生死的朋友。
连这样的夫妻都很少，何况朋友？
但这样的朋友并不是绝对没有。
至少郭大路他们就是这样的朋友。
他们知道王动已在生死关头，怎么肯放下王动一个人在危险中？
他们怎么会走？

02

稻草人长胖了。
胖人的血多。
催命符的出手双飞游魂刺，已刺入了他们的心脏。
但却没有血，连一滴血都没有。
这次脸色改变的不是王动，是催命符。
就在催命符脸色改变的这一瞬间，赤链蛇的眼睛里已发出了光。
也就在这同一瞬间，王动拉住了红娘子的手。

蜜蜂的刺有毒。
催命符的刺更毒。
蜜蜂的刺若已刺过人，就没有毒了。

催命符的刺现在还留在稻草人的心脏里。

这机会赤链蛇怎肯错过。

他忽然对准催命符的脸，用力吹了口气。

天光照入窗户，可以看出，他吹出的气，是淡碧色的。

催命符好像正在发怔，但就在他这口气吹出来的那一瞬间，催命符的长袖突然变成个套子，套住了赤链蛇的头。

也闷住了他的那口气。

赤链蛇一声惨呼。

呼声很尖锐，很短促。

催命符的身子已掠起，一只手钩住了大梁，吊在梁上，看着他。

赤链蛇的眼睛就像是完全瞎了，什么都已看不见，就像是一条瞎了眼的狗，踉跄向前冲去。

他冲出了一步、两步、三步……

他的脸已碧绿。

他才冲出了两步，就倒下。

中了赤链蛇的毒，绝没有人能走出七步。

就连赤链蛇自己也不例外。

王动放开了红娘子的手。

他脸上还是连一点表情都没有，但瞳孔却已开始在收缩。

他已渐渐明白这是怎么回事，这件事并不太有趣。

但红娘子却显然觉得很有趣，她早已笑了，笑个不停。

笑声如银铃。

王动第一次看到她笑的时候，就是被她这种笑声迷住的。

直到他看过她几百次之后，他还是认为世上绝没有别的人能笑得这么可爱，这么好听。

但现在他却只觉得想呕吐。

无论如何，赤链蛇总是跟她在一起生活了许多年的伙伴。

无论谁在自己伙伴的尸体旁笑得如此开心，都会令别人觉得想呕吐。

红娘子眼波流动，道："你是不是在奇怪，我为什么要笑？"

王动道："不奇怪。"

红娘子道："为什么？"

王动道："因为你根本不是人。"

这也是王动的结论。

催命符还在凝视着赤链蛇的尸身，就像是生怕这人死得还不够彻底。

赤链蛇死得很彻底。

其实他活着时，就已彻底为毒药贡献出他自己的全部生命。

他没有别的朋友，他甚至可以说什么都没有。

毒药就是他的生命。

过了很久，催命符才慢慢地转过身，缓缓道："这是个很忠实的人。"

红娘子道："你说他忠实？"

催命符点点头，道："他至少对自己做的事很忠实，他的毒药的确没有失效过一次。"

红娘子又笑了，道："所以你更应该感激我，若不是我，现在死的就是你。"

催命符淡淡道："我倒的确从未想到过他也会出卖我。"

红娘子笑道："你若从未想到过，怎么会早已准备好对付他的法子？"

催命符道："因为我也是个很忠实的人。"

红娘子道："你对什么忠实？"

催命符道："对我自己。"

红娘子叹了口气，道："你怎么从来不说我也很忠实？"

催命符冷冷道："因为你对你自己也不忠实，你常常都在出卖自己，你自己出卖自己。"

红娘子道："但我却从来未出卖过你，也从来没有骗过你。"

催命符还是冷冷地道："因为你知道没有人能骗得过我的。"

他忽然转向王动，道："所以你在我面前，也是个老实人。"

王动没有反应。催命符道："你说你的朋友都已走了，他们果然不在这里。”

王动还是没有反应。

催命符道：“现在我只想知道，你是对钱比较忠实，还是对我？”

王动道：“那得看情形。”

催命符道：“怎么看？”

王动淡淡地道：“通常我是对钱忠实些，但现在是对你。”

催命符道：“很好，拿来。”

王动道：“拿什么？”

催命符道：“你有什么？”

王动犹疑着，终于下了决心，道：“桌子下面有几块石板是松的，下面有个地窖。”

催命符冷笑道：“你以为我看不出来？”

王动道：“你既已看出来，为什么还不去拿？东西就在那里。”

红娘子抢着道：“我去拿出来。”

催命符道：“我去。”

他身子一闪，已掠到红娘子前面。

这是他平生第一次走在别人前面——也是最后的一次。

一线银光慢慢地自红娘子袖中飞出，打在他脑后的玉枕穴上。

这致命的一击非但不快，而且很慢，但他却偏偏不能闪避。

他立刻就倒了下去。没有抵抗，也没有痛苦。

甚至连声音都没有发出，一个活人忽然间就变成了死人。

谁也想不到他竟死得如此容易。

他自己当然更想不到，杀他的人，竟是红娘子。

银铃般的笑声又响起。

红娘子笑道：“这次，你总该明白我为什么要笑了吧？”

王动道：“不明白。”

红娘子道：“你知不知道我是用什么杀他的？”

王动不回答。

红娘子笑道：“你当然知道，那就是我从他那里学来的游魂刺。”

她吃吃地笑着，接道：“他刚用赤链蛇的毒，毒死了赤链蛇，我立刻就用他自己的刺，刺死了他，这么有趣的事，我想不笑都不行。”

王动道：“我只奇怪，他怎会将这一招教给你。”

红娘子道：“因为他并没有完全将诀窍教给我，知道我永远学不好的。”

王动道：“你的确没有他快。”

红娘子道：“那差得远了，所以虽然学会，却还是没有用，根本不能用来对付别人。游魂刺还是他的独门兵器。”

王动道：“既然没有用，你何必学？”

红娘子道：“并不是完全没有用，只有一种用处，只能用来对付一个人。”

王动道：“谁？”

红娘子道：“他自己。”

王动奇道：“你不能用来对付别人，却能用来对付他？”

红娘子笑道：“天下就有很多事，都是这么奇怪的。”

王动道：“我不懂。”

红娘子咯咯笑道：“你不懂的事还多着哩。”

王动道：“哦？”

红娘子道：“我故意单独留下你和赤链蛇在一起，为的就是要让你们有机会说话。”

王动道：“原来你是故意走开的。”

红娘子道：“我先故意说出他最见不得人的事，然后再走开，故意要他气得半死。你看到那种机会当然不肯错过。”

王动道：“你知道我会想法子说动他，要他出卖你们？”

红娘子道：“并不是你说动他的，他早已有了这意思，只不过一直没有机会而已。”

王动道：“你故意给他这机会，然后就去叫崔老大提防着？”

红娘子道：“我也知道崔老大早已有了对付他的法子，他只要一出手，就得死。”

王动道：“你算得很准。”

红娘子嫣然道：“这点我倒也不必太谦虚。”

王动叹了口气，道：“这件事我总算明白了，还有呢？”

红娘子眨眨眼，道：“你知不知道崔老大最大的秘密是什么？”

王动道：“不知道。”

红娘子道：“他的耳朵并不灵，简直跟聋子差不许多。”

王动道：“但我跟他说话，声音并不太大，他却都听得见。”

红娘子道：“那只因为他看你的嘴唇动作，就能看出你说的是什么。”

王动叹道：“这的确是个秘密。”

红娘子道：“这秘密除了我之外，没有别人知道。就因为他的耳朵不灵，所以永远不肯走在任何人前面，他生怕别人从背后暗算他。”

她笑了笑，又道：“这倒并不是因为他比别人小心，只不过因为他听不见暗器的风声，若有人从背后暗算他，他根本没法子闪避。”

王动道：“若是风声很尖锐，他当然还是听得见的，但若有人从背后慢慢地给他一下子，那他就非死不可了。”

红娘子笑道：“一点也不错，所以，我用那永远也学不好的游魂刺来对付他，反而再好也没有了啊！”

王动道：“你也算准了他一听到东西在哪里，就忍不住会赶到前面去的？”

红娘子道：“若在别人面前，他也许还能沉得住气，还会提防着；但跟我在一起的时候，他总是会比平时疏忽些。”

王动道：“为什么？”

红娘子道：“因为他总认为我是在倚靠着他，总认为他若死了，我也活不了。”

王动叹道：“他也总认为没有人能骗过他……”

红娘子道：“的确没有人能骗过他，只有他自己能骗过自己。”

王动道：“他说他自己在骗自己？”

红娘子媚笑道：“不会自我陶醉的男人，天底下还没有几个，男人若不自我陶醉，女人还能混么？”

王动沉默了半晌，淡淡道：“你的确算得很准，也看得很准。”

红娘子道：“但我却看错了你。”

王动道：“哦？”

红娘子又笑着道：“我始终认为你是不会说谎的，想不到你若说起谎话来，简直可以骗死人不赔命。”

王动道：“我说了什么谎？”

红娘子道：“你说东西就在桌子下面，这是不是说谎？”

王动道：“是。”

红娘子笑道：“但却只有我一个人知道你在说谎，因为世上只有我才知道东西到底藏在哪里。”

王动道：“你应该知道。”

红娘子眼波流动，道：“说老实话，你刚才有没有想到过，东西是我拿走的？”

王动道：“没有想到。”

他沉默了半晌，又道：“我什么都没有想到，什么都不知道，我只知道一件事。”

红娘子道：“什么事？”

王动道：“一个人不能太得意，无论谁若觉得没有人能骗他，他就是自己在骗自己。”

红娘子的甜笑好像已有点变味了，忍不住道：“这是什么意思？”

王动淡淡道：“我这句话的意思就是说，你若能设计出一个圈套来害别人，别人就也能设计出一个圈套来害你。”

这也是结论。

结论通常都很少会错的。

错了的通常都不是结论。

白天。

女人在白天看来，总显得比较苍老些、憔悴些。

红娘子已笑不出。

会笑的女人不笑的时候，也总会显得苍老些、憔悴些。

所以红娘子现在看来，几乎已接近“红婆子”的程度了。

桌子下没有宝藏，连一个铜板都没有。

但却有人，两个人。

王动虽不能动，但这两个人却能动。

一个动得比较快，一个动得慢些。

快的是燕七，慢的是郭大路。

像郭大路这样的人，在朋友有危难的时候，你就算用鞭子赶他，用刀架在他脖子上，他也不会走的。

直到现在，红娘子才发觉自己掉入了圈套。

但是怎么掉下去的呢?

她完全不知道，这圈套连一点影子她都没有看到。

屋子里总有个角落光线比较暗些，这角落里通常总有张椅子。

红娘子慢慢地走过去，慢慢地坐下来。

没有人拦阻她，因为已没有这必要。

过了半晌，红娘子忽然道：“王动，我知道你一直是个很公平的人。”

郭大路抢着道：“他本来就是的。”

有郭大路在的时候，王动说话的机会并不多。

红娘子道：“所以对我也应该公平些。”

郭大路道：“要怎么样公平？”

红娘子道：“刚才我已将我的圈套说了出来，现在你呢？”

她说话的对象是王动，除了王动外，她没有看过别人。

燕七的眼睛却在瞪着郭大路。

所以郭大路的嘴也只好闭上了。

过了很久，王动才开口道：“刚才你是从哪里说起的？”

红娘子道：“从我给你机会让你单独和赤链蛇说话的时候。”

王动道：“你知不知道我为什么跟他说那些话？”

红娘子道：“不知道。”

王动道：“但你至少应该知道一件事，东西并不是我拿走的。”

红娘子道：“我知道。”

王动道：“所以我一定要从你们三个人中，找出拿走那些东西的人来。”

红娘子道：“你跟赤链蛇说那些话，为的就是要试探他？”

王动道：“不错，他若是拿走那些东西的人，就绝不会那么做了。”

红娘子道："你怎么知道那人不是大蜈蚣？"

王动道："他假如是的，就不会那么冒险——有了几千万两身家的人，坐在屋檐下都生怕有瓦会掉下来打破他的头。"

红娘子勉强笑了笑，道："你为什么不说得简单些？'千金之子，坐不垂堂'，这句话我也听得懂的。"

王动道："知道那些东西藏处的只有五个人，除掉三个，就只剩下你和崔老大。"

红娘子道："但你还是不能确定，我和崔老大究竟谁才是真正拿走那些东西的人。"

王动道："那时我还不能确定，但我已有把握，迟早会找出那个人来的。"

红娘子道："你真有把握？"

王动道："第一，我知道赤链蛇绝不是崔老大的敌手，只要一有举动，就必死无疑。"

红娘子道："你倒也看得很准。"

王动道："第二，我知道你和崔老大之间，也必定有个人要死的。"

红娘子道："为什么？"

王动道："因为无论谁是拿走那些东西的人，都绝不会让另一个人活着。"

红娘子道："为什么？"

王动道："因为我们这五个人之中，只要还有一个活着，他就不能安心享受那笔财富。现在五个人等于只剩下一个，正是他最好的机会。"

红娘子叹了口气，道："这机会的确太好了。"

王动道："他已等了很久，好容易才等到这机会，当然绝不肯轻易错过。"

红娘子道："若换了你，也一定舍不得错过。"

王动道："何况以前他还可以将责任推在我身上，现在既已找到了我，他的秘密就迟早要被揭穿，就算他不想杀别人，别人也一定要杀他。"

红娘子缓缓道："我本来的确不愿他们找到你，可是……"

她笑了笑，笑得很凄凉，轻轻地接着道："可是我心里却又希望他们能找到你，也好让我看看，这几年来你已变成什么样子了？日子过得还好么？"

郭大路终于忍不住道："他日子过得很好，虽然穷一点，却还是照样很快乐。"

红娘子慢慢地点了点头，喃喃道："你们的确都是他的好朋友，的确是比他以前那些朋友好得多。"

她沉默了很久，才接着道："你算来算去，早已算准了最后必定只有一个人剩下来，也算准了他就是拿走那些东西的人。"

王动道："这算法本来就好像一加一等于二那么简单。"

红娘子道："难道你赴约去的时候就已算准了？"

郭大路道："若非如此，我们怎么能放心让他去赴约？"

红娘子叹道："我早就该想到的，我早就看出你们不是那种看见朋友有危险就偷偷溜走的人。"

王动道："他们的确不是。"

红娘子道："但是我还有几点想不通。"

王动道："你可以问。"

红娘子道："你中计被擒，难道也是故意的？"

王动淡淡道："我只知道那地方绝不会突然冒出个荒坟来。"

红娘子道："你故意被他们抓住，难道不怕他们当时就杀了你？"

王动道："怕总是有点怕的。"

红娘子道："但你还是照样要去做？"

王动道："因为我已猜到，你们绝不会就只为了要杀我而来，一定还另有目的。"

红娘子道："你已猜出是什么目的？"

王动道："虽然不能完全确定，但只要你们另有目的，就不会当时杀我。"

红娘子道："所以你就叫他们在这里等着？"

王动道："不错。"

红娘子道："你有把握能诱我们到这里来？"

王动道："只有一点，不太多。"

红娘子道："但你还是要这么样做？"

王动道："一个人若只肯做绝对有把握的事，那么他就连一样事都做不成。"

红娘子道："哦？"

王动道："因为世上本没有绝对有把握的事。"

红娘子道："你要他们藏在这里，难道就不怕事先被我们发现么？"

王动道："这种机会很少。"

红娘子道："为什么？"

王动道："这得分几种情形来说。"

红娘子道："你说。"

王动道："第一种情况是，三个人同在这里的时候。"

红娘子道："嗯。"

王动道："这时三个人之中，至少有两个人以为藏宝就在桌下，当然绝不肯让别人先得手的。就算有人要过来看看，也必定有人会阻止。所以在这种情况下，他们必是安全的。"

红娘子道："第二种情况呢？"

王动道："那时已只剩下两个人了，就譬如说是你和崔老大。"

红娘子道："不用譬如，本来就是我们。"

王动道："那时你已决心不让崔老大再活着。他就算想要来看看，你也必定会先下手，所以在这种情况下，他们也是安全的。"

红娘子道："第三种情况当然是已只剩下我一个人了。"

王动道："不错。"

红娘子道："那时你穴道还是被点住的。"

王动道："是的。"

红娘子道："我若先发现他们藏在哪里，岂非还可以先把他们封死在这里面？"

王动笑道："可是你明知藏宝不在那里，怎么会过去看？你根本连注意都不会注意，所以在这种情况下，他们也是安全的。"

红娘子道："你真的算得那么精，那么准？"

王动道："假的。"

他笑了笑，接着道："人算不如天算，谁也不能将一件事算得万无一失的。"

红娘子道："但你还是要冒这个险？"

王动道："这本是我们的孤注一掷，最后一击。"

红娘子长长叹了口气，苦笑道："你们的胆子也未免太大了。"

王动道："我们的胆子并不大，计谋也没有你们精密，甚至连力量都比你们薄弱些，这一战，我们本该败的。"

红娘子道："但你们却胜了。"

王动道："那只因为我们有样你们没有的东西。"

红娘子道："你们有什么？"

王动道："友情。"

他慢慢地接着道："这样东西虽然是看不见摸不着，但力量之大，却是你们永远也梦想不到的。"

红娘子在听着。

她不能不听，因为这些话都是她从来没有听见过的。

王动道："我们敢拼命，敢冒险，也因为我们知道自己并不是孤立无助的。"

他目光转向燕七和郭大路，接着道："一个人若知道自己无论在什么情况下，都有真正的朋友站在他这一边，和他同生死、共患难，他立刻就会变得有了勇气，有了信心。"

红娘子垂下头，仿佛又苍老了许多。

王动道："我本来也想要他们走，但他们只说了一句话，就令我改变了主意。"

红娘子忍不住问道："他们说了什么？"

王动道："他们告诉我，我们要活，就快快乐乐地活在一起；要死，也痛痛快快地死在一起；无论是死是活，都没什么了不起。"

这句话也是红娘子从未听说过的。

她几乎不能相信，可是现在她不能不信。

她看着面前三个人——

一个满身负伤，能站得住已很不容易。

一个纤弱瘦小，显得既饥饿，又疲倦。

就连王动也一样。

若说只凭这三个人，就能将赤链蛇、催命符和红娘子置于死地，这种事简直不可思议。

但这件不可思议的事，现在却已成为事实。

他们凭的是什么呢？

红娘子垂下头，突然觉得一阵热血上涌，几乎忍不住要流下泪来。

她已不知有多久未曾真正流过眼泪，几乎已忘了流泪是什么感觉。

燕七一直在看着她，目中渐渐露出同情之色，忽然道："你从来没有朋友？"

红娘子摇摇头。

燕七道："那绝不是因为朋友不要你，而是因为你不要朋友。"

红娘子道："可是我……"

燕七道："你若要别人对你真心诚意，只有用一种东西去换。"

红娘子道："用……用什么？"

燕七道："用你自己的真心诚意。"

郭大路忍不住道："你们三个人中，只要有半分真心诚意，今天就一定还快快乐乐地活着。"

邪不胜正。

正义必定战胜强权。

为道义友情而结合的力量，必定战胜因利害而勾结的暴力。

真理与友情必定永远存在。

这不是口号。绝不是。

你们若听说郭大路和王动他们的事，就会知道这绝不是口号，就算你们没听说也无妨。

因为世上像郭大路和王动这样的人，随时随地都存在着的，只要你肯用你的真心诚意去寻找，就一定可以找到这样的朋友。

第二十七章

春到人间

01

早晨。

金黄色的阳光穿破云层，照上窗户。

风吹过窗户，流动着自远山带来的清新芬芳。

早晨永远是可爱的，永远充满了希望。

但你也用不着诅咒夜的黑暗，若没有黑暗的丑陋，又怎能显得出光明的可爱？

春天。

金黄色的阳光穿破云层，照上枝头。

风吹过柔枝，枝头上已抽出了几芽新绿。

融化的积雪中，已流动着春的清新芬芳。

春天永远是可爱的，永远充满了希望。

但你也用不着诅咒冬的严酷，若没有严酷的寒冷，又怎能显得出春天的温暖？

春天的早晨。

林太平正躺在窗下，窗子是开着的，有风吹过的时候，就可以闻到风自远山带来的芬芳。

他手里拿着卷书，眼睛却在凝视着窗外枝头上的绿芽。

就躺在这里，他已躺了很久。

他受的伤并不比郭大路重，中的毒也并不比郭大路深。

可是郭大路已可到街上沽酒的时候，他却还只能在床上躺着。

因为他的解药来得太迟了。

毒已侵入了他的内脏，侵蚀了他的体力。

人生本就是这样子的，有幸与不幸。

他并不埋怨。

他已能了解，幸与不幸，也不是绝对的。

他虽然在病着，却也因此能享受到病中的那一份淡淡的、闲闲的、带着几分清愁的幽趣。

何况还有朋友们的照顾和关心呢。

人生本有很多种乐趣，是一定要你放开胸襟，放开眼界后才能领略到的。

他叹了口气，闭上眼睛。

门轻轻地被推开了，一个人轻轻地走了进来。

一个布衣钗裙，不施脂粉，显得很干净、很朴素的妇人。

她手里托着个木盘，盘上有一碗热腾腾的粥，两碟清淡的小菜。

林太平似乎已睡着。

她轻轻地走进来，将木盘放下，像是生怕惊醒了林太平，立刻轻轻地退了出去。

但想了想之后，她又走进来，托起木盘，只因她生怕粥凉了对病人不宜。

这妇人是谁？

她做事实在太周到，太小心。

02

积雪融尽，大地已在阳光下渐渐变得温暖干燥。

院子里的地上，摆着三张藤椅，一局闲棋。

王动和燕七正在下棋。

郭大路在旁边看着，忽而弄弄椅上的散藤，忽而站起来走几步，忽而伸长脖子去眺望墙外的远山。

总之他就是坐不住。

要他静静地坐在那里下棋，除非砍断他一条腿，要他静静地坐在旁边看别人下棋，简直要他的命。

现在王动的白子已将黑棋封死，燕七手里拈着枚黑子，正在大伤脑筋，正不知该怎么样做两个眼，将这盘棋救活。

郭大路一直在他旁边晃来晃去。

燕七瞪了他一眼，忍不住道："你能不能坐下来安静一下子？"

郭大路道："不能。"

燕七恨恨道："你不停地在这里吵，吵得人心烦意乱，怎么能下棋？"

郭大路道："我连话都没说一句，几时吵过你？"

燕七道："你这样还不算吵？"

郭大路道："这样子就算吵？王老大怎么没有怪我吵他？"

王动淡淡道："因为这盘棋我已快赢了。"

燕七道："现在打劫还没有打完，谁输谁赢还不一定哩。"

郭大路道："一定。"

燕七瞪眼道："你懂什么？"

郭大路笑道："我虽然不懂下棋，但却懂得输了棋的人，毛病总是特别多些的。"

燕七道："谁的毛病多？"

郭大路道："你！所以输棋的人一定是你。"

王动笑道："答对了。"

他笑容刚露出来，突又僵住。

那青衣妇人正穿过碎石小路走过来，手托的木盘上，有三碗热茶。

王动扭过了头，不去看她。

青衣妇人第一盏茶就送到他面前，柔声道："这是你最喜欢喝的香片，刚泡好的。"

王动没听见。

青衣妇人道："你若想喝龙井，我还可以再去泡一壶。"

王动还是没听见。

青衣妇人将一盏茶轻轻放到他面前，道："今天中午你想吃点什么？包饺子好不好？”

王动突然站起来，远远地走开了。

青衣妇人看着他的背影，发了半天怔，仿佛带着满怀委屈，满腔幽怨。

郭大路忍不住道：“包饺子好极了，只怕太麻烦了些。”

青衣妇人这才回过头来，勉强笑了笑，道：“不麻烦，一点也不麻烦。”

她放下茶碗，慢慢地转过身，慢慢地走回去，走了两步，又忍不住回过头看了王动一眼。

王动就好像根本没有感觉到她这人存在。

青衣妇人垂下头，终于走了，虽然显得很难受，却一点也没有埋怨责怪之意。

王动无论怎么样对她，她都可以逆来顺受。

这又是为了什么？

郭大路目送着她走入屋子后，才长长叹了口气，道：“这个人变得真快。”

燕七道：“嗯。”

郭大路道：“别人说，江山易改，本性难移。我看这句话并不太正确，她这个人岂非就彻彻底底地完全变了？”

燕七道：“因为她是个女人。”

郭大路道：“女人也是人，这句话岂非是你常常说的。”

燕七也叹了口气，道：“但女人到底还是跟男人不同。”

郭大路道：“哦？”

燕七道：“女人为了一个她所喜欢的男人，是可以完全将自己改变的。男人为了喜欢的女人，就算能改变一段时候，改变的也是表面。”

郭大路想了想，道：“这话听来好像也有道理。”

燕七道：“当然有道理——我说的话，句句都有道理。”

郭大路笑了。

燕七瞪眼道：“你笑什么？你不承认？”

郭大路道：“我承认，无论你说什么，我都没有不同意的。”

这就叫，一物降一物，青菜配豆腐。

郭大路天不怕，地不怕，但一见到燕七，他就没法子了。

这时王动才走回来，坐下，还是脸色铁青。

郭大路道："人家好心送茶来给你，你能不能对她好一点？"

王动道："不能。"

郭大路道："难道你真的一看见她就生气？"

王动道："哼。"

郭大路道："为什么？"

王动道："哼。"

郭大路道："就算红娘子以前不太好，但现在她已经不是红娘子了，你难道看不出她已完全变了个人？"

燕七立刻帮腔道："是呀，现在看见她的人，有谁能想得到她就是那救苦救难的红娘子？"

的确没有人能想到。

那又小心、又周到、又温柔、又能忍受的青衣妇人，居然就是红娘子。

郭大路道："有谁能够想得到，我情愿在地上爬一圈。"

燕七道："我也爬。"

王动板着脸，冷冷道："你们若要满地乱爬，也是你们的事，我管不着。"

燕七道："可是你……"

王动道："这局棋你认输了没有？"

燕七道："当然不认输。"

王动道："好，那么废话少说，快下棋。"

郭大路叹了口气，喃喃道："看来这人的毛病比燕七还大，这盘棋他不输才是怪事。"

这局棋果然是王动输了。

他本来明明已将燕七的棋封死，但不知怎么一来，他竟莫名其妙地输了。

输了七颗子。

王动看着棋盘，发了半天怔，忽然道：“来，再下一局。”

燕七道：“不来了。”

王动道：“非来不可，一局棋怎么能定输赢？”

燕七道：“再下十局，你还是要输。”

王动道：“谁说的？”

郭大路抢着道：“我说的，因为你不但有毛病，而且毛病还不小。”

王动站起来就要走。

郭大路拉住了他，大声道：“为什么我们一提起这件事，你就要落荒而逃？”

王动道：“我为什么要逃？”

郭大路道：“那就得问你自己了。”

燕七悠然道：“是呀，一个人心里若没有亏心的地方，别人无论说什么，他都用不着逃的。”

王动瞪着他们，忽然用力坐下去，道：“好，你们要说，大家就说个清楚，我心里有什么亏心的地方？”

郭大路道：“我先问你，是谁要她留下来的？”

王动道：“不管是谁，反正不是我。”

郭大路说道：“当然不是你，也不是我，更不是燕七。”

没有人要红娘子留下来，是她自己愿意留下来的。

她本来可以走。

若换了别人，在那种情况下，一定会先逼着她说出那批藏宝的下落，然后很可能就杀了她。

但郭大路他们不是这种人。

他们绝不肯杀一个已没有反抗之力的人，更不愿杀一个女人。

尤其不会杀一个不但没有反抗之力，更有悔罪之心的女人。

任何人都看得出红娘子已被感动了——被他们那种伟大的友谊感动了。

她已明白世上最痛苦的事并不是没有钱，而是没有朋友。

她忽然觉得以前所做的那些事，所得的唯一代价就是孤独和寂寞。

因为她已是个三十多岁的女人。

她已能了解孤独和寂寞是多么可怕的事。

她也已了解世上所有的财富，也填不满一个人心里的空虚。

那绝不是一个十八九岁的女孩子所能了解的。

所以红娘子没有走。

郭大路道：“你说过，你们那几年的收获不少。”

王动道：“嗯。”

郭大路道：“你也说过，无论谁有了那笔财富，都可以像皇帝般享受一辈子。”

王动道：“哼。”

郭大路道：“但她却宁可放弃那种帝王般的生活，宁可到这里来服侍你，她疯了吗？”

燕七道：“她当然没有疯，何况就算是疯子，也不会做这种事的。”

郭大路道：“所以就算是呆子，也应该明白她的意思，也应该对她好些。”

红娘子并不是没有走出这屋子过。

她出去过五六天。

回来时，带回来个小小的包袱，包袱里有几件青布衣服，几样零星的东西。

那就是她剩下的所有财产了。

其他的呢？

她居然已将那笔冒了生命危险得来的财富，全都捐给了黄河沿岸正在闹水灾的几省善堂。

这种事简直令人无法相信。

王动的脸色还是铁青着的。

郭大路道：“难道现在你还不相信她？”

燕七道：“我们甚至已特地去为你打听过，难道我们也会帮着她骗你？”

郭大路道：“难道现在你还看不出她这样做是为了什么？”

燕七道：“她当然是在赎罪。但最重要的，还是因为她想感动你，让你回心转意。”

郭大路道：“假如有人这样对我，无论她以前做过什么事，我都会原谅她的。”

王动沉默着，一直没有说话。

过了很久，他才抬起头，道：“你们说完了吗？”

郭大路道：“该说的都已说完了。”

燕七道：“甚至连不该说的都说了，现在只看你怎么做。”

王动道：“你们要我怎么样做？跪下来，求她嫁给我？”

郭大路道：“那倒也不必，只不过……只不过……”

燕七替他接了下去，道：“只不过要你对她稍微好一点就行了。”

王动看看郭大路，又看看燕七，忽然长长叹了口气，道：“你们很好，都很好……”

这句话还没有说完，他就站起来走了。

这次他走得很慢，但郭大路反而没有拉他，因为王动一向很少叹气。

太阳渐渐升高，将他的影子长长地拖在地上。

他的背好像已有点弯，背上好像压着很重的担子。

郭大路和燕七从未看见过他这样子，忽然觉得自己的心情也沉重了起来。

也不知过了多久，他们又听见一阵很轻的脚步声，抬起头，就看到红娘子已站在他们面前。

郭大路勉强笑了笑，道：“坐，请坐。”

红娘子就坐了下来，端起她刚才倒给王动的茶，喝了一口，又慢慢地放下，忽然道：“你们刚才说的话，我全都听见了。”

郭大路道：“哦。”

除了这个“哦”字外，他实在想不出应该说什么。

红娘子轻轻道：“你们对我的好意，我很感激，可是……”

郭大路和燕七在等着她说下去。

过了很久，红娘子才慢慢地接着道：“可是我跟他之间的事，你们还不太了解。”

郭大路和燕七谁也没有表示意见。

他们当然不能说自己对别人的事很了解——谁也不能这么说。

红娘子垂下头，道：“我们以前本来……本来非常要好，非常好……”

她声音似已有些哽咽，长长吐出口气，才接着道：“这次我留下来，正如你们所说，是希望能使他回心转意，重新过像以前那样的日子。”

郭大路忍不住道：“你对以前那段日子，真的还很怀念？”

红娘子点点头，黯然道：“可是现在我才知道，过去的事就已过去，就像是一个人的青春一样，去了就永远不会再回头。”

说到这里，她眼泪似已忍不住要流下。

郭大路心里忽然也觉得一阵酸楚，想说话，却不知该说什么。他看着燕七，燕七的眼圈儿似也有些发红。

红娘子以前虽然伤害过他们，暗算过他们，但现在他们早已忘了，只记得红娘子是个一心想回头的可怜女人，他们心里只有同情，绝没有仇恨。

没有人能比郭大路他们更容易忘记对别人的仇恨。

又过了很久，红娘子才总算勉强将眼泪忍住，轻轻道：“但你们若以为他真是个铁石心肠的人，你们就错了。他愈这样对我，就愈表示他没有忘记我们以前的情感。”

燕七忽然点点头，道：“我了解。”

他真的了解，人与人之间的关系往往很微妙。

人们互相伤害得愈深，往往只因他们相爱得更深。

红娘子轻轻地接着又道：“他对我若是很好，很客气，我心里反而更难受。”

燕七柔声道：“我了解。”

红娘子道：“就因为他以前对我太好、太真，所以才会觉得被我伤害得很重——所以现在他才会这么样恨我。”

郭大路道：“他怎么会恨你？”

红娘子凄然一笑，道：“他恨我，我反而高兴，因为，他以前若不是真的对我好，现在又怎么会恨我？”

郭大路终于点了点头，道：“我懂。”

红娘子道：“你若在一个人脸上刺了一刀，刺得很深，那么他脸上必定留下一条很深的刀疤，永远也不会平复。”

她黯然接着道：“心上的刀痕也一样，所以我知道我们是永远无法恢复到以前那样子了，就算还能勉强相聚在一起，心里也必定会有层隔膜。”

郭大路道：“可是……你们至少还可以做个朋友。”

红娘子道：“朋友？……”

她笑得更凄凉，道：“任何两个人都可能成为朋友，但他们以前若是相爱过，就永远也无法成为朋友了，你说是不是？”郭大路只有承认。

红娘子忽然站起来，道：“但无论如何，你们都是我的朋友，我永远都不会忘了你们。”

郭大路这才看见她手里提着个小小的包袱，动容道：“你想走？”

红娘子凄然道：“我若勉强留下来，不但他心里难受，我也难受，我想来想去，才决定还不如走了好。”

郭大路道：“可是你……你有没有打算，准备到哪里去呢？”

红娘子道：“没有打算。”

她不让别人说话，很快地接着又道：“但你们可以放心，像我这样的人，有很多地方都可以去的，所以你们为了他，为了我，都最好不要拦住我。”

郭大路看看燕七，燕七在发怔。

红娘子看着他们，目中仿佛充满了羡慕之意，柔声道：“你们若真的将我当作朋友，就希望你们能记住一句话。”

燕七道：“你说。”

红娘子凝注着远方，缓缓地道：“世上最难得的，既不是名声，也不是财富，而是人与人之间的真情。你若得到了，就千万要珍惜，千万莫要辜负了别人，辜负了自己……”她声音愈说愈低，低低地接着道：“因为只有一个曾经失去过真情的人，才懂得它是多么值得珍惜，才会了解失去它之后是多么寂寞，多么痛苦。”

燕七的眼圈儿真的红了，忽然道：“你呢？你以前是不是以真情在对待他？”

红娘子沉默了很久，才轻轻道：“我本来连自己也分不清。”

燕七道：“现在呢？”

红娘子道：“我只知道他离开后，我总是会想起他，我……找过很多人，可是却没有一个人能代替他。”

这句话还没有说完，她忽然以手掩面，狂奔而出。

郭大路想过去拦阻。

但燕七却拦住了他，黯然道：“让她走吧。”

郭大路道：“就这样让她走？”

燕七幽幽道：“走了也好。不走，彼此间反而更痛苦。”

郭大路道：“我只怕她会……会……”

燕七道：“你放心，她绝不会做出什么事来的。”

郭大路道：“你怎么知道？”

燕七道：“因为她现在已知道王老大对她确是真心的，这已足够。”

郭大路道：“足够？”

燕七道：“至少这已足够使一个女人活下去。”

他目中也已泪珠满眶，轻轻接着道：“一个女人一生中，只要有一个男人的确是真心对她的，她这一生就没有白活。”

郭大路凝视着他，良久良久，道：“你对女人好像了解得很多。”

燕七扭过头，目光移向远方。

天空碧蓝，阳光灿烂。

碧蓝的天空下，忽然有一道浅紫色的烟火，冲天而起。

燕七皱了皱眉，道：“这种时候，怎么会有人放烟火？”

燕七回过头，就看见王动也站在屋檐下，看着这道烟火。

风吹过，紫色的烟火随风而散。

郭大路道：“只要人家高兴，随时随地都可以放烟火，这一点也不稀奇。”

燕七似在沉思着，喃喃道：“是不是就好像随时随地都可以放风筝一样？”

郭大路没有听清楚，正准备问他在说什么。

忽然间，王动已冲到他们面前，道：“她呢？”

“她”自然就是红娘子。

郭大路道：“她已经走了，因为她觉得你……”

王动大声打断了他的话道：“她什么时候走的？”

郭大路道：“刚走……”

这两个字刚说完，王动的人已横空掠起，只一闪，就掠出墙外。

郭大路笑了，道："原来他对她还是很好，她根本不必走的。"

他摇着头，笑着道："女人为什么总是这样喜欢多心？"

燕七脸上却连一丝笑意也没有，沉声道："你以为那烟火真是放着玩的？"

郭大路道："难道不是？"

燕七叹了口气，道："江湖中的勾当，看来你真的连一点也不懂。"

郭大路道："我本来就不是个老江湖。"

燕七道："假如我们要对付一个人，你在这里守着他，我在山下，你有了他的消息时，用什么法子来通知我？"

郭大路道："不会的。"

燕七道："不会的？这是什么意思？"

郭大路道："这意思就是说，像这种情况根本就不会有。"

燕七道："为什么？"

郭大路眨眨眼，道："因为你若在山下守着，我一定也在山下。"

燕七眼睛里露出了温柔之色，但脸却板了起来，道："我们现在说的是正经事，你能不能好好地说几句正经话？"

郭大路道："能。"

他想了想，才接着道："山上和山下的距离不近，我就算大喊大叫，你也未必听得到。"

燕七冷冷道："聪明聪明，你真聪明极了。"

郭大路笑了，又想了想，才说道："我可以叫别人去通知你。"

燕七道："若没有别的人呢？"

郭大路道："我就自己跑下山去。"

燕七瞪着他，板着脸道："你脑袋里装的究竟是什么？稻草？木头？"

郭大路笑道："除了稻草和木头之外，还有一脑门子想逗你生气的念头，我总觉得你生起气来的样子，像个十七八岁的小姑娘。"

他不让燕七开口，抢着又道："其实我当然明白你的意思，你认为那烟火也跟风筝一样，是江湖中人传递消息的讯号。"

燕七还在瞪着他，过了很久，才长长叹了口气，道："我总有一天非被你活活气死不可。”

就在这时，山下忽然也有一道紫色的旗花烟火冲天而起。

郭大路的神色也变得正经起来了，道：“依你看，是不是有江湖人到了我们这里？”

燕七道：“而且还不止一个。”

郭大路道：“你认为他们是来对付红娘子的？”

燕七道：“我不知道，但王老大却必定是这么想法，所以他才会赶过去。”

郭大路动容道：“既然如此，我们还等在这里干什么？”

燕七道：“因为我还要跟你商量一件事。”

郭大路道：“什么事？”

燕七道：“这次你能不能不要跟着我，让我一个人去……”

他的话还没有说完，郭大路已用力摇着头，道：“不能。”

燕七皱皱眉道：“我们若全走了，谁留在这里陪小林？”

他们当然不能将林太平一个人留在这里。

经过了上次的教训后，现在无论对什么事，他们都分外小心。

郭大路沉吟着，道：“这次你能不能让我走，你留在这里？”

燕七也立刻摇头道：“不能。”

郭大路道：“为什么？”

燕七的声音忽然变得温柔起来，道：“你的伤本来就没有完全好，再加上你又死不要命，不等伤好之后，就一个人偷偷溜下去喝酒……”

郭大路道：“谁一个人偷偷喝酒？难道我没有带酒回来……”

燕七沉着脸，道：“不管怎么样，你现在还不能跟别人交手。”

郭大路道：“谁说的？”

燕七瞪着眼道：“我说的，你不服气？”

郭大路道：“我……我……”

燕七道：“你若不服气，先跟我打一架怎么样？”

郭大路摊开双手，苦笑道：“谁说我不服气，我服气得要命。”

他捧起那张摆棋盘的小桌子，喃喃道：“你快走吧，我去找小林下盘棋，他的狗屎棋刚好跟我差不多。”

燕七看着他走过去，目光又变得说不出的温柔，温柔得就像是刚吹融大地上冰雪的春风一样。

现在正是春天。

春天本就是属于多情儿女们的季节。

春天不是杀人的季节。

春天只适于人们来听音乐般的啁啾鸟语，多情叮咛，绝不适于听到惨呼。

但就在这时，他听到一声惨呼。

一个人垂死时的惨呼。

03

世上有些地方的春天，到得总好像特别迟些。

还有些地方甚至好像永无春天。

其实你若要知道春天是否来了，用不着去看枝头的新绿，也用不着去问春江的野鸭。

你只要问你自己。

因为真正的春天既不在绿枝上，也不在暖水中。

真正的春天就在你心里。

钢刀下是永远没有春天的。

血泊中也没有。

一个人卧在血泊中，呼吸已停止，垂死前的惨呼也已断绝。

刀还被紧紧握在他手。

一柄雪亮的鬼头刀！丑恶，沉重！

九个人，九柄刀！

风中弥漫着令人呕吐的血腥气，春天本已到了这暗林中，现在却似又已去远。

九个人手里紧握着刀，将红娘子围住。

九个剽悍、矫健、目光恶毒的黑衣人——一个已倒卧在血泊中。

红娘子看着他们，脸上又露出了那种“救苦救难”的媚笑，纤纤的手指向血泊中指了指，媚笑道：“这位是老几？”

七个人紧咬着牙，只有一个最瘦的黑衣人从牙缝里吐出两个字：“老八。”

红娘子扳着手指，道：“第一个死的好像是老六，然后是老二、老九、老十，再加上老八——唉，十三把大刀，如今已只剩下八把刀了。”

黑衣人道：“不错，十三把刀已有五兄弟死在你们手里。”

他喉间发出野兽般的低吼，厉声道：“但八把刀还是足够将你剁成肉泥。”

红娘子笑了，笑声如银铃。

八个人中有三个忽然不由自主，向后退了半步。

红娘子银铃般地笑道：“美人要活色生香的才好，像我这么样个活色生香的美人，剁成肉泥岂非可惜？”

她眼波流动，从倒退的三个人脸上瞟过，媚笑道：“你们总该知道我有些什么好处的，为什么不告诉你的兄弟们？你们真自私……死人已不会说话，你们难道也不会？”

这三人脸色都变了，突然挥刀扑过来。

那最瘦最高的黑衣人忽然一声低叱：“住手！”

他显然是这十三把刀的第一把刀，叱声出口，刀立刻在半空中停住。

红娘子娇笑道：“你们看，我就知道你们的赵老大也舍不得杀我的，他虽然不是个怜香惜玉的人，但一个女人的好坏，他至少还懂得。”

赵老大沉着脸，缓缓道：“你很好，我的确舍不得杀你，因为舍不得让你死得太快。”

红娘子眼波流动，笑得更媚，柔声道：“你要我什么时候死，我就什么时候死，你要我怎么死，我就怎么死，你知道什么事我都情愿为你做的。”

赵老大道：“好，很好。”

一个人要做老大，话就不能太多。

因为愈不说话的人，说出来的话就愈有价值。

赵老大也不是一个喜欢多话的人，他说话简短而有效。

“你杀了我们五个兄弟，我们砍你五刀，这笔账就从此抵销。”

红娘子眨眨眼，道：“只砍五刀？”

赵老大道：“嗯。”

红娘子道：“连利息都不要？”

赵老大道：“嗯。”

红娘子叹了口气：“这倒也不能算不公平，我也很愿意答应，何况现在你们八个对付我一个，我想不答应也不行。”

赵老大道：“你明白最好。”

红娘子道：“我虽然很明白，只可惜一样事。”

赵老大道：“什么事？”

红娘子道：“我怕疼。”

她看着他们手里的刀，脸上露出可怜兮兮的表情，说道：“这么大的刀，砍在人身上，一定很疼的。”

赵老大道：“不疼。”

红娘子道：“真的不疼？”

赵老大道：“至少第二刀就不会疼了。”

红娘子好像还听不懂的样子，道：“你保证？”

赵老大道：“我保证。”

红娘子道：“有你保证，我当然放心得很，但我也有个条件。”

赵老大道：“你说。”

红娘子道：“第一刀一定要你来砍。”

她水灵灵的一双眼睛瞟着赵老大，又道：“因为我不信任别人，只信任你。”

赵老大道：“好。”

他慢慢地走过来，脚步很重，几乎已可听到脚底踩碎沙石的声音。

刀还是垂着的。

他的手宽大而瘦削，手背上一根根青筋凸起。

他已使出了十分力。

“第二刀绝不会疼的。”

这一刀砍下去，任何人都不可能再有疼的感觉——不可能再有任何感觉。

红娘子居然闭上了眼睛，脸上还是带着那种令人销魂的微笑，道：“来吧，快来。”

刀光一闪，带着尖锐的风声砍下来。

红娘子突然自刀光下钻过，闪动的刀光中飞起一片乌丝。

她头发已被削去了一大片。

可是她的手，却已托起了赵老大的肘，另一只手就按在他肋下的穴道上。

谁也没有分辨出那是什么穴，但谁都知道那必定是个致命的穴道。

每个人的脸上看起来，都像是被人重重在小腹上踢了一脚。

红娘子还在笑。

那种要命的笑。

她银铃般笑道：“你现在总该明白我为什么一定要你先动手了吧，因为我早就知道你的手会软的，我早已知道你已看上了我。”

赵老大的手并没有软。

他那一刀还是很快，很狠。

只不过他一刀砍下时，竟忘了刀下的空门——在一个已闭上眼等死的女人面前，谁都难免会变得粗心大意些的。

他又得到个教训：

“你若要杀人，得随时随刻防备着别人来杀你。”

这当然不是件愉快的事。

“你若要杀人，得准备过一生紧张痛苦的日子。”

赵老大叹了口气，道：“你想怎么样？”

红娘子笑道：“也不想怎么样，只不过想跟你谈笔生意。”

赵老大道：“什么生意？”

红娘子道：“用你的一条命，来换我的一条命。”

赵老大道：“怎么换？”

红娘子笑道：“这简单得很，我若死了，你也休想活着。”

赵老大道：“我若死了呢？”

红娘子甜甜地笑道：“你若死了，我当然也活不下去，但我怎么舍得让你死呢？”

赵老大想了想，道：“好。”

谁也没听懂这“好”字是什么意思，只看见他手里的刀突又砍下。

一刀砍在他自己的头上。

红娘子是个老江湖。

老江湖若已托住了一个人的手肘，当然已算准了他手里的刀已无法伤人。

红娘子算得很准，只不过忘了一件事。

赵老大手里的刀虽没法子砍着她，却还是可以弯回手砍自己。

她只顾着保全自己的命，就忘了保全别人的命。

她以为别人也跟她一样，总是将自己的命看得比较重些。

却忘了有些人为了爱或仇恨，是往往会连自己性命都不要的。

爱和仇恨的力量，往往比什么都大。

大得绝非她所能想象。

鲜血飞溅。

暗赤色中带着乳白色的血浆飞溅出来，雨点般溅在红娘子脸上。

红娘子的眼睑已被血光掩住——只看到赵老大的一双充满了愤怒和仇恨的眼睛，忽然死鱼般凸了出来，然后就被血光掩住。

她立刻听到一片野兽落入陷阱时的惊怒吼声。

凄厉的刀风，四面八方向她砍了下来。

她跃起，闪避，勉强想张开眼睛。

但她还是连刀光都看不见，只能看得到一片血光。

她再跃起，只觉得腿上一凉，好像并不太疼，但这条腿上的力量却突然消失。

她身子立刻要往下沉。

她知道这一沉下去，就将沉入无边的黑暗，万劫不复。

奇怪的是，她心里并没有感觉到恐惧，只觉得有种奇异的悲哀。

她忽然又想起了王动。

一个人在临死前的一刹那，心里在想着什么？

这句话也许没有人能答复。

因为每个人在这种时候，想起的事都绝不会相同。这时，忽然啸声响起。

她想的是王动，想起了王动那张冷冰冰的脸，也想起了王动那颗火热的心。

她脸上忽然露出一丝微笑，就好像觉得，只要能听到这啸声，死活都无关紧要。

啸声清亮，如鹰唳九霄，盘旋而下。

红娘子的人也已沉下。

她忽然有了种放松的感觉，觉得已可以放松一切，因为这时一切事都已无关紧要。

她就这样沉了下来，倒在地上，甚至连眼睛都懒得张开，幸好她眼睛没有张开。

她若看到现在的情况，心也许会碎，肠也许会断，胆也许会裂。

闪亮的刀光交织，砍向红娘子。

突然间，一个人带着长啸自林梢冲下，冲入刀光。

他似已忘了自己是个有血有肉的人，也忘了刀是用以杀人的。

他就这样冲入刀光。

刀光中又溅起了血光。

有人在惊呼："鹰中王。"

"鹰中王还没有死。"

有人在怒骂："现在就要他死。"

王动当然可能死，这点他知道。

但他也知道，只要他活着，就没有人能在他面前要红娘子死。

以他的血肉之躯，挡住了杀人的刀，挡在了红娘子的身前。

刀虽然锋利而沉重，但他绝不退后。

这种勇气不但值得尊敬，而且可怕，非常地可怕。

燕七来的时候，他身上已有了七八处刀伤，每一道伤口都在流着血。

任何人的勇气，往往都会随着血流出来。

他没有。

燕七看到他的时候，心虽没有碎，肠虽没有断，但鲜血已冲上头顶，冲上咽喉。

在这一瞬间，他忽然也忘了自己的死活。

勇气是从哪里来的呢?

有时是为了荣誉，有时是为了仇恨，有时是为了爱情，有时是为了朋友。

无论这勇气是怎么来的，都同样值得尊敬，都同样可贵。

04

郭大路也来了。

无论为了什么，无论在什么情况下，他都不会让朋友去拼命，自己却留在屋里下棋的。

只可惜他来的时候，血战已结束。

地上只有九柄刀。

有的刀躺在血泊中，有的刀嵌在树上，有的刀锋已卷，有的刀已折断。

王动正在看着红娘子腿上的刀伤，已浑忘了自己身上的刀伤。

燕七静静看着他们，目光中也不知是欣喜，还是悲伤。

郭大路悄悄走过去，悄悄道：“人呢？”

燕七也同时在问：“人呢？”

郭大路道：“你问的是谁？”

燕七道：“小林。”

郭大路说道：“我当然不会留下小林一个人在屋里的。”

燕七道：“你带他来了？”

郭大路点点头，回答道：“他就坐在那边的大树上面。”

从那边的树上看过来，可以看到这里的一举一动，但这里的人却看不见他。

躲避不但要有技巧，也是种艺术。

“在正确的时间里，找个正确的地方。”这就是“躲藏”这两个字全部意义的精粹。

郭大路道：“我问的是那些拿刀的人。”

燕七道：“他们都走了。”

郭大路在地上拾起那刀，掂了掂，带着笑道：“难怪他们要将刀留下了，这么重的刀拿在手里，的确跑不快。”

燕七道：“不错，因为他们本就不是常常会逃走的人。”

郭大路道：“你认得他们？”

燕七道：“不认得，但却知道，十三把大刀在关内关外都很有名。”

郭大路道：“有名的强盗？”

燕七道：“也是有名的硬汉。”

郭大路道：“但硬汉这次却逃了。”

燕七道：“你以为他们怕死？”

郭大路道：“若不怕死，为什么要逃？”

燕七看着王动，道：“他们怕的并不是死，而是有些人那种令人不能不害怕的勇气。”

他慢慢地接着道：“也许他们根本不是害怕，而是感动……他们也是人，每个人都可能有被别人感动的时候。”

郭大路沉默了半晌，忽又问道：“他们怎么知道红娘子在这里？”

燕七道：“催命符他们死在这里的消息，江湖中已有很多人知道。”

郭大路叹了口气，道：“江湖中的消息，传得倒真快。”

燕七道：“江湖人的耳朵本来就很灵，何况仇恨往往能使一个人的耳朵更灵。”

郭大路道：“他们的仇结得这么深？”

燕七道：“十三把刀和催命符本来也可算是同伙，但红娘子却出卖了他们。有一次他们被人围攻的时候，红娘子居然……”

郭大路忽然打断了他的话，道：“这种狗咬狗的事，我也懒得听了。”

燕七道："你想听什么？"

郭大路看着王动和红娘子，目中渐渐露出一种柔和的光辉，缓缓道："现在我只想听一点可以令人心里快乐的事、令人快乐的消息，譬如说……"

燕七看着他，目光也渐渐温柔，柔声道："譬如说什么？"

郭大路道："譬如说，春天的消息。"

燕七的声音更温柔，道："你已用不着再问春天的消息。"

郭大路道："为什么？"

燕七道："因为春天已经来了。"

郭大路眨眨眼，笑道："已经来了么？在哪里？我怎么看不见？"

燕七转头去看王动和红娘子，柔声道："你应该看见的，因为它就在这里。"

郭大路的声音也很温柔，轻轻道："不错，它的确就在这里。"

他看着的却是燕七。

燕七的眼睛。

他忽然发现，春天就在燕七的眼睛里。

第二十八章

黄金世界

01

病人是种什么样的人呢？

这名词也像很多别的名词一样，有很多种不同的解释。

有的人解释：

病人就是种生了病的人。

这种病人当然无可非议，但却还不够十分正确。

有时没病的人也是病人。

譬如说，受了伤的人、中了毒的人，你能不把他们算作病人吗？

不能。

02

还是春天。

三月，正是草长莺飞的浓春。

白雪已融尽，地上一片绿，山头上也一片绿。

郭大路正坐在绿荫下发怔。

他是真的发怔，因为连燕七走过来的时候，他都没有注意。

燕七本来可以吓他一跳，本来也很想吓他一跳的。

但是看到他的样子，燕七就不忍吓他了。

他是什么样子呢？

一脸吃也没吃饱，睡也没睡足的样子，而且已瘦了很多。

燕七轻轻叹了口气，悄悄地走过去，走到他面前时，脸上就露出笑意，问道：“喂，你在发什么怔？”

郭大路抬起头，看了他半天，忽然道：“你知不知道病人是种什么样的人？”

燕七道：“是种生了病的人。”

郭大路摇摇头。

燕七道：“不对？”

郭大路道：“至少不完全对。”

燕七道：“要怎么说才算对？”

郭大路想了想，道：“在孩子们的眼中，只要是躺在床上不能动的人，就是病人，这种人并不一定有病。”

燕七道：“你也不是孩子。”

郭大路叹了口气，道：“在我眼中看来，病人只不过是种特别会花钱的人。”

燕七道：“这是什么话？”

郭大路道：“这是真话。”

他说的确实是真话。

病人虽然不能喝酒，但却要吃药。

不但要吃药，而且还要吃补品，这些东西通常都比酒贵。

燕七当然也知道这是真话，因为这地方现在有三个病人。

林太平的伤还没有好，又多了红娘子和王动。

燕七板起了脸，道：“就算真是实话你也不该这么样说的。”

郭大路苦笑道：“我的确不该这么样说的，但却不能不说。”

燕七道：“为什么？”

郭大路道：“因为我现在已经快变成个死人了。”

燕七道：“死人？”

郭大路望着面前的一沓东西，苦着脸道：“照这样下去，用不着两天，我想不跳河都不行。”

他面前摆着的是一大沓账单。

账单的意思就是别人要问他要钱的那种单子。

郭大路从中间抽出了一张，念着道：“精纯燕窝五两，纹银十二两正。”

他将这单子重重一摔，长叹道：“一只鸟做的窝居然能这么值钱，早知道这样子，我倒不如变成只鸟算了，也免得被药铺的人来逼账。”

燕七嫣然一笑，道：“你本来就是只鸟，呆鸟。”

郭大路叹气的声音更长，道：“我相信就算是真的呆鸟，也绝不会来管账。”

燕七眨眨眼，道：“谁叫你来管账的？”

郭大路指着自己的鼻子，说道：“我——我这只呆鸟。”

的确是他自己抢着要管账的。

林太平、红娘子和王动都已不能动，能动的人只剩下他跟燕七两个，要做的事却有很多。

燕七问他道：“你是要管家，还是管账？”

郭大路连想都没有想，就抢着道：“管账。”

在他想来，管账比煮药烧粥侍候病人容易得多，也愉快得多。

现在他才知道自己错了，错得很厉害。

郭大路苦笑道：“我本来以为天下再也没有比管账更容易的事了。”

燕七眨眨眼，道：“哦？”

郭大路道：“因为以前那几个月里，我们根本没有账可管。”

燕七笑道：“就算有账，也是笔糊涂账。”

郭大路道：“一点也不错。”

他又叹了口气，接着道：“那时我们有钱，就去吃一点、喝一点，没钱就憋着，就算整天不吃不喝都没关系。”

燕七道：“那时我们至少还可以大伙儿一齐出主意，去找钱。”

郭大路道：“但现在却不同了。”

燕七慢慢地点了点头，也不禁长叹了一声，道：“现在的确不同了。”

病人既不能饿着，更不能不吃药。

所以不管他们有钱没钱，每天都有笔固定的开支是省不了的。

那笔开支还真不少。

出主意去找钱的人反而连一个都没有了。

燕七要忙着去照顾病人，郭大路要拼命动脑筋去赊账。

郭大路叹道："我只奇怪一件事。"

燕七道："什么事？"

郭大路道："我虽然没有在江湖中混过，但江湖好汉的故事却也听过不少，怎么从来没有听过有人为钱发愁的？"

他苦笑着，又道："那些人好像随时都有大把大把的银子往外掏，那些银子就好像是从天上掉下来的。"

燕七想了想，道："以后若有人说起我们的故事，也绝不会说我们为钱发愁的。"

郭大路道："为什么？"

燕七道："因为说故事的人总以为别人不喜欢听这些事。"

郭大路道："但这却是真事。"

燕七道："真事虽然是真事，但这世上敢说真话的人却不多。"

郭大路道："为什么不敢说？怕什么？"

燕七道："怕别人不听。"

郭大路道："难道那些说故事的人都是呆子，难道他们不明白真事也一样有人喜欢听的？"

他想了想，又补充着道："那些神话传说般的故事，听起来也许比较过瘾些，但真的事却一定更能感动别人，只有真能感动人心的故事，才能永远存在。"

燕七笑了笑，道："这些话你最好去说给那些说故事的人去听。"

郭大路道："你是不是懒得听？"

燕七道："是。"

郭大路道："你想听什么？"

燕七道："我只想听听，我们现在究竟已亏空了多少？"

郭大路叹了口气，道："不多——还不到一万两银子。"

一万两银子的亏空在某些人的眼中看来，的确不算多。

在郭大路有钱的时候看来，这亏空也不能算多。

问题并不在亏空了多少，而在你有多少。

燕七道："这一万两银子的账，是不是都急着要还的？"

郭大路道："要账的人已经逼得我要跳河了，你说急不急？"

燕七道："现在我们手头还剩多少？"

郭大路叹道："不少……再加三钱，就可以凑足一两银子了。"

燕七也开始发怔。

一两银子和一万两银子的差别，就是差九千九百九十九两银子。

这笔账人人都会算的。

所以燕七只有发怔。

怔了半天，他才长长叹了口气，道："现在我才总算明白穷的意思了。"

郭大路道："你直到现在才明白？"

燕七点点头，道："因为以前我们虽然没钱，但也不欠别人的债，所以那还不能算真穷。"

郭大路叹道："现在我只要能不欠别人的债，我情愿在地上爬三天三夜。"

燕七道："只可惜你就算爬三年，也爬不出一万两银子来。"

郭大路道："用不着一万两，只要九千九百多两就行。"

燕七道："问题是你怎么去弄这九千九百多两银子呢？"

郭大路苦笑道："我没有法子。"

燕七道："我也没有。"

郭大路眨了眨眼，道："我们为什么不能够去做强盗？"

燕七道："因为我们不是做强盗的人。"

郭大路道："要哪种人才能做强盗？"

燕七道："不是人的那种人。"

郭大路道："我们能不能劫富济贫？"

燕七道："不能。"

郭大路道："为什么不能？劫富济贫的又不是强盗，只能算是侠盗、英雄。"

燕七道："你想去劫谁？"

郭大路道："那些为富不仁的奸商，剥削老百姓的贪官污吏。"

燕七道："劫完了去济谁的贫呢？"

郭大路道："当然是先救咱们自己的急，济咱们自己的贫。"

燕七淡淡道：“那就不是英雄，是狗熊了。”他接着又道，“就因为世上很多人有这种狗熊想法，所以世上才会有这么多强盗。”

也许世上大多数强盗，正都是从这种自己骗自己的想法中来的。

郭大路想了想，苦笑道：“照你这么样说，看来我们只有一条路可走。”

燕七道：“哪条路？”

郭大路道：“赖账。”

燕七道：“你知不知道要哪种人才能赖账？”

郭大路知道，所以他叹了口气，道：“不要脸的那种人。”

燕七道：“你能不能赖账？”

郭大路道：“不能。”

何况他就算能赖账也不行。

王动他们的伤还没有好，还需要继续吃药，继续进补。

你赖了这次账，下次还有谁赊给你？

第二十九章

生财之道

郭大路又叹了口气，道："照这样说来，我们岂非已无路可走？"

燕七道："谁说我们已无路可走？路本是人走出来的，只要你有决心，只要你肯走，就一定有路走。"

郭大路道："这道理我明白，而且也说给别人听过，可是现在……"

燕七道："现在你是不是连自己都不相信了？"

郭大路道："现在我只相信一件事。"

燕七道："哪件事？"

郭大路道："今天我若还没有把欠的钱拿去送给人家，今天我们就得断炊。"

世上有很多道理都很好。

只可惜无论多好的道理，也卖不了九千九百九十九两银子。

连一两银子都卖不了。

刚才是一个人发怔，现在是两个人。

两个人发怔比一个人更难受。

郭大路简直已受不了，站起来兜了十七八个圈子，忽然叫了起来，道："我想起一句话来了。"

燕七用眼角瞟了他一眼，道："一句什么话？"

郭大路道："一句很有用的话。"

燕七道："有什么用？"

郭大路道："至少可以用来救急。"

燕七道："这么样说来，我倒也想听听了。"

郭大路道："朋友有通财之义，这句话你想必也听过的。"

燕七道："你想去找别人借钱？"

郭大路道："不是去找别人，是去找朋友。"

燕七道："这世上只有一种人的朋友最少，你知不知道是哪种人？"

郭大路道："哪种人？"

燕七道："就是想去找朋友借钱的那种人。"

郭大路道："我也不想去找很多朋友，只想去找一个。"

燕七道："等你想去找朋友开口借钱的时候，你也许就会发现自己连一个朋友都没有。"

郭大路道："可是像我们这种朋友……"

燕七道："若是像我们这种朋友，根本就用不着等你开口。"

郭大路道："所以你认为天下根本就没有你可以开口借钱的朋友？"

燕七道："一个也没有。"

郭大路道："我却认为有一个。"

燕七道："谁？"

郭大路道："酸梅汤。"

燕七板起了脸，连话都不说了。

郭大路道："我不是要你去开口，我可以去，我总算帮过她的忙。"

燕七突又冷笑道："世上也只有一种人会去找女人借钱。"

郭大路道："你说的是哪种人？"

燕七冷冷道："呆子！只有呆子才会认为女人肯借一万两银子给他。"

郭大路道："我也知道女子总比男人小气些，但在她的眼中，一万两银子，应该算不了什么的。"

燕七道："的确算不了什么，只不过是一万两银子而已。"

郭大路道："可是她并不小气。"

燕七道："再大方的女人也不会借钱给男人的。"

郭大路道："为什么？"

燕七道："因为女人的想法不同。"

郭大路道："有什么不同？"

燕七冷冷道："她们总认为肯向女人开口借钱的男人，一定是最没出息的男人。肯借钱给男人的女人，也一样没出息。"

郭大路怔了半天，忽然笑了笑，道："其实女人的想法究竟怎么样，也只有女人自己才知道，你又不是个女人。"

燕七板着脸，道："我当然不是。"

郭大路笑道："所以你也不知道，所以我还想去试试。"

燕七道："若是去碰了钉子呢？"

郭大路叹了口气，道："就算碰钉子，碰的也是石头钉子，总比碰别人的铁钉子好。"

他忽又笑了笑，喃喃道："假如世上还有金钉子、银钉子，我倒情愿去多碰几个。"

燕七的眼睛忽然亮了，忽然跳起来，大声道："你总算说了句真有用的话了。"

郭大路反而怔住，讷讷道："我说了什么？有什么用？"

燕七道："这句话非但真有用，而且还真值钱。"

郭大路更听不懂。

燕七已从地上捡起了七八块石头，道："你知不知道我的暗器功夫不错？"

郭大路摇头道："不知道，你又没有用暗器来对付过我。"

燕七道："我若用暗器对付你，你能不能接住？"

郭大路道："不一定。"

燕七道："你想不想试试看？"

郭大路道："不想。"

燕七道："不想也不行，你非试试不可。"

他手里的石头忽然以"满天花雨"的手法向郭大路打了过去。

真打了过去，一点也不客气。

暗器中有种"满天花雨"的手法，江湖中几乎人人都知道，都听过。

但真正看过这种手法的人已不多，真会用这种手法的当然更少。

现在郭大路总算看到了。

燕七非但真会用这种手法，而且还用得真不错。

七八块石子，暴雨般向郭大路打了过来。

郭大路转身、错步，避开了两三块石头，又伸手接住了三四块，却还是有一两块打在他身上，打得他叫起来。

他瞪着燕七，大声道："你这是什么意思？"

燕七笑道："也没什么别的意思，只不过想要你去赚几千两银子回来而已。"

郭大路又怔了怔，道："用什么去赚？"

燕七道："用你的手。"

他笑了笑，接着又道："你的手已经蛮灵的了，能接住我四件暗器的人已不多，只要再练几次，去赚个几千两银子简直易如反掌。"

郭大路看着自己的手，愈看愈糊涂。

他实在看不出这双手凭什么能赚几千两银子……若要他这双手去输个几千两银子，那倒真是易如反掌。

他一把骰子就输过几千两。

燕七又在那里捡石头。

郭大路忍不住问道："你究竟想要我去干什么？去掷骰子骗人的钱？"

燕七笑道："掷骰子你还能去骗谁的钱？你就是输王之王。"

郭大路道："除了掷骰子之外，还有什么更快的法子？"

燕七道："输得更快的法子，确实没有了，这次我是要你去赢的。"

郭大路道："输王之王怎么能赢得了？"

燕七道："只要你能一下子将我所有暗器接住，我就包你能赢得了。"

郭大路道："若还是输呢？我拿什么输给人家？"

燕七叹了口气，道："这次你若还是输，只怕就连命都得输出去了。"

郭大路苦笑道："我好像只有一条命可输。"

燕七道："所以，你非想法子接住我的这些暗器不可，若是你的手接不住，用嘴去咬，也得咬住它。”

要接住用“满天花雨”这种手法发出的暗器，并不是件容易事。

郭大路接了三次，身上已挨了七下，虽然不太重，但也打得骨头隐隐发疼。

这次燕七居然一点也不心疼，又在那里满地捡石头了。

郭大路只有在旁边看着发怔。

直到现在为止，他还摸不清燕七葫芦里卖的究竟是什么药，若是换了别人，只怕早就不干了。

可是他信任燕七。

他相信就算天底下的人都要来整他的冤枉，燕七也绝不会帮着人家。

院子里的小石头并不多，燕七手里捧着一满把，还觉得不够，又跑到墙角那边去捡了。

郭大路摸着肩头上被打得又酸又疼的地方，忍不住叹了口气。

要他一下子就接住这么多暗器，他实在没把握。

风中带着花香，对面的桃花已快开放。郭大路抬起头，忽然看到王动正坐在窗口，向他招手。

等燕七捡好石头回转身，他已跑到王动那边去了，两人一个在窗里，一个在窗外，指手画脚，嘀嘀咕咕，也不知在说些什么。

燕七只有等着。

等了老半天，才看见郭大路施施然走了过来，背负着双手，脸上的表情好像很得意的样子。

王动还坐在窗口朝这边看着，脸上也带着笑，笑得好像很神秘。

燕七忍不住，问道：“你们两个究竟在捣什么鬼？”

郭大路眨了眨眼，道：“谁跟谁两个？”

燕七道：“你跟王动。”

郭大路道：“哦，你说王动呀，他要我告诉你，今天晚上他想吃排骨炖萝卜。”

谁都看得出他在说谎。

郭大路说起谎来，脸上就好像挂着招牌一样。

燕七瞪了他一眼，冷冷道："说谎的人小心牙齿被人打掉。"

郭大路笑嘻嘻道："你试试看。"

燕七道："好。"

这下子他非但打出的石头更多，而且用的力量也更大。

力量用得大，石头的来势也当然更急。

郭大路的身子滴溜溜一转，他手里忽然多了两样银光闪闪的东西，就好像小孩子捉蝌蚪用的那种带柄的兜网。

十来块又急又快的飞蝗石，就好像蝌蚪一样，几乎全被他捞进网里。

漏网的最多也只不过有两三块而已，郭大路轻轻松松地就躲开了。

这下子燕七连眼睛都看得好像有点发直，瞪着眼道："这是什么玩意儿？"

郭大路笑嘻嘻道："你看这玩意儿怎么样，你佩服不佩服？"

燕七道："是不是王老大刚教给你的？"

郭大路得意洋洋，道："就算是他教给我的，也得要我这样聪明的人才学得会。"

燕七撇了撇嘴，道："你几时变得聪明起来了？"

郭大路笑道："我本来就不笨，只要是好玩的花样，我一学准会。"

燕七伸出手，道："拿来给我看看。"

郭大路双手立刻缩回背后，道："不行。"

燕七道："为什么不行？"

郭大路道："王老大说的，天机不可泄露。"

燕七道："好，你再试试这个。"

这次他发暗器的手法更快、更绝。

十来块小石头，好像都变成活的，都带着翅膀，还长着眼睛，专找郭大路身上最弱的地方打。

谁知道郭大路手里的两只网，也好像早就等在那里了。

这次十来块石头，能漏出网的居然只有一块。

郭大路大笑，道："现在你总该佩服我了吧？"

燕七瞪着眼，终于也抿嘴一笑，道："看来你的确不笨。"

郭大路更得意，道："老实说，接暗器的手法，我以前并没有认真练过，只因为……只因为什么你猜不猜得出？"

燕七道："猜不出。"

郭大路道："只因为我的手天生就比别人快，眼睛也天生就比别人尖，所以根本不用练。"

燕七淡淡地说道："所以，你才会挨那大蜈蚣一下子。"

郭大路居然一点也不脸红，还是带着笑道："那不算，现在你再叫他来试试。"

他眼珠子转了转，又笑道："听说江湖好汉都有个能叫得响的外号，现在我倒想出了个外号，给我倒真合适。"

燕七道："什么外号？"

郭大路道："千臂如来，鬼影子摸不着，快手大醉侠。"

燕七也忍不住笑了，道："我倒也有个名号，给你更合适。"

郭大路道："你说来听听。"

燕七道："笨手笨脚，醉了满地爬，输王之王大呆鸟。你说这个外号适合不适合？"

第三十章

金子与面子

01

这家人的大门是朝南开的，一双门环在太阳下闪闪发着光。

郭大路一走进这条巷子，就看见了这双门环。

过了很久，他眼睛还在盯着这双门环，就好像一辈子没有看见过门环似的。

事实上，他这一辈子的确很少有机会看到这么稀奇的事。

每家人都有大门，每个大门上都有门环。

这一点也不稀奇。

稀奇的是，这家人大门上的门环，竟是用黄金铸成的。

郭大路在看着这门环的时候，燕七就看着他。

最近这两人身上，就好像已有根绳子将他们串住了，郭大路在哪里，燕七就在哪里。

过了很久，郭大路才叹了口气，道："这家人一定是个暴发户。"

燕七眨眨眼，道："暴发户？"

郭大路道："只有暴发户才会做这种事。"

燕七道："这种什么事？"

郭大路道："这种简直可以叫人笑掉大牙的事。"

燕七道："你错了。"

郭大路道："我哪点错了？"

燕七道："这家人非但不是暴发户，而且还是江湖中有数的几个世家大族之一。"

郭大路道："哦？"

燕七缓缓地道："用金子做门环，虽然很俗气、很可笑，可是他这么样做，就没有人会觉得可笑了。"

郭大路道："我就觉得很可笑。"

燕七道："那只因为你不知道他是谁。"

郭大路道："我知道。"

燕七道："你真知道？"

郭大路道："他是个人，一个满身铜臭、财大气粗、生怕别人不知道他有钱的人。这种人我既不想认得他，也不想跟他交朋友。这种人无论干什么，都跟我一点关系也没有。"

燕七笑了笑，道："只可惜这种人现在却偏偏跟你有点关系了。"

郭大路看着他，道："你总不会是要我来抢这对门环的吧？"

燕七笑道："那倒还不至于，我们还没有穷到这种地步。"

郭大路松了口气，道："那么，你叫我赶了半天的路，赶到这里来，难道就是为了来看这对门环的？"

燕七道："也不是。"

郭大路又有点担心的样子，看着燕七，道："我知道你一定没有什么好主意，所以一直都不痛痛快快地说出来。"

燕七笑道："你放心，至少我总不会把你卖给人家的，我还舍不得哩。"

他的脸好像又有点发红。

郭大路却显得更担心，道："一个人若没有做亏心事，绝不会脸红的。"

燕七道："谁的脸红了？"

郭大路道："你。"

燕七转过头，道："我看你眼睛发花才是真的。"

郭大路眼珠子直转，忽然道："我明白了。"

燕七道："你明白了什么？"

郭大路道："一定是这家人有个没出嫁的老姑娘，你想要我来用美男计。"

燕七忍不住"扑哧"一声笑了，道："你觉得自己很美？"

郭大路道："虽然不太美，却正是女人一见就喜欢的那种男人。"

燕七叹了口气，道："你倒真是马不知脸长。"

郭大路也叹了口气，道："只可惜你不是女人，否则也一定看上我的。"

燕七的脸好像又红了红，却故意板着脸道："我若是女人，现在就一脚把你踢到阴沟里去。"

郭大路道："无论我怎么说，反正我这次绝不上你的当。"

燕七道："上什么当？"

郭大路道："那老姑娘一定又丑又怪，说不定还是个大麻子，所以才会嫁不出去，她就算有八百万两银子的嫁妆，也休想叫我娶她。"

燕七用眼睛横着他，冷冷道："她若长得又年轻，又标致呢？"

郭大路笑了，道："那倒可以商量商量，谁叫你们是我的好朋友呢？为了朋友，我什么都肯做的。"

燕七道："现在我只想要你做一件事，不知道你肯不肯？"

郭大路道："你说。"

燕七道："我只想请你到阴沟前面去照照自己的脸，然后再买块臭豆腐来一头撞死。"

这条巷子很宽，忽然间，一辆四匹马拉着的大马车，很快地冲入了巷子。

虽然这条巷子很宽，但郭大路和燕七若不是闪避得快，还是免不了要被撞倒。

郭大路瞪着已经冲过去的马车，恨恨地道："这条路又不是他一个人的，他凭哪点这么样横冲直撞？"

燕七道："只凭一点。"

郭大路道："哪点？"

燕七道："就凭这条巷子本就是他一个人的。"

郭大路怔了怔，这才发现巷子里果然就只有那一家人。

马车已停在这家人的大门外，本来静悄悄的大门里，立刻有十来个人快步奔了出来，几个人用最快的速度卸下了拉车的马，另外几个人就将马车推上了石阶两旁的车道上，推了进去。

车窗里好像有个人往外伸了伸头，看了郭大路他们一眼。

郭大路却没有看清这人的脸，只觉他的眼睛好像比普通人明亮些。

燕七道："看样子只怕是金大帅回来了。"

郭大路道："金大帅是谁？"

燕七道："就是你说的那个财大气粗的人。"

郭大路道："我果然没有说错吧。"

他冷笑着，又道："金大帅，哼，你听这名字，就该知道他是个怎么样的人了。"

燕七道："有钱人并不见得就不是好人。"

郭大路道："但他凭什么要叫大帅？"

燕七道："第一，因为他本就有大帅的气派；第二，因为别人喜欢叫他大帅。"

郭大路道："看样子你好像也很佩服他。"

燕七道："我能不能佩服他？"

郭大路道："能，当然能……可是我能不能不佩服他呢？"

燕七道："不能。"

郭大路道："为什么不能？"

燕七道："你不是一向都很佩服你自己的吗？"

郭大路道："嘿嘿。"

燕七道："所以你也应该佩服他，因为他跟你本是同样的人，也很豪爽，很大路。"

郭大路道："嘿嘿。"

燕七道："嘿嘿是什么意思？"

郭大路道："嘿嘿的意思就是我不相信。"

燕七道："等你看见他的时候，你就会相信了。"

郭大路道："我根本就不想看见他。"

燕七道："可是你却非去看他不可。"

郭大路道："为什么？"

燕七道："因为你不去看他，就只有去看那些债主的脸色了。"

天下还有什么比债主的脸色更难看的？

一想到那些人，郭大路的眉头就皱了起来，讷讷地道："你……你难道要我去跟一个不认得的人开口去借钱？”

燕七道：“我知道你的脸皮还没有那么厚。”

郭大路道：“那么你叫我去看他干什么？”

燕七沉吟着，道：“武林中有很多怪人，譬如说，那位酸梅汤的父亲。”

郭大路道：“你是说那位叫‘石神’的老前辈？”

燕七点点头，道：“你知不知道‘石神’这名字是怎么来的？”

郭大路道：“因为他只用石头做的兵器，而且用得很好。”

燕七道：“答对了。”

他接着又道：“但石器本是上古时人用的，因为那时人们还不懂得炼铁成钢，现在什么样千奇百怪的兵器都有了，他却偏偏还喜欢用又笨又重的石头兵器，你说他是不是个怪人？”

郭大路道：“是。只不过……他跟这金大帅又有什么关系呢？”

燕七道：“金大帅跟他一样，也是个怪人，用的兵器也很奇怪。”

郭大路道：“他用什么兵器？”

燕七道：“他只用金子做的兵器，而且是纯金做的。”

郭大路眨了眨眼，好像已有点明白他的意思了。

燕七道：“他最善用的兵器，就是金弓神弹，弹发连环，一上手就是三七二十一颗，江湖中还很少有人能躲得开。”

郭大路道：“弹子也是金的？”

燕七道：“纯金。”

郭大路道：“你想要我去跟他动手，接住他那些金弹，拿回来还账？”

燕七笑道：“据说他的金弹子每颗至少有好几两重，而且一发就是二十一颗，你只要能接住他三四发，就不必再看那些债主的脸色了。”

郭大路用力摇一摇头，道：“我不干，这种事我绝不干。”

燕七道：“为什么？”

郭大路道：“没有为什么，不干就不干。”

燕七眼珠子一转，淡淡笑道：“哦……我明白了，你是怕……”

郭大路大声道：“我怕什么？”

燕七悠然道：“你当然不是怕他，只不过是怕胖而已。”

郭大路怔了怔，道：“怕胖？”

燕七道：“金子虽然比铁软，但五六两一颗的弹子，若打在人身上，还是很疼的。”

郭大路道：“哼。”

燕七道：“疼起来就会肿，肿起来就胖了，胖起来就不太好看。”

他又淡淡地笑了笑，接着道：“所以你就算不去，我也不会怪你的，你若忽然胖了起来，别人说不定还会以为你吃了发猪药。”

郭大路瞪着他，瞪了半天，板着脸道：“滑稽滑稽，真他妈的滑稽得要命。”

燕七道：“一个人若肿了起来，那才真的滑稽。”

郭大路又瞪了他一眼，扭头就走。

燕七却拉住了他，道：“你到哪里去？”

郭大路冷冷道：“我最近饿得太瘦了，本来就要想法子变胖一点。”

燕七嫣然一笑，道：“你难道想就这样冲进去，找人家去打架？”

郭大路道：“我还能用什么法子去跟人家打架？难道跪着去求他？”

燕七笑道：“你就算真的跪着求他，他也未必会出手的。”

郭大路道：“哦？”

燕七道：“二十一颗弹子，毕竟要值不少钱，他又没发疯，怎么会随随便便就用来打人？何况，万一真打死了人，也不是好玩的。”

郭大路几乎要叫了起来，道：“刚才逼着我，要我去的是你，现在拦着我，不要我去的，也是你，你究竟在搞什么鬼？”

燕七道：“我并不是不要你去，只不过，要去找金大帅交手，也得要有法子。”

郭大路道：“什么法子？”

燕七道：“你想想，要什么样的人才能令金大帅出手呢？”

郭大路道：“我想不出，也懒得想。”

燕七道：“只有两种人。”

郭大路道：“哪两种？”

燕七道：“第一种当然是他的仇家，若有仇家找上门去，他当然会立刻出手的，只可惜……你跟他一点仇恨也没有。”

他叹息着，好像觉得很遗憾的样子。

郭大路板着脸道：“你难道要我去把他的老婆抢来，先制造点仇恨？”

燕七吃吃笑道：“据说他老婆又胖又丑，而且是个母老虎，你若真把她抢走了，金大帅说不定还会非常感激你。”

郭大路道：“哼哼，滑稽滑稽。”

燕七道：“幸好除此之外，还有种法子。”

郭大路道：“哼！”

燕七道：“武林中人谁也不愿向别人低头示弱的，所以，若有人冠冕堂皇地找上门去，找他比武较量，他就没法子不出手了。”

他忽然从怀里抽出张红色的拜帖，嫣然道：“但这人当然也得是个有名有姓的人，譬如说，你笨手笨脚，醉了满地爬，输王之王大呆鸟这种人……你说是不是？”

全红的拜帖，很考究。

上面端端正正地写着个很响亮的名字：“千臂如来，鬼影子摸不着，快手大醉侠，郭大路拜。”

02

金公馆的门房年纪已很大，满脸都是老奸巨猾的样子，接过这张拜帖，自己先看了看，脸上居然连一点吃惊的样子都没有，只是淡淡地问道：“这位郭大侠现在在哪里？”

郭大路道：“就在这里。”

老门房这才抬起头看了他两眼，干笑着道：“原来阁下就是郭大侠，失敬失敬。”

郭大路道：“哼。”

老门房皮笑肉不笑地看着他，又道：“郭大侠你到这里来，是不是想找我们老爷较量较量暗器的功夫？”

郭大路道：“你怎么知道？”

老门房笑得就像是只老狐狸，悠然道：“每个月里总有几位大侠要来，我若还看不出阁下是来干什么的，那才是怪事。”

郭大路沉下脸，道：“你既然看出来了，还不快去通报？”

老门房又上上下下打量了他几眼，道：“看起来郭大侠今天好像还没有喝醉吧？”

郭大路冷冷道：“大醉侠也并不一定是天天都要喝醉的。”

老门房道：“那么我劝郭大侠不如快回去的好。”

郭大路道：“为什么？”

老门房笑得更气人，淡淡道：“因为到这里来的大侠实在太多了，我们家老爷说，他一看见大侠就头晕，早就吩咐过我，什么样人他都见，连乌龟王八蛋、强盗小偷都可以请进去，可是大侠嘛……嘿嘿，他是绝不见的。”

拜帖又回到燕七手上。

郭大路气得满脸通红，道：“这都是你出的好主意，我一辈子也没丢过这种人，尤其是那老狐狸，就好像把我看成个贼似的，满脸皮笑肉不笑的样子，简直可以把人活活气死。”

燕七眨了眨眼，道：“你为什么不给他两巴掌？”

郭大路道：“因为我本来就是个贼，我做贼心虚，人家不给我两巴掌，已经很客气了，我怎么还好意思去揍人？”

燕七笑了。

他笑的样子当然比那老门房好看得多。

一看见他的笑，郭大路的火气好像小了些。

燕七笑道：“原来你的脸皮并不太厚，比城墙还薄一点。”

郭大路叹了口气，苦笑道：“所以我现在只想快点走，愈快愈好。”

燕七又拉住了他，道：“你急什么，我还有别的法子。”

郭大路好像吓了一跳，苦着脸道：“你能不能不出别的主意了？”

燕七道：“不能。”

郭大路用手掩住耳朵，道：“我能不能不听？”

燕七道：“不能。”

他用力扳开了郭大路的手，吃吃笑道：“这主意比刚才的好得多，你非听不可。”

郭大路苦笑道：“你那不太好的主意，已经快把我的人都丢光，这好主意我怎么受得了？”

燕七道：“你真的认为这件事做得丢人？”

郭大路只有叹气。

燕七道：“我问你，大蜈蚣用暗器打你，你若接住了，会不会再送回去给他？”

郭大路道：“我又没有疯，为什么还要送回去给他？难道还想他再拿来打我？”

燕七道：“这就对了。”

郭大路道：“哪点对了？”

燕七道：“一个人若喜欢用金子做暗器，只要他自己高兴，谁也管不着的，对不对？”

郭大路道：“对。”

燕七道：“他若用暗器来打我们，只要我们能接住他的暗器，就是我们的本事，对不对？”

郭大路道：“对。”

燕七道：“一个人若凭自己的本事赚钱，就没什么好丢人的，对不对？”

郭大路道：“对。”

燕七道：“现在已经有几点是对的了？”

郭大路道：“三点。”

燕七道：“那么你还有什么话说呢？”

郭大路道：“没有了。”

燕七道：“你还想不想听我的主意？”

郭大路又叹了口气，苦笑道：“简直想得要命。”

其实明知付不出钱，还要去赊账，也是件很丢人的事。

但郭大路却硬着头皮去赊了。

他本来是个最要面子的人，为什么会做这种事呢？

当然是为了朋友。

无论谁这一生中，若交着一个肯为他丢人的朋友，死了也不算冤枉。

第三十一章

老狐狸与大醉侠

郭大路并不喜欢骂人，也不太会骂人，但他嗓门可真大。

他站在金家的大门口骂人，连巷子外面的燕七都听得清清楚楚。

巷口附近有棵大白杨树，树下有个石墩子。

燕七就坐在这石墩子上，听郭大路骂人，脸上带着很欣赏的表情，就好像在听一个名角唱戏似的。

因为郭大路骂的不是他。

郭大路骂的是金大帅。

“姓金的，你明明是个人，为什么要躲在屋里做缩头乌龟呢？你怕什么，难道你鼻子已经被人打歪了，所以不敢出来见人？”

燕七愈听愈得意，因为这些话是他教给郭大路的。

“金大帅既然不肯见你，你就站在他门口去骂，骂到他出来为止。”

这种法子就叫作骂战，本来也是种很古老的战略，而且通常都很有效。

两军对垒时，只要一方坚守不出，另一方就会派人去骂战，骂得对方受不了，出来迎战时，就算成功了。

据说诸葛亮就这样骂过曹操。

郭大路本不肯这样做，但燕七一句话就打动了他。

“连诸葛先生都能用这种战略，你为什么不能？”

既然这是种战略，并不是泼皮无赖的行径，所以郭大路就去骂了，而且骂得真痛快。

金大帅只要能听得见，不被他骂出来才是怪事。

怪事年年都有的。

郭大路的嗓门骂起人来，连三条街外的人都不会听不见。

但金家的大门里却偏偏还是连一点动静都没有。

金大帅难道是个聋子？

别人还没有被骂出来，郭大路自己反而先沉不住气了。

燕七教给他的话，他已经翻来覆去骂了好几遍，别人还没有听腻，他自己却已经骂腻了，想找几句新鲜些的话来骂骂，偏偏又想不出。

就在这时，那老奸巨猾的门房已施施然走了出来，手里还搬着张椅子。

一张很舒服的藤椅。

这老狐狸居然将藤椅搬到郭大路的面前来，轻轻地放了下去，脸上还是那种皮笑肉不笑的样子，连一点火气都没有。

郭大路怔了怔，忍不住道："你这是干什么？"

老门房笑嘻嘻道："这是我们家老爷特地叫我送来的。"

郭大路道："他听见我在骂他没有？"

老门房道："我们家老爷年纪虽不小，耳朵却还没有聋。"

郭大路道："他叫你送这张藤椅来干什么？"

老门房道："他是怕郭大侠骂得太累了，所以请郭大侠坐下来骂，还说郭大侠若骂得口渴时，无论要茶要酒，都只管吩咐，我立刻就为郭大侠送来。"

他又笑了笑，接着道："到这里来的大侠虽然多，但骂人却还没有一个骂得比郭大侠更精彩的，所以我们家老爷希望郭大侠能多骂些时候，假如还能骂得大声一点，那就更好了。"

郭大路看着这张藤椅，发了半天怔，连一句话都不再说，扭头就走。

那老门房还在后面大笑道："郭大侠要走了么，不送不送，以后有空的时候还请郭大侠随时过来，这里不但有茶有酒，还有专治嗓子嘶哑的药。"

郭大路简直连鼻子都快气歪了。

燕七看着他，摇着头道："我叫你去气别人的，你自己反而气得半死，这又何苦呢？”

郭大路恨恨道：“你若看见那老狐狸的样子，不被他活活气死才怪。”

燕七道：“他无论说什么，你都当他在放屁，不是就没有气了吗？”

郭大路道：“我无论说什么，他都当我在放屁才是真的。”

燕七眨眨眼，道：“他真的骂你是在放屁？”

郭大路道：“虽然没有说出口来，但那样子却比说出来更可恨。”

燕七道：“你居然受得了？”

郭大路道：“受不了也得受。”

燕七道：“为什么？”

郭大路道：“因为我本来就是在放屁。”

燕七笑了。他笑的样子当然还是比那老门房好看得多，却已经好像没有以前那么好看了。

郭大路看着他，板着脸道：“你究竟还有多少好主意，索性一次说出来算了。”

燕七道：“你还想听？”

郭大路道：“听死算了，听死一个少一个。”

燕七忽也叹了口气，苦笑道：“只可惜我也没主意了。”

郭大路冷冷道：“像你这样的天才，怎么也变得没有主意了呢？”

燕七叹道：“你说那门房是老狐狸，依我看，金大帅才真正是个老狐狸。”

郭大路冷冷道：“你不是说他一向很豪爽、很大方的吗？”

燕七道：“他真的跟你动手时，若打不着你，就得赔出好几百两金子，若打伤了你，也得赔好几百两银子的医药费。”

他又叹了口气，道：“我看金大帅最近一定上了不少次当，学了不少次乖，所以总算已想通这道理了，怎么肯再上当呢？”

郭大路道：“他不上当，我就上当了。”

燕七嫣然道：“其实你也不能算上当，你总算痛痛快快地骂了一次人。”

郭大路道：“我能不能再骂一次？”

燕七道：“这次你想骂谁？”

郭大路道："骂你。"

忽然间，一骑快马驰来，郭大路已气得什么事都不感兴趣了，也懒得回头去看一眼。站在他对面的燕七，却低下了头，好像不愿被马上的人看见，马上人的眼睛却偏偏很尖。

这匹马刚冲入巷子，突然一声长嘶，人立而起。

马上人好俊的骑术，缰绳一勒，人已跃起，凌空一个翻身，轻飘飘地落在郭大路他们面前，一身衣服比梅子还红，红得耀眼。

第三十二章

金大帅

酸梅汤，梅汝男。

郭大路只觉得眼前一亮，失声道：“是你，你怎么到这里来了？”

梅汝男笑道：“我正想问你们，你们两个人怎么会跑到这里来的？”

燕七抢着道：“你能来，我们为什么不能来？”

梅汝男道：“你们来这里干什么？为什么站在这里发怔？”

燕七道：“我们在等你。”

梅汝男道：“你怎么知道我会来？”

燕七道：“我会算。”

梅汝男娇笑着，轻轻打了他一拳，吃吃地笑着道：“你呀，你说的话我连一个字也不信，因为你是个……”

燕七突然掩住了她的嘴巴，脸上仿佛又有点发红，着急道：“你若敢胡说八道，看我不撕破你的嘴。”

郭大路看得又怔住了。

燕七明明已拒绝了酸梅汤的婚事，酸梅汤本该恨死他才对。

两个人见了面为什么还这样亲热呢？

梅汝男眼珠直转，看看他，又看看燕七，抿嘴一笑，道：“好，我不说，可是我也不听你的，小郭说话比你靠得住。”

她立刻就又问道：“小郭，我问你，你们来干什么的？”

郭大路干咳了两声，勉强笑道：“什么也不干，只不过……只不过来逛逛而已，到这里来逛逛总不算犯法吧？”

梅汝男看看燕七，笑道：“你听，小郭虽然也在说谎，但说起来就没有你那么自然了。”

她又轻轻地给了燕七一拳，道："其实你们就算不说，我也知道你们是来干什么的了。"

燕七道："哦？"

梅汝男眼波流动，笑道："你们最近一定又输得像鬼一样，所以想到金大叔这里来，弄几十个金弹子回去作赌本，对不对？"

郭大路看着她，怔住。

看来这丫头除了不知道怎么去找丈夫外，别的事她知道得真很不少。

梅汝男的微笑还在脸上，却又轻轻叹了口气，道："只可惜你们这一趟大概是白来了。"

郭大路忍不住问道："为什么？"

梅汝男道："一个人的年纪愈大，就变得愈小气，金大叔今年已经有五十多，所以……"

郭大路道："所以怎么样？"

梅汝男道："现在他已发现在家里将一袋袋的金弹子数着玩，也远比用来打人有趣得多。"

燕七忽然道："你刚才说的是金大叔？"

梅汝男点点头。

燕七道："金大帅是你的大叔？"

梅汝男道："不是亲叔叔，只不过我们从小就叫他大叔。"

燕七道："你从小就认得他？"

梅汝男笑道："我还在我娘肚子里的时候，已经常常到这里来玩了。"

燕七看了看郭大路，郭大路想说话，又忍住。

梅汝男道："你们究竟在打什么主意？我猜得对不对？"

燕七道："不对。"

梅汝男叹道："那么我这个主意，也就不必说出来了。"

郭大路又忍不住抢着问道："什么主意？"

梅汝男淡淡道："既然你们并不是为此而来的，我说了也是白说。"

郭大路道："我们若是为此而来的呢？"

梅汝男道："那么，我也许还能替你们出个主意，帮你们个忙。"

郭大路道："那么我就告诉你，你完全猜对了，你简直就是个活活的诸葛亮。"

梅汝男"扑哧"一笑，道："我就知道，还是你比他老实些。"

郭大路道："但你的主意呢？你不说可不行。"

梅汝男背负着双手，慢慢地踱起方步来，就好像真的将自己当成了诸葛亮。

燕七冷冷地道："我就知道你这个人从来不说老实话。"

梅汝男笑道："随便你怎么样激我，都没有一点用的，我不说就是不说。"

郭大路道："要怎么样你才肯说？"

梅汝男道："要有条件。"

郭大路道："什么条件？"

梅汝男眨了眨眼，道："到手的买卖，见面分一半，这句话你们总该听说过。"

郭大路笑了，道："原来你想黑吃黑。"

梅汝男道："其实我的心并不太黑，也不想真的分一半，只三七拆账就行了。"

郭大路道："你的主意若也不灵呢？"

梅汝男道："灵不灵当场试验。"

郭大路笑笑道："我看你真该改行去卖狗皮膏药才对。"

梅汝男道："我这狗皮膏药你们买不买？"

郭大路道："不买也是白不买。"

梅汝男嫣然一笑，道："我不卖也是白不卖。"

高墙。

梅汝男带着燕七和郭大路，从后面转到这黑巷子里来。

这条巷子当然比前面窄得多，巷底有个窄窄的黑漆门。

燕七道："这就是金家的后门？"

梅汝男点点头，道："墙里面就是金家的后园，一开了春，金大叔就从前面的暖阁搬到后园来住了。"

郭大路听着。

梅汝男道："现在我就从这里跳墙进去，你要在后面追我。"

郭大路道："然后呢？"

梅汝男道："然后我就会找到金大叔，告诉他你欺负了我，要他替我出气。"

郭大路道："然后呢？"

梅汝男道："金大叔一向最疼我，看见你追去，一定就会用连珠弹对付你。"

郭大路道："然后呢？"

梅汝男道："没有然后了，只要你能接得住他的连珠弹，立刻就变成了个小阔人。"

郭大路道："若接不住呢？"

梅汝男笑了笑，道："那就说不定会变成一个死人了。"

郭大路道："死人？"

梅汝男点点头，道："他既已知道你在欺负我，对你出手自然绝不会客气。"

郭大路道："你呢？"

梅汝男道："我？我当然只能在旁边看着。"

郭大路道："我若阔了，你就来找我分账；我若死了，你总该替我买口棺材吧？"

梅汝男道："那倒用不着我买，金大叔好歹也会给你口薄皮棺材的。"

郭大路道："所以无论我怎么样，你连一点损失都没有。"

梅汝男笑道："当然没有，否则我为什么要替你出主意？"

郭大路长叹了一声，喃喃道："好主意，这么好的主意，真亏你怎么想得出的！"

梅汝男道："女人本就绝不肯做亏本的生意。"

郭大路叹道："女人，唉，女人。"

梅汝男道："你究竟干不干？"

郭大路苦笑道："不干也是白不干。"

梅汝男道："你死了可不能怨我。"

郭大路道："我若真死了，感激你还来不及，怎么会怨你？"

梅汝男道："感激我？"

郭大路道："死人既不必再看债主嘴脸，也不必再听女人啰唆，岂非比活着穷受罪好得多。"

梅汝男道："真的？"

郭大路道："假的。"

郭大路从来没有觉得活着是在受罪。

他一向活得很快乐。

无论在什么情况下，他都能找得到有意义的事做，无论他做什么，都做得很起劲，所以他很快乐。

若等到他真的想死的时候，世上的人就算没死光，剩下的也一定没有几个。

普通人家的墙，一丈四已经算很高了，但这道墙却至少有两丈八。

梅汝男抬起头，打量了几眼，道："你有没有把握能上得去？"

郭大路道："马马虎虎。"

梅汝男道："马马虎虎是什么意思？"

郭大路道："就是大概还能上得去的意思，因为我虽然没把握，却有勇气。"

梅汝男道："在轻功的秘诀里，并没有勇气这两个字。"

郭大路道："我的秘诀里有。"

这倒不是胡吹。

郭大路无论做什么事，最大的秘诀却正是"勇气"这两个字。

梅汝男看着他，叹息着道："我只希望你莫要撞破头才好。"

郭大路道："就算撞破头我也会上去。"

梅汝男嫣然一笑，道："好，我先上去看看，一打招呼，你就快追上来。"

郭大路道："你有把握能上得去？"

梅汝男道："没有。"

她又笑了笑，道："我既没有把握，也没有勇气，可是我有法子。"

郭大路道："什么法子？"

梅汝男道："就是这个法子。"

她忽然跳上郭大路的肩，再从郭大路肩上跃起，就跃上墙头。

郭大路又叹了口气，喃喃道："女人用的法子，为什么总是要男人吃亏呢？"

燕七淡淡道："那只因为大多数男人都太笨。"

郭大路道："你难道不是男人？"

燕七笑了笑，道："也是男人，可是我不笨。"

梅汝男已经在上面招手了。

郭大路作势想跃起，忽又停下来，回头看着燕七。

燕七道："你还等什么？"

郭大路道："我这一去，说不定真的会变成个死人，所以……"

燕七道："所以怎么样？"

郭大路道："所以你现在总该将那个秘密告诉我了吧？"

燕七道："不行。"

郭大路道："为什么还不行？"

燕七道："因为这次你绝对死不了的。"

郭大路道："你有把握？"

燕七叹道："说你笨，你果然真笨。"

他看着郭大路，目光忽然变得很温柔，轻轻道："我若没把握，怎么会放心让你去呢？"

"你真笨。"

梅汝男看着郭大路，摇着头，道："你真是笨得要命。"

郭大路瞪眼道："你凭什么也说我笨？"

梅汝男道："因为你本来就笨。"

郭大路道："我哪点笨？"

梅汝男道："哪点都笨，你为什么不能变得稍微聪明些呢？"

郭大路道："我能不能不聪明？能不能笨一点？"

梅汝男道："当然能。"

她伸手拍了拍郭大路的肩头，嫣然道："因为有很多女孩子都喜欢笨一点的男人，所以你尽管笨吧。"

郭大路道："你是不是那很多女孩子其中之一？"

梅汝男笑道："我不是，我也不敢。"

她瞟了墙下的燕七一眼，吃吃地笑着，燕子般地飞了出去。

她当然不会飞，可是她身法的确有如燕子般美妙轻盈。

郭大路站在墙头，仿佛已有些痴了。

燕七咬着嘴唇，轻轻跺了跺脚，道："笨蛋，还不快追上去？"

郭大路看着他，仿佛看出了什么，又仿佛什么都没有看出来，仿佛想说什么，却又什么都没有说。

到最后他才问了句："你等不等我？"

燕七道："笨蛋，我当然等你。"

郭大路道："等多久？"

燕七道："多久我都等。"

郭大路这才笑了笑，道："你放心，我一定能追得上，绝不会追错人的。"

燕七站在墙下，仿佛也有些痴了。

也许不是痴，是醉。

他眼波轻迷，脸上泛着红晕，不是醉是什么？

他醉的又是什么？

第三十三章

金子与教训

金大帅。

一个叫大帅的人，无论他是不是真的大帅，至少总有些大帅的派头。

金大帅的派头果然不小。

他很高，比大多数人都要高半个头。

不但高，而且魁伟、健壮。

高大魁伟的人，看起来总特别显得气势凌人，虎虎有威。虽然已经有五十多岁，但站在那里，腰杆仍然笔直，眼睛仍然有光，胡子虽然留得并不太长，却很浓、很黑。他身上穿的衣服，当然也一定剪裁合身，料子华贵，你就算不知道他是金大帅，也绝不会将他看成个无名小卒的。

郭大路一眼就看出了金大帅。

梅汝男逃过去的时候，他正站在屋子前面的桃树下，欣赏着树上新发的桃花，嘴里仿佛还在低吟着诗句。

这位大帅看来还是个风雅之士。

一看到他，梅汝男眼睛里就好像已有了眼泪，整个人几乎扑到他身上，也不知说了些什么。

郭大路听不见她说的话，却看见金大帅面上已现出怒容，厉声道："就是他？"

梅汝男不停地点头，不停地流泪。

郭大路看得又好笑，又佩服："女人好像全都天生就是会演戏的。"

再看金大帅的怒容更厉，瞪着郭大路，厉声道："你想逃？"

郭大路道：“我并没有逃呀，不是好好地站在这里么？”

金大帅道：“好，好……你好！”

他似已气得连话都说不出了。

郭大路道：“这次你说对了，我本来就好好的。”

金大帅大吼一声，道：“气死老夫也。”

郭大路道：“气死一个少一个。”

金大帅两眼翻白，好像随时都要气晕过去的样子。

幸好梅汝男已及时过来扶住了他。

她不知什么时候，已从屋里取出了柄金光闪闪的巨弓，还有个沉甸甸的麂皮口袋。

金大帅一把接过了巨弓，整个人就好像立刻变了，变得精神抖擞，更有气派，也变得年轻了很多。

郭大路本来存心想气气他，现在也不敢大意了。

成名的高手，手上已有了他成名的武器，你在他面前若还敢大意，不把命送掉才怪。

只听金大帅大喝一声：“着！”

这一个字喝出，满天金光飞舞流动，如暴雨挟带着狂风，向郭大路射了过来。

金大帅的连珠神弹果然不是好玩的。

幸好郭大路早已有了准备。

金大帅的连珠弹固然快，他接得也快。

天上若有金子掉下来，无论谁都不会接得太慢的，何况他本来就有点真功夫。

梅汝男在旁边看着，忽然大声道：“贪吃的猪要先挨宰的。”

郭大路也不知是没听见，还是没听懂。

他身上有两个很大的口袋，手里的网接满了，就倒在口袋里。

金大帅的连珠弹一发二十一弹，每一发过后，总要停下来喘口气，正好给他个机会，将网里的金弹装入口袋。

无论多么大的口袋，也不像人的欲望，绝不会装不满的。

郭大路走的时候，袋里已装满了金弹子。

直等口袋装满，他才趁着金大帅喘气的时候溜了。

他当然想以最快的速度离开这里，但也不知为了什么，他身法似已没有刚才快。

幸好金大帅的体积太大，年纪也不小，就算来追，也未必追得上。

郭大路刚才跳下来的时候，记得墙角下有口水井。

他记忆力居然不错，居然还没有被金光闪花了眼，所以很快就找到了这口井。

燕七当然一定就在外面等他。

“没有然后了，只要你能接得住他的连环弹，立刻就变成了个小阔佬。”

阔佬就用不着再看债主的脸色。

郭大路摸了摸口袋里的金弹子，忍不住笑了，抬头看了看墙头，后退了两步，双臂一振，“燕子穿云”，奋力向上一跃。

刚才他就是用这身法跳上墙的，现在他当然也很有把握。

谁知道这次竟不对了。

这次他用的力气比刚才更大，但跃到顶点时，距离墙头至少还有六七尺，脑袋差点撞到墙上，几乎真的撞破了个大洞。

虽然没有撞出个大洞，却也跌了个四脚朝天。

“这是怎么回事呢？”

难道他轻功忽然间就退步了这么多？

郭大路摸着脑袋，觉得这实在有点邪门，他实在想不通。

想不通就只有再试一试。

还是一样，脑袋又几乎被撞破个大洞，又跌了个四脚朝天。

他忽然发现自己往上跳的时候，腰畔的口袋里就好像有双手在将他往下拉。

口袋里当然没有手，只有金弹子。

郭大路终于想通这是怎么回事了。

一粒金弹子若有四两，四十粒金弹子就是十斤。

无论谁身上多了二三十斤重量，轻功都要大大打个折扣的。

刚才他若是少接两发，现在也许就已经跳上墙，已经和燕七见面了。

可是这也没关系，总有法子想的。

墙角下的草很长，很密。

“我若将这些金弹子藏在草丛里，绝不会有人想得到的。”

谁能想得到有人会将已到手的金子抛在乱草里呢?

郭大路又笑了，立刻将身上的两个口袋解下来，藏在深草里。

然后他就跳上了墙。

他很佩服自己。

他觉得自己做事实在很有决断，很有思想，也很有魄力。

若是换了别人，现在一定还在墙下伤脑筋，那就说不定会被金大帅追上了。

像这么样有思想的人，将来不发财才是怪事。

燕七果然就在外面等他。

郭大路一口气说完了这件事的经过，忍不住笑道：“你是不是也很佩服我？”

燕七道：“现在就佩服你，还嫌太早了些。”

郭大路道：“太早？”

燕七道：“现在金弹子还在别人家里。”

郭大路道：“那容易……酸梅汤的马鞍上，不是有一圈长绳子吗？”

燕七点点头，他刚才也看见了。

郭大路道：“现在我再进去，将那两个口袋系在绳子上，你就在墙外面把它拉出来……你说这容易不容易？”

燕七道：“容易。”

郭大路笑道：“一个人只要有思想，无论多困难的事，都会变得很容易的。”

燕七忍不住一笑，道：“所以你一向都很佩服你自己？”

郭大路道：“我想不佩服都不行。”

梅汝男的马就系在前面的树下，鞍上果然挂着圈绳子。

郭大路在墙外等了半天，听到墙里面并没有什么动静，才跃了进去。

那两个口袋果然还在原地未动。

郭大路对自己的判断觉得很满意。

他看着燕七在外面将这两个口袋拉上了墙头，再拉下去。

然后他就听见燕七在外面低唤道："我已经接住了，你出来吧。"

郭大路这才松了口气，大功终于告成，想到他去还债时，那些债主对他巴结的样子，他简直忍不住从心里笑了出来。

于是他纵身一跃，轻轻松松地就上了墙。

这真是人逢喜事精神爽。

燕七已到了巷口的树下，站在那匹马旁边等他。

他走过去的时候，酸梅汤也从前面赶来了。

郭大路忍不住问道："金大帅呢？"

梅汝男抿着嘴笑道："他差点没被你活活气死，现在已回屋去躺着了。"

郭大路道："你现在就溜出来，不怕他疑心？"

梅汝男道："没关系，我分完账之后再回去，也还来得及。"

她嫣然一笑，又道："好在他的钱已多得花不完，我们分一点来花花，也不算罪过。"

燕七忽然道："我们说好了，是三七分账的，是不是？"

梅汝男道："一点也不错。"

燕七道："好，你分七成吧，我们只要三成。"

梅汝男怔住了。

郭大路几乎跳了起来，失声道："什么，你要分给她七成？"

燕七淡淡道："她若要十成，我就全给她。"

郭大路道："你……你是不是中了暑？是不是有点头晕？"

燕七道："发晕的是你，不是我。"

他忽然将那两个口袋往郭大路手里一丢。

郭大路一个没留心，没接住，口袋里的弹子就撒了一地。

不是金弹子，是铁弹子。

郭大路看着一颗黑黝黝的铁弹子在地上乱滚，连眼珠子都好像凸了出来。

燕七淡淡道："究竟是谁晕，你总该明白了吧。"

郭大路吃吃道："可是我……我刚才明明看到是金弹子的。"

燕七叹了口气，道："看来这人不但头晕，而且眼花。"

郭大路怔了半晌，提起口袋一抖，忽然看到一颗金光闪闪的弹子滚了出来。

只有一颗真的是金弹子。

梅汝男捡起来，看了看，忽然道："你们看，这上面还刻着字。"

郭大路道："刻的是什么字？"

梅汝男看着这颗金弹子，表情好像很奇怪，过了很久，才长叹了口气，苦笑道："你还是自己来看吧。"

金弹子上只刻着一行字："人若是太贪心，到手的黄金也会变成废铁。"

"贪吃的猪总是先挨宰的。"

想到梅汝男的这句话，再看看金弹子上刻的这句话，郭大路脸上的表情，就好像刚吞下了三斤发了霉的黄连。

燕七看看他，再看看梅汝男，苦笑道："金大帅想必早已知道我们的来意了。"

梅汝男道："嗯！"

燕七道："而且他也已看出，你是帮着我们去骗他的。"

梅汝男道："嗯！"

燕七道："可是他却在故意装糊涂，因为……"

梅汝男接着道："因为他本来就很豪爽很大路，就算明知道我们想骗他点钱用，他也不在乎，只可惜……"

她看了郭大路一眼，就没有再说下去。

郭大路却替她接了下去道："只可惜我太贪心，就好像恨不得将他所有的金弹子，全都弄走才过瘾。"

梅汝男道："但那也不能怪你。"

郭大路道："不怪我怪谁？"

梅汝男道："人都有弱点，无论谁都难免有贪心的时候。"

燕七道："何况你贪心也并不是为了你自己，若不是为了朋友，你怎么会欠那许多债呢？"

郭大路忽然笑了笑，道：“其实你们根本用不着安慰我，我心里根本不难受。”

梅汝男道：“哦？”

郭大路道：“这些黄金虽变成了废铁，但我这次来也并不是完全没有收获。”

梅汝男勉强笑了笑，道：“不错，你总算还剩下一颗金弹子。”

郭大路道：“我收获的并不是这金弹子。”

梅汝男道：“是什么？”

郭大路道：“是个很好的教训。”

他看着弹子上刻的那句话，慢慢地接着道：“对我来说，这教训也许比世上所有的黄金都有价值得多。”

梅汝男看着他，过了很久，才嫣然一笑，道：“现在我才明白，为什么有人那样喜欢你了，因为你的确是个很可爱的人。”

郭大路道：“你现在才知道？”

梅汝男道：“嗯。”

郭大路笑道：“我却早就知道了。”

燕七忽然道：“只可惜另外有件事你还不知道。”

郭大路道：“哪件事？”

燕七道：“在那些债主眼睛里，你唯一可爱的时候，就是还钱的时候，若没钱还，你知不知道他们会怎么样对付你？”

郭大路的笑容早已不见了，苦着脸摇头道：“不知道。”

他只知道无论多好的教训，都不能拿去还债的。

梅汝男眨了眨眼，问道：“你们欠了人家很多的债么？”

燕七道：“嗯。”

梅汝男道：“欠了多少？”

燕七轻叹道：“也没有多少，只不过万把两银子。”

梅汝男好像倒抽了口凉气，站在那里怔了半天，忽然道：“金大叔一定还在等着训我，我不能再耽误了，回头见。”

这句话还没有说完，她的人已跃上了马。

郭大路看着她打马而去，忍不住长长叹了口气，喃喃道：“为什么别人一听到你欠了债，就立刻会落荒而逃呢？”

燕七沉思着，缓缓道："因为她也想给你个很好的教训。"

郭大路道："什么教训？"

燕七道："一个人若想开开心心地活着，最好就不要欠债。"

郭大路慢慢地点了点头，道："一个人若想朋友喜欢你，最好也不要欠债。"

这的确是一个很好的教训，值得每个人都牢牢记在心里。

但你若已为朋友欠了债呢？

燕七忽然道："我看你不如还是先避避风头，溜到别的地方去躲几天再说。"

郭大路瞪眼道："你叫我溜？"

燕七道："你答应过别人，两天之内把债都还清的，怎么能空着手回去？"

郭大路道："你以为我会做这种丢人的事？"

燕七道："可是你却已欠了债。"

郭大路道："欠债是一回事，溜又是另外一回事；欠了债总可以还的，但若欠了债之后溜，那就不是个人了。"

燕七看着他，嫣然一笑，道："你的确是个人。"

郭大路笑道："而且是个很可爱的人，只不过穷一点而已。"

这也是原则问题。

一个人若要谨守自己的原则，有时却也并不太容易的。

但你若在任何情况下，都能守得住自己的原则，那么你就会发现，不但活着时比较安心，就算死了，也绝不会闭不上眼睛。

一个人只要能安安心心地活着，安安心心地死，穷一点又有什么关系？

当然，假如能阔一点，也不是什么坏事。

"你是穷是富？"这问题并不重要。

重要的问题是："你究竟是不是个人呢？"

富贵山庄永远是老样子，无论你怎么看，都看不出有一点富贵的气象来。

但今天早上却好像有点不同。

冷冷落落的富贵山庄大门外，今天居然停着几匹骡马。

还有几个穿着很光鲜的小厮，正在庄门外的树下乘凉。

燕七远远就看到了，不由得叹了口气，苦笑道："看来你的债主们已经在里面等着了。"

郭大路道："嗯。"

燕七道："你准备怎么打发他们？"

郭大路道："我只有一种法子。"

燕七道："什么法子？"

郭大路道："说老实话。"

初升的阳光照在他脸上，他的脸明朗、坦诚，仿佛也在发着光。

他接着道："我准备老老实实地告诉他们，现在虽然没钱还，但以后一定会想法子还他们的……这法子也许不好，可是我却已想不出别的法子。"

燕七看着他，微笑着道："你当然想不出，因为这本就是最好的法子，世上绝没有更好的法子。"

债主一共有六个。六个债主都站在院子里，等着。

郭大路一走进去，就大声道："各位，抱歉得很，我现在虽然没有钱还给你们，可是……"

他还没有说完，已有人打断了他的话。

一个姓钱的老板抢着道："郭大爷难道以为我们是来要债的么？"

郭大路怔了怔，道："你们难道不是？"

钱老板笑道："我们生怕这里的东西不够用，所以特地赶着为大爷送来的。"

郭大路讷讷地道："可是……可是我欠了你们的账呢？"

另一个姓张的老板也抢着说道："账早已有人还清了。"

钱老板赔着笑道："那只不过是个小数目。"

郭大路怔了半晌，忍不住问道："那些账究竟是谁还的？"

张老板笑道："老实说，我们也不知道究竟是谁还的。"

郭大路更觉奇怪，问道："怎么会连你们也不知道的？"

钱老板道："今天早上我一起床，就看到外面的桌上放着好几堆银子……"

郭大路忍不住问道："好几堆？银子怎么会是论堆的？"

钱老板道："因为那些银封都不一样，有的是济南封，也有的是京城封，一堆堆的都分开了，但下面却都压着张纸条，说明是给郭大路还账的。"

张老板道："那想必是郭大爷的朋友，知道郭大爷最近手头不便，所以特地带了银子来，又怕郭大爷不肯收，所以特地送到小号去。"

钱老板赔笑道："郭大爷的朋友，想必都是够义气的江湖好汉，我们虽是做小本生意的，可也不是什么势利小人。"

张老板也赔着笑，道："所以，我们一早就赶着来了。"

他们当然要一早赶着来。遇着那些半夜里能在他们家出入自如的江湖好汉，他们怎么敢不巴结？

何况还有大把的银子可赚呢？

郭大路却怔住了，简直就像是丈二金刚，摸不着头脑。

燕七悠然道："你们收下的银子一共有几堆？"

钱老板道："一共有三堆，不但还账足足有余，还有剩下的。"

张老板道："所以这两个月郭大爷无论要什么，都只管到小号来拿。"

钱老板笑道："现在我们也不敢再打扰，就此告辞了。"

于是一个个就打躬作揖，退了出去。

退到大门外，还在感叹着，窃窃私议："想不到郭大爷居然有这么多好朋友。"

"那当然是因为郭大爷平时做人够义气。"

"交朋友本来就是义气换义气，像郭大爷这种朋友，我也愿意交的。"

等到人全都走光了，郭大路才吐出口气，道："我是不是真的很够义气？"

燕七眨眨眼，微笑道："好像是的，否则怎么会有人替你来还债呢？”

郭大路道：“原来并不是每个人一听说你欠债，都会落荒而逃的。”

燕七道：“的确不是。”

郭大路叹道：“可是我这些够义气的朋友，究竟是从哪里来的呢？”

燕七道：“你想不出？”

郭大路道：“打破我的头也想不出。”

燕七道：“那你就不必想了。”

郭大路道：“为什么？”

燕七道：“因为那些人说的话都很有道理，交朋友本就是义气换义气，他今天来替你还债，自然因为你以前也做过对他们够义气的事。”

郭大路苦笑道：“但我却还是想不出会是谁？”

燕七道：“有很多人都有可能，譬如说，红蚂蚁、林夫人、梅汝甲，还有那些骗过你的强盗，他们若知你被人逼债逼得要跳河，都可能偷偷来替你还债的。”

他忽然又接着道：“就连金大帅和酸梅汤都有可能的。”

郭大路道：“为什么？”

燕七嫣然道：“因为你不但是个很好的朋友，而且真是个很可爱的人。”

郭大路笑了，喃喃道：“也许真的就是他们，想不到他们还记得我……”

他的笑充满了欢乐和感激。

他感激的倒不是他们为他还了债——他感激的是他们的友情。

这世上只要有友情存在，就永远有光明。

你看，现在阳光正照遍大地，到处都闪耀着金光，就好像上天特地为这世上懂得珍惜友情的人，撒下了一片黄金。

这本来就是个黄金世界，只看你懂不懂得如何去分辨什么才是真正的黄金，什么才是真正值得珍惜的！

第三十四章

金大帅的问题

01

有种人好像命中注定就是要比别人活得开心的，就算是天大的问题，他也随时都可以放到一边去。

郭大路就是这种人。

是谁替他还的账？

为什么要替他还账？

这些问题在他看来，早已不是问题了。

所以他一躺上床，立刻就睡着，一睡就睡到下午，直到王动到他屋里来的时候，他才醒。

王动的行动还不太方便，所以一走进来，就找了个最舒服的地方坐下。

就算他行动方便的时候，无论走到什么地方，也都立刻会找个最舒服的地方坐下去的。

无论谁的屋子里，只怕都很少有比床更加舒服的地方。

所以王动就叫郭大路把脚缩起来些，斜倚在他的脚跟。

郭大路就把一个枕头丢了过去，让他垫着背，然后才揉着眼睛道："现在是什么时候了？"

王动道："还早，距离吃晚饭的时候，还有半个多时辰。"

郭大路叹了口气，喃喃道："其实你应该让我再多睡半个时辰的。"

王动也叹了口气，道："我只奇怪，你怎么能睡得着？"

郭大路更奇怪，张大了眼睛，道："我为什么睡不着？"

王动道："你若是肯动脑筋想想，也许就会睡不着了。"

郭大路道："有什么好想的？"

王动道："没有？"

郭大路摇摇头，道："好像没有。"

王动道："你已知道是谁替你还的账？"

郭大路道："不管是谁替我还的账，反正账已经还清了，他们既然不愿意泄露自己的身份，我还有什么好想？"

王动道："你能不能稍微动动脑筋？"

郭大路笑了，道："能，当然能。"

他果然想了想，才接着道："最可能替我还账的人，就是林夫人。"

他们那次遇见林夫人的经过，后来已告诉过王动。

王动道："林夫人就是你上次说的卫夫人？"

郭大路点点头，道："她既然知道林太平在这里，当然会派人随时来打听我们的消息，既然知道我们欠了债，当然会派人来还的。"

他接着又道："可是她不愿让林太平知道她已找到这地方，所以才瞒着我们。"

王动道："很合理。"

郭大路笑道："当然合理，我就算懒得动脑筋，但脑筋并不比别人差。"

王动道："除了林夫人外，第二个可能替你还账的是谁呢？"

郭大路道："八成是酸梅汤。"

王动道："为什么是她？"

郭大路道："我看见她一听到我们欠了账，立刻就落荒而逃，心里就觉得很奇怪，因为她本不是这种人。"

王动道："所以你认为她一定又回去向金大帅借了钱，赶到前面来替你先把账还了？"

郭大路道："不错，因为她本来就喜欢燕七，又怕燕七不肯接受她的好意，所以才故意那样做。"

王动道："可是她怎么知道你欠了谁家的账呢？"

郭大路道："那很容易打听得出，你总该知道，酸梅汤是个多么机灵的女孩子。"

王动慢慢地点了点头道："也很合理。"

郭大路笑道："你看，这问题是不是很简单，我不费吹灰之力，随随便便就想出了两个。"

王动道："莫忘了还有第三个人。"

郭大路道："这个人一定是……"

说到这里，他忽然说不下去了。

因为他本来想到很多人都有可能，但仔细一想，这些人又都不太可能。

王动道："骗过你的那些小贼，就算没有把你当瘟生笨蛋，就算心里很感激你，也不会有这么多钱来替你还账的。"

郭大路道："那些人简直穷得连裤子都没的穿，否则我又怎么会大发慈悲？"

王动道："也不能算上梅汝甲，他被你在肚子上打了一拳，不还你两拳已经够客气的了。"

郭大路苦笑道："所以我就算被债主逼死，他也不会掉一滴眼泪的。"

王动道："掉眼泪不但比替人还债方便，也便宜得多。"

郭大路道："所以这第三个人也绝不可能是他。"

王动道："非但不可能是他，也绝不可能是别的任何人。"

郭大路道："为什么？"

王动道："因为别的人就算知道你在这里，也不可能知道你在被人逼债。"

郭大路道："假如有人听到我们跟催命符和十三把大刀他们决斗的事，知道我们有人受了伤，就赶到这里来呢？"

王动道："来干什么？"

郭大路道："也许是赶来看热闹，也许是想赶来帮我们的忙，报我们的恩。"

王动道："报恩？"

郭大路道："譬如说，那些红蚂蚁、白蚂蚁，就可能会来报我们的不杀之恩。"

王动终于又点点头，道："这也是很合理。"

郭大路含笑道："既然很合理，岂非就没有问题了吗？"

王动道："真正的问题就在这里。"

他脸色很严肃，很沉重。

郭大路忍不住道："真正的问题？什么问题？"

王动道："既然可能有人赶来看热闹，赶来报恩，就也可能有人赶来找麻烦，赶来报仇。"

郭大路道："报仇？"

王动道："你认为我们对那些蚂蚁有不杀之恩，说不定他们却反把我们当仇人呢？你只想到我们放他们走的时候，为什么不会想想我们将他们打得落花流水的时候？"

郭大路怔住了。

王动道："何况，催命符和十三把刀他们，说不定也有够义气的朋友，听到他们栽在这里，就可能赶来替他们报仇。"

郭大路叹了口气，道："很合理。"

王动道："你虽然没有在江湖中混过，可是我们却不同，无论谁在江湖中混的时候，都难免会在有意无意间得罪些人，这些人若知道我们的行踪，也很可能赶来找我们算一算旧账。"

郭大路叹了口气，苦笑道："看来我的脑筋实在不能算很高明。"

王动道："但这些人还不能算是最大的问题。"

郭大路吓了一跳，道："这还不算？"

王动道："最大的问题是，既然已有很多人知道我们的行动，就表示我们不幸已出名了。"

他叹了口气，接着道："一个人出了名之后，大大小小的麻烦，立刻就会跟着来的。"

郭大路道："什么麻烦？"

王动道："各种麻烦，你想都想不到的麻烦。"

郭大路道："你说几种来听听？"

王动道："譬如说，有人听说你的武功高，就想来找你较量较量，就算你不肯动手，他们也会想出各种法子逼着你非动手不可。"

郭大路苦笑道："这点我倒明白。"

王动道："你明白？"

郭大路叹道："这就好像我逼着金大帅出手一样，只不过我倒未想到报应会来得这么快。”

王动道：“除了来找你比武较量的人之外，找你来帮忙的也好，找你来解决问题的也好，找你来借路费盘缠的也好，这些人随时随刻会找上门来，你根本就不知道他们什么时候会来。”

他又叹了口气，接着道：“一个人若在江湖中成了名，要想再过一天清静的日子，只怕都不太简单的。”

郭大路也叹了口气，喃喃道：“原来成名也并不是件很愉快的事。”

王动道：“也许只有一种人才觉得成名很愉快。”

郭大路道：“哪种人？”

王动道：“还没有成名的人。”

他忽又叹道：“其实真正有麻烦的人，也许并不是你跟我。”

郭大路道：“你是说，燕七和林太平？”

王动道：“不错。”

郭大路道：“他们的麻烦为什么会比我们多？”

王动道：“因为他们都有不足为外人道的秘密。”

郭大路从床上跳了起来，大声道：“不错，燕七的确有个很大的秘密，他总是不肯告诉我。”

王动道：“你到现在还没有猜出来？”

郭大路道：“你难道已猜出来了？”

王动忽然笑了笑，道：“看来你非但脑筋不太高明，眼睛也……”他忽然停住了口。

有人来了。

郭大路立刻也听到有人走进外面的院子，还不止一个人。

他慢慢地从床上溜下去，慢慢道：“你说的果然不错，果然已有人找上门来了。”

王动只有苦笑。

因为他实在也没有想到，人居然来得这么快。

来的是什么人？

会为他们带来什么样的麻烦？

02

来的一共有五个人。

后面的四个人身材都很魁伟，衣着都很华丽，看起来很剽悍，很神气。

可是和前面那个人一比，这四人简直就变得好像四只小鸡。

其实前面这个人也并不比他们高很多，但却有种说不出的气派，就算站在一万个人里，你还是一眼就会看到他。

这人昂首阔步，顾盼自雄，连门都没有敲就大摇大摆地走进了院子，就好像一个百战而归的将军，到自己家来似的。

王动当然知道这不是他的家。郭大路也知道。

他本来已准备冲出去的——若有麻烦上门，他总是第一个冲出去。

可是这次他一看到了这个人，就立刻又缩了回来。

王动皱了皱眉，道："你认得这个人？"

郭大路点点头。

王动道："这人就是金大帅？"

郭大路道："你也认得他？"

王动道："不认得。"

郭大路道："不认得，你又怎么知道他是金大帅？"

王动道："这人若不是金大帅，谁是金大帅？"

郭大路苦笑，道："不错，他的确很有点大帅的样子。"

金大帅站在院子里，背着双手，四面打量着，忽然道："这院子该扫一扫了。"

后面跟着的人立刻躬身道："是。"

金大帅道："那边的月季和牡丹都应该浇点水，草地也该剪一剪。"

跟班们道："是。"

金大帅道："那边树下的几张藤椅，应该换上石墩子，顺便把树枝也修一修。"

跟班们道："是。"

王动在窗户里看着，忽然问道：“这里究竟是谁的家？”

郭大路道：“你的。”

王动叹了口气，道：“我本来也知道这是我的家，现在却有点糊涂了。”

郭大路忍不住要笑，却又皱起眉，道：“燕七怎么还不出去？”

王动道：“也许他跟你一样，看见金大帅，就有点心虚。”

郭大路道：“金大帅又不认得他，他为什么会心虚？”

王动目光闪动，突然问道：“你有没有想到一个问题？”

郭大路道：“什么问题？”

王动道：“燕七打暗器的手法已可算是一流的，接暗器的手法当然也不错。”

郭大路道：“想必不错。”

王动道：“那么他自己为什么不去找金大帅呢？为什么要你去？”

郭大路怔了怔，道：“这……我倒没有想过。”

王动道：“为什么不想？”

郭大路苦笑道：“因为……因为只要是他要我做的事，我就好像觉得是天经地义，应该由我去做的。”

王动看着他，摇着头，就好像大哥哥在看着自己的小弟弟。

一个被人将糖葫芦骗走的小弟弟。

郭大路想了想，才又道：“你的意思是说，他自己不去找金大帅，就因为生怕金大帅会认出他来？”

王动道：“你说呢？”

郭大路还没有说出话，突听金大帅沉声喝道：“是什么人鬼鬼祟祟躲在屋子里嘀咕，还不快出来。”

王动又看了郭大路一眼，终于慢慢地推开门走出去。郭大路既然不肯动，他就只有动了。

金大帅瞪着他，道：“你躲在里面嘀咕些什么。”

王动淡淡道：“我根本不必躲，你也管不着我在嘀咕些什么。”

金大帅厉声道：“你是什么人？”

王动道：“我就是这地方的主人，我高兴坐在哪里，高兴说什么，就可以说什么。”

他笑了笑，淡淡道：“一个人在自己的家里，就算高兴脱了裤子放屁，别人也管不着。”

他平常说话本没有如此刻薄的，现在却好像故意要杀一杀金大帅的威风。

谁知金大帅反而笑了，上上下下看了他几眼，笑道：“这人果然像是个姓王的。”

王动道：“我并不是像姓王的，我本来就是个姓王的。”

金大帅道：“看来你只怕就是王老大的儿子？”

王动道：“王老大？”

金大帅说道：“王老大就是王潜石，也就是你的老子。”

王动反倒怔住了。

王潜石的确是他父亲，他当然知道他父亲的名字。

但别人知道王潜石这名字的却很少。

大多数人都只知道王老先生的号——王逸斋。

知道王潜石这名字的人，当然是王潜石的故交。

王动的态度立刻变了，变得客气得多，试探着问道：“阁下认得家父？”

金大帅也不回答他的话，却大步走上了回廊。

郭大路这屋子的门是开着的。

金大帅就昂然走了进来，大马金刀，往椅子上一坐，就坐在郭大路的面前。

郭大路只有勉强笑了笑，道：“你好？”

金大帅道：“嗯，还好，总算还没有被人气死。”

郭大路干咳了几声，道：“你是来找我的？”

金大帅道：“我为什么要来找你？”

郭大路怔了怔，道：“那么，大帅到这里来，是干什么的呢？”

金大帅道：“我难道不能来？”

郭大路笑道：“能，当然能。”

金大帅冷冷道：“告诉你，我到这里来的时候，你只怕还没有生出来。”

这人肚子里，好像装了一肚子火药来的。

郭大路并不是怕他，只不过实在觉得有点心虚。

无论如何，他做的那手实在令人服帖，那教训也没有错。

郭大路既然没别的法子对付他，只好溜了。

谁知金大帅的眼睛还真尖，他的脚刚动，金大帅就喝道：“站住！”

郭大路只有赔笑道：“你既然不是来找我的，要我留在这里干什么？”

金大帅道：“我有话问你。”

郭大路叹了口气，道：“好，问吧！”

金大帅道：“你们晚上吃什么？”

他问的居然是这么样一个问题。

郭大路忍不住笑道：“我刚才嗅到红烧肉的味道，大概吃的是竹笋烧肉。”

金大帅道：“好，快开饭，我饿了。”

郭大路又怔住。

现在他也有点弄不清谁是这地方的主人了。

金大帅又喝道：“叫你开饭，你还站在这里发什么呆？”

郭大路看看王动。

王动却好像什么都看不见，什么都听不见。

郭大路只有叹息着，喃喃道：“是该开饭了，我也饿得要命。”

饭开上桌，果然有笋烧肉。

金大帅也不客气，一屁股就坐在上座上。

王动和郭大路就只有打横相陪。

金大帅刚举起筷子，忽然又问道：“还有别的人呢？为什么不来吃饭？”

郭大路道：“有两个人病了，只能喝粥。”

金大帅道：“还有个没病的呢？”

这地方的事，他知道得倒还真清楚。

郭大路支吾着，苦笑道：“好像在厨房里。”

燕七的确在厨房里。

他不肯出来，因为："太脏，所以不想见人。"

既然他这么说，郭大路就只能听着，因为若再问下去，燕七就会瞪眼睛。

燕七一瞪眼睛，郭大路就软了。

金大帅道："他又不是厨子，为什么躲在厨房？"

郭大路叹了口气，道："好，我去叫他。"

谁知他刚站起，燕七已垂着头走了进来，好像本就躲在门口偷听。

金大帅上上下下看了他两眼道："坐。"

燕七居然就真的垂着头坐下——这人今天好像也变乖了。

金大帅道："好，吃吧。"

他狼吞虎咽，风卷残云般，一下子就把桌上的菜扫空了。郭大路他们几乎连伸筷子的机会都很少。

碟子底全都朝了天之后，金大帅才放下筷子，一双虎虎有威的眼睛，从王动看到郭大路，从郭大路看到燕七，忽然道："你们去打我的主意，主意是谁出的？"

燕七垂头，道："我。"

金大帅道："哼，我就知道是你。"

燕七的头垂得更低。

金大帅目光转向郭大路，道："你能接得住我五发连珠弹，这种手法江湖中已少见得很。"

郭大路忍不住笑了笑，道："还过得去。"

金大帅道："这手法是谁教给你的？"

王动道："我。"

金大帅道："哼，我就知道是你。"

王动忍不住问道："你怎么知道的？"

金大帅道："我不但知道他是你教的，也知道你是谁教的。"

王动道："哦？"

金大帅突然沉下了脸，道："你父亲教给你这手法时，还告诉了你些什么话？"

王动道："什么话都没有。"

金大帅道："怎么会没有？"

王动道："因为这手法不是他老人家传授的。"

金大帅厉声道："你说谎。"

王动也沉下了脸，冷冷道："你可以听到我说各种话，却绝不会听到我说谎。"

金大帅盯着他，过了很久，才问道："若不是你父亲教的，是谁教的？"

王动道："我也不知道是谁。"

金大帅道："你怎会不知道？"

王动道："不知道就是不知道。"

金大帅又开始盯着他，又过了很久，霍然长身而起，道："你跟我出去。"

他大步走到院子里。王动也慢慢地跟了出去——这个人今天好像也变得有点奇怪。

郭大路叹了口气，悄悄道："我现在才知道这位大帅是来干什么的了。"

燕七道："哦？"

郭大路道："我破了他的连珠弹，他心里一定很不服气，所以还想找教我的人比画比画。"

他嘴里说着话，人也站了起来。

燕七道："你想干什么？"

郭大路道："王老大腿上的伤还没有好，我怎么能看着他……"

燕七打断他的话，冷冷道："你最好还是坐着。"

郭大路道："为什么？"

燕七道："你难道还看不出，他来找的是王动，不是你。"

郭大路道："可是王动的腿……"

燕七道："要接他的连珠弹，并不是用腿的。"

夜色清朗。

金大帅看着王动走过来，忽然皱了皱眉，道："你的腿？……"

王动冷冷道："我很少用腿接暗器，我还有手。"

金大帅道："好！"

他忽然伸出手。立刻就有人捧上了金弓革囊。

金大帅一把抄过金弓。

就在这一刹那，突然间，满天金光闪动。

谁也没看清他是怎么出手的。

郭大路倒抽了口凉气，道："这次他出手怎么比上次还要快得多？"

燕七淡淡道："也许他不想替你买棺材。"

郭大路道："他既然不肯用杀手对付我，为什么要用杀手对付王动？难道他和王动有仇？"

这问题连燕七也回答不出了。

他虽已看出金大帅这次来，必定有个很奇怪的目的，却还是猜不出这目的是什么。

就在郭大路替王动担心的时候，忽然间，满天金光全不见了。

王动还是好好地站着，手上两只网里已装满了金弹子。

谁也没看清他用的是什么手法，甚至根本没看清他出手。

郭大路又叹了口气，喃喃道："原来他手法也比我高明得多。"

燕七道："这手法绝不是一天练出来的，你凭什么在一天里就能全学会，难道你以为你真是天才？"

郭大路道："无论如何，这手法的诀窍我总已懂得了。"

燕七道："那只不过因为师父教得好。"

郭大路笑道："师父当然好，但徒弟总算也不错，否则岂非也早就进了棺材？"

燕七看着他，忽也叹了口气，道："你几时若能把这吹牛的毛病改掉，我就……"

郭大路道："就怎么？……是不是就把你那秘密告诉我？"

燕七忽然不说话了。

他们说了十来句话，金大帅还在院子里站着。

王动也站着。

两个人我看着你，你看着我。

又过了半天，金大帅忽然将手里的金弓往地上一甩，大步走了进来，重重地往椅子上一坐。

燕七和郭大路也坐在那里，看着他。

又过了半天，金大帅忽然大声道：“酒呢？你们难道从来不喝酒的？”

郭大路笑了笑，道：“偶尔也喝的，只不过很少喝，每天最多也只不过喝四五次而已。喝得也不太多，一次最多也只不过喝七八斤。”

酒坛子已上了桌。

今天早上当然也有人送了酒来，他们没有喝，因为他们还不是真正的酒鬼。

还没有弄清金大帅的来意，他们谁也不愿喝醉。

但金大帅却先喝了。

他喝酒也真有些大帅的气派，一仰脖子，就是一大碗。

他既已喝了，郭大路又怎甘落后。

就凭他喝酒的样子，看来迟早有一天也会有人叫他大帅的。

金大帅看着他一口气喝了七八碗酒，忽然笑了笑，道：“看起来你一次果然可以喝得下七八斤酒的。”

郭大路斜眼瞟着他，道：“你以为我在吹牛？”

金大帅道：“你本来就不像是个老实人。”

郭大路道：“我也许不像是个老实人，但我却是个老实人。”

金大帅道：“你的朋友呢？”

郭大路道：“他们比我还老实。”

金大帅道：“你从来没有听过他们说谎？”

郭大路道：“从来没有。”

金大帅瞪着他看了很久，忽然转向王动，道：“你那手法真不是你老子教的？”

王动道：“不是。”

金大帅道：“是谁教的？”

王动道：“我说过，我也不知道他是谁。”

金大帅道：“怎么会不知道？”

王动道：“他从来没有告诉过我。”

金大帅道：“你至少总见过他的样子。”

王动道：“也没有，因为他教我的时候，总是在晚上，而且总是蒙着脸。”

金大帅目光闪动，道：“你是说，有个不知道身份的神秘蒙面人，每天晚上来找你……”

王动道：“不是来找我，是每天晚上在坟场那边的树林里等我。”

金大帅道：“就算刮风下雨，他也等？”

王动道：“除了过年的那几天，就算在冷得眼泪都可以冻成冰的晚上，他也会在那里等。”

金大帅道：“他不认得你，你也不知道他是谁，但是他却每天等你，为的只不过将自己的武功教给你，而且绝不要你一点报酬，对不对？”

王动道：“对。”

金大帅冷笑道：“你真相信天下有这么好的事？”

王动道：“若是别人讲给我听，说不定我也不会相信，但是世上却偏偏有这种事，我想不信也不行。”

金大帅又瞪着他看了半天，道：“你有没有跟踪过他，看他住在哪里？”

王动道：“我试过，但却没有成功。”

金大帅道：“他既然每天都来，当然绝不会住得很远。”

王动道：“不错。”

金大帅道：“这附近有没有别的人家？”

王动道：“没有，山上就只有我们一家人。”

金大帅道：“你们怎么会住在这里的？”

王动道：“因为先父喜欢清静。”

金大帅道：“这附近既没有别的人家，那蒙面人难道是从棺材里爬出来的？”

王动道：“他也许住在山下。”

金大帅道：“你有没有去找过？”

王动道：“当然去找过。”

金大帅道：“但你却找不出一个人像是有那么高武功的？”

王动道：“真正的高手，本就不会将功夫摆在脸上的。”

金大帅道：“山下住的人也并不太多，假如真有那么样的高手，你至少总可以看出一点行踪来的，对不对？”

王动道："嗯。"

金大帅道："你说，他既然每天晚上都在教你武功，白天总要睡觉的，在这种小城里，一个人若是每天白天都在睡觉，自然就难免被人注意，对不对？"

王动道："嗯。"

金大帅道："既然如此，你为什么找不出呢？"

王动道："也许他根本不住在城里。"

金大帅道："既不是住在山上，又不是住在城里，他还能住在什么地方呢？"

王动道："真正的高手，无论在什么地方都可以睡觉。"

金大帅道："就算他能在山洞里睡觉，但吃饭呢？无论什么样的高手，总不能不吃饭吧？"

王动道："他可以到城里买饭吃。"

金大帅道："一个人若是每天都在外面吃饭，但却没有人知道他住在哪里，岂非更加地要被人注意？"

王动也回瞪着他，看了很久，冷冷道："你知不知道你从走进大门后直到现在，一共问了多少句话了？"

金大帅道："你是不是嫌我问得太多？"

王动道："我只不过在奇怪，你为什么一定要问这些跟你一点关系也没有的问题。"

金大帅忽又笑了笑，变得仿佛很神秘，一口气又喝了三碗酒，才缓缓地说道："你想不想知道那蒙面人是谁？"

王动道："当然想。"

金大帅道："既然想，为什么不问？"

王动道："因为我就算问了，也没有人能回答。"

金大帅慢慢地点了点头，道："不错，这世上的确很少有人知道他是谁。"

王动道："除了他自己外，根本没有别的人知道，连一个人都没有。"

金大帅道："有一个。"

王动道："谁？"

金大帅道："我！"

这句话说出来，连燕七都怔住了。

王动怔了半晌，道："你知不知道这已经是多久以前的事？"

金大帅道："不知道。"

王动道："但你却知道他是什么人？"

金大帅道："不错。"

王动道："你既然没有看见过他，甚至连这件事是什么时候发生的都不知道，但你却能知道他是谁？"

金大帅道："不错。"

王动冷笑道："你真相信天下会有这种事？"

金大帅道："我想不信都不行。"

王动道："你凭什么能如此确定？"

金大帅没有回答这句话，又先喝了三碗酒，才缓缓地问道："你知不知道我的连珠弹一轮连发多少？"

王动道："二十一个。"

金大帅道："你知不知道二十一发连珠弹中，哪几发快？哪几发慢？又有几发是变化旋转的？几发是准备互相撞击的？"

王动道："不知道。"

金大帅道："你连这点都不知道，怎能接得住我的连珠弹呢？"

王动又怔住。

金大帅道："我以连珠弹成名，至今已有三十年，江湖中人能闪避招架的人已不多，但你却随随便便就接住了。"

他叹了口气，又道："非但你接住了，连你教出来的人都能接住，简直就拿我这连珠弹当小孩玩的一样，你难道一点也不觉得奇怪？"

王动又怔了半晌，沉吟着道："这也许只因我的法子用对了。"

金大帅忽然一拍桌子，道："不错，你用的不但是最正确的一种法子，也是最巧妙的一种手法，这种手法不但可以破我的连珠弹，甚至可以说是天下所有暗器的克星。"

王动只有听着，因为连他自己实在也不知道这种手法竟是如此奥妙。

金大帅看着他，又问道："你知不知世上会这种手法的人有几个？"

王动摇摇头。

金大帅道："只有一个。"

他又长长叹息了一声，缓缓道："我找这个人，已经找了十几年了。"

王动道："你……你为什么要找他？"

金大帅道："因为我平生与人交手，败得最惨的一次，就是败在他手上。"

王动道："你想报仇？"

金大帅道："那倒并不是完全为了报仇。"

王动道："是为了什么？"

金大帅道："我的连珠弹既然有人能破，自然就有缺点，但是我想了几十年，还是想不出其中的关键在哪里。"

王动道："他既然能破你的连珠弹，想必就一定知道你的缺点。"

金大帅道："不错。"

王动道："你认为那蒙面人就是他？"

金大帅说道："绝对是他，绝不可能再有第二个人。你接我连珠弹的手法，跟他几乎完全一模一样。"

王动目中已露出急切盼望之色。

但郭大路却更急，抢着道："你说来说去，这个人究竟是谁呢？"

金大帅凝视着王动，一字字道："这个人就是王潜石，就是你的父亲。"

就算催命符从坟墓里伸手出来将他一把抓住的时候，王动脸上的表情也没有现在这么样惊讶。

但郭大路却比他更惊讶，抢着道："你说那蒙面人就是他的父亲？"

金大帅道："绝对是。"

郭大路道："你说他父亲不在家里教他功夫，却要蒙起脸，在外面的树林子里等他？"

金大帅道："不错。"

郭大路想笑，又笑不出，却叹了口气，道："你真相信世上有这种怪事？"

金大帅道："这件事并不能算奇怪。"

郭大路道："还不算奇怪？"

金大帅道："有道理可以解释的事，就不能算是怪事。"

郭大路道："有什么道理？"

金大帅淡淡地道："我本来也想不通的，但看到他住在这种地方，就想出了一点，看到你们这些朋友，又想出了第二点。"

郭大路道："你先说第一点。"

金大帅道："王潜石少年时还有个名字，叫王伏雷，那意思就是说，就算是天上击下来的雷电，他也一样能接得住。"

他又尽一杯，接着道："这名字虽然嚣张，但他二十三岁时，已被武林中公认为天下接暗器的第一高手，就算狂妄些，别人也没话说。"

大家都在听着，连郭大路都没有插口。

金大帅道："等他年纪大了些，劲气内敛，才改名为王潜石，那时他已经很少在江湖中走动了，又过了两年，就忽然失踪。"

到这时郭大路才忍不住插口道："那想必是因为他已厌倦了江湖间的争杀，所以就退隐到林下，这种事自古就有很多，也不能算奇怪。"

金大帅却摇了摇头，道："这倒并不是最主要的原因。"

郭大路道："哦？"

金大帅道："最主要的是，他结了个极厉害的仇家，他自知绝不是这人的敌手，所以才隐姓埋名，退隐到这种荒僻的地方。"

王动突然道："他的仇家是谁？"

金大帅道："就因为他不愿让你知道仇家是谁，所以才不肯亲自出面教你武功。"

王动道："为什么？"

金大帅道："因为你若知道他过去的事，迟早会听到他结仇的经过，你若知道他的仇家是谁，少年人血气方刚，自然难免要去寻仇。"

他叹了口气，道："但他这仇家实在太可怕，非但你绝不是敌手，江湖中只怕还没有一个人能接得住他五十招的。"

王动脸上全无表情，道："我只想知道这个人究竟是谁。"

金大帅道："现在你知道也没有用了。"

王动道："为什么？"

金大帅道："因为他纵然已天下无敌，却还真有几样无法抵抗的事。”

王动道：“什么事？”

金大帅道：“老、病、死！”

王动动容道：“他已死了？”

金大帅长叹道：“古往今来的英雄豪杰，又有谁能够逃得过这一关呢？”

王动道：“可是他究竟……”

金大帅打断了他的话，道：“他的人既已死了，名字也随着长埋于地下，你又何必再问。”

他不让王动开口，很快地接着又道：“自从到了这里之后，王伏雷这个人也已算死了，所以就算在自己的儿子面前，也绝口不肯再提武功。”

郭大路道：“这是第一点。”

金大帅道：“看到你们这种朋友，就可以想见王动小时候必定也是个很顽皮的孩子。”

郭大路虽没有说话，但脸上的表情却已无异替王动承认了。

金大帅道：“顽皮的孩子随时都可以闯祸，王潜石生怕自己的儿子会吃亏，又忍不住想教他一些防身的武功。”

他笑了笑道：“但若要一个顽皮的孩子好好地在家里学武，那简直比收服一匹野马还困难得多，所以王潜石才想出这个法子，既不必透露自己的身份，又可以激起王动学武的兴趣——孩子们对一些神秘的事，兴趣总是特别浓厚的。”

郭大路笑道：“莫说是孩子，大人也一样。”

黑黝黝的晚上，坟场旁的荒林，还有蒙着面的武林高手……

像这么神秘的事，只怕连老头子都无法不动心。

金大帅道：“这件事现在你们该完全明白了吧。”

郭大路道：“还有一点不明白。”

金大帅道：“哦？”

郭大路道：“王老伯的心意，你怎么会知道的？”

金大帅道：“因为我也是做父亲的人。”

他长叹着，接着道：“父亲对儿子的爱心和苦心，也只有做父亲的人才能体会得到。”

王动突然站起来，冲了出去。

他是不是想找个没人的地方，去痛哭一场？

燕七本就一直垂着头的，现在郭大路的头也垂了下去。

“做儿子的人，为什么总要等到已追悔莫及时，才能了解父亲对他的爱心和苦心呢？”

金大帅看着他们，忽然举起酒杯，大声道：“你们难道从来不喝酒的？”

世上的确有很多奇怪而神秘的事，看来好像永远都无法解释。

其实无论多么神秘的问题，都一定有答案的，就正如地下一定有泉水和黄金，世上一定有公道和正义，人间一定有友情和温暖。

你就算看不到、听不到、找不到，也绝不能不相信它的存在。只要你相信，就总会有找到的一天。

03

“世上有没有从来不醉的人？”

这问题最正确的答案是：“有。”

从来不喝酒的人，就绝不会醉的。

只要你喝，你就会醉，你若不停地喝下去，就非醉不可。所以郭大路醉了。

金大帅的头好像在不停地摇来摇去。

他忽然觉得金大帅连一点都不像是个大帅，忽然觉得自己才真的是个大帅，而且是个大帅中的大帅。

金大帅也在看着他，忽然笑道：“你的头为什么要不停地摇？”

郭大路大笑，道：“你看这个人，明明是他自己的头在摇，还说人家的头在摇。”

金大帅道：“人家是谁？”

郭大路道：“人家就是我。”

金大帅道："明明是你，为什么又是人家？"

郭大路想了想，忽又叹了口气，道："你知不知道你最大的毛病是什么？"

金大帅也想了想，问道："是不是我的酒喝得太多了？"

郭大路道："不是酒喝得太多，是问话太多，简直叫人受不了。"

金大帅大笑，道："好吧，我不问，说不问就不问……我能不能再问最后一次？"

郭大路道："你问吧。"

金大帅道："你知不知道我这次来，究竟是为了什么？"

郭大路想了想，大笑道："你看这个人！他自己来要干什么连他自己都不知道，却反而要来问我，我又不是他肚子里的蛔虫，我怎么知道？"

金大帅好像根本没听见他在说什么，眼睛望着自己手里的空碗，就好像随时要哭出来的样子。过了很久，才缓缓道："我在家里又练了十年连珠弹，以为已经可以对付王伏雷了，谁知连他的儿子都对付不了，我……我……"

他忽然跳起来，仿佛也想冲出去，找个没人的地方痛哭一场。

郭大路道："等一等。"

金大帅瞪眼道："还等什么？等着再丢一次人？"

郭大路指着桌上大汤碗里的金弹子，道："你要走，也得把这些东西带走。"

汤碗里装的本是红烧肉，是他将金弹子倒进去的。

金大帅道："我为什么要带走？"

郭大路道："这些东西本来是你的。"

金大帅道："谁说是我的？你为什么不问问它，看它姓不姓金？"

郭大路怔住了。

金大帅突又大笑，道："这些东西既不是红烧肉，也不是肉丸子，吃也吃不得，咬也咬不动，谁若是喜欢这种东西，谁就是龟儿子。"

郭大路道："你以后难道不用连珠弹了？"

金大帅道："谁以后用连珠弹，谁就是龟孙子。"

他大笑着，踉踉跄跄地冲了出去，冲到门口，突又回过头，道：

“你知不知道我以前为什么喜欢用金弹子打人？”

郭大路道：“不知道。”

金大帅道：“因为金子本是人人都喜欢的，若用金子打人，别人总是想接过来看看，就忘了闪避，要接住它总比避开它困难些，何况金子还能使人眼花缭乱，所以无论谁用金子做暗器，一定会占很大的便宜。”

郭大路道：“现在你为什么又不用了呢？”

金大帅又想了想，道：“因为占便宜就是吃亏，吃亏才是占便宜。”

郭大路笑道：“看来你并没有喝醉，你说话还清楚得很。”

金大帅瞪眼道：“我当然没醉，谁说我喝醉了，谁就是龟孙子的孙子。”

金大帅终于走了。

他的确一点也没有醉，只不过醉了八九分而已。

郭大路呢？

他正在看着碗里的金弹子发怔，怔了半天，才叹了口气，喃喃道：“世上有些东西真奇怪，你想要它的时候，一个也没有，不想它的时候，偏偏来了一大堆，你说要命不要命。”

第三十五章

鬼公子

01

假如你住在个很荒僻的地方。

假如有个人在半夜三更里，来敲你的门，很客气地对你说："我又累又渴，又错过了宿头，想在你们这里借宿一宵，讨点水喝。"

那么，只要你是个人，你就一定会说："请进。"

郭大路是个人。

他平时就是个很豪爽、很好客的人，喝了酒之后，就比平时更豪爽，更好客十倍。

现在他喝了酒，而且喝得真不少。

金大帅刚走了没多久，他就听到敲门，就抢着出去开门。

敲门的人就客气地对他说："我又累又渴，又错过了宿头，想在这里借宿一宵，讨点水喝。"

郭大路本来当然应该说："请进。"可是这两个字他竟偏偏说不出口来。

看见了这个人，他喉咙就好像忽然被塞住了，简直连一个字都说不出。

来敲门的是个黑衣人。

这人满身黑衣，黑裤子、黑靴子，脸上也蒙着块黑巾，只露出一双乌黑有光的眼睛，身后还背着柄乌鞘的长剑。

一柄五六尺长的剑。

门口没有灯。

这人静静地站在那里，简直就好像是黑暗的化身。

一看见这个人，郭大路的酒意就好像已经清醒了三分。

再看到这人的剑，他酒意就又清醒了三分。

他几乎忍不住要失声叫了出来：

“南宫丑！”

其实，南宫丑究竟是什么样子，他并没有真的看见过。

他看见的是梅汝甲。

虽然他的装束打扮，甚至连身上佩的剑，都和梅汝甲那次与棍子他们在麦老广的烧腊店里出现时，完全一样。

但郭大路却知道他绝不是梅汝甲。

那倒并不是因为他比梅汝甲更高一点、更瘦一点——究竟是为什么呢？连郭大路自己也不太清楚。

梅汝甲穿上黑衣服的时候，仿佛也带着种凌厉逼人的杀气。

这人却没有。

他既没有杀气，也没有人气，简直连什么气都没有，你就算踢他一脚，他好像也不会有一点反应。

但郭大路却可以保证，无论谁都绝不敢去沾他一根手指。

他眸子很黑、很亮，和普通练武的人好像并没有什么不同。

但也不知为了什么，只要他看你一眼，你立刻就会觉得全身不舒服。

他正在看着郭大路。

郭大路只觉得全身都很不舒服，就好像喝醉酒第二天醒来的时候一样，手心里流着冷汗，头疼得恨不得拿把刀来将脑袋砍掉。

黑衣人看着他，显然还在等着他的答复。

郭大路却似已忘了答复。

黑衣人什么话都没有再说，忽然转过身，慢慢地走了。

他走路的样子也很正常，只不过走得特别慢而已，每走一步，都要先往前面看一眼才落脚，就好像生怕一脚踩空，跌进个很深的水沟里，又好像生怕踩死了地上的蚂蚁。

像他这样子走路，走到明天下午，只怕也走不到山下去。

郭大路忽然忍不住道：“等一等。”

黑衣人头也不回，道："不必等了。"

郭大路道："为什么？"

黑衣人道："这里既不便，我也不勉强。"

这几句话说完，他才走出了两步。

郭大路大笑道："谁说这里不便？附近八百里内，绝没有比这里更欢迎客人的地方了，你快请进来吧。"

黑衣人还在犹豫着，过了很久，才慢慢地转过头。

郭大路又等了很久，他才走回门口，道："阁下真请我进去？"

他说话也慢吞吞的，但用的字却很少，别人要用十个字才能说完的话，他最多只用六七个字。

郭大路道："真的，请进。"

黑衣人道："不后悔？"

郭大路笑着道："为什么要后悔？阁下莫说只借宿一宵，就算住上三五个月，我们也是一样欢迎的。"

他的豪气又发作了。

黑衣人道："谢。"

他终于慢慢地走进院子，眼睛只看着前面的路，别的什么地方都不看。

燕七和王动都在窗户里看着他，两人的神色也显得很惊讶。

黑衣人走到长廊上，就停下。

郭大路笑道："先请进来喝杯酒吧。"

黑衣人道："不。"

郭大路道："你从来不喝酒？"

黑衣人道："有时喝。"

郭大路道："什么时候才喝？"

黑衣人道："杀过人后。"

郭大路怔了怔，喃喃道："这么样说来，你还是不要喝酒的好。"

后来他自己想想又觉得很好笑。

郭先生居然叫人不要喝酒，这倒真是平生第一遭。

黑衣人就站在廊上，不动了。

郭大路道："后面有客房，你既然不喝酒，就请过去吧。"

黑衣人道："不必。"

郭大路又怔了怔，道："不必？不必干什么？"

黑衣人道："不必去客房。"

郭大路道："你难道就睡在这里？"

黑衣人道："是。"

他似已懒得再跟郭大路说话，慢慢地闭起了眼睛，倚在廊前的柱子上。

郭大路忍不住道："你既然要睡在这里，为什么不躺下？"

黑衣人道："不必。"

郭大路道："不必躺下？"

黑衣人道："是。"

郭大路道："你……你难道要站着睡？"

黑衣人道："是。"

郭大路说不出话了，脸上的表情就好像看到了一匹会说话的马一样。

"马不会说话。"

"但只有马才站着睡觉。"

"他是匹马？"

"不是。"

"你看是什么人？"

"南宫丑！"

燕七点点头，这一次总算同意了郭大路的话。

黑衣人倚在廊下的柱子上，竟似真的睡着了，他这人本身就像是根柱子，直、冷、硬，没有反应，没有感情。

郭大路叹了口气，道："这人若不是南宫丑，天下就绝不可能再有别的人是南宫丑了。"

王动忽然道："无论他是马也好，是南宫丑也好，都跟我们一点关系都没有。"

郭大路道："有。"

王动道："有什么关系？"

郭大路道："像南宫丑这种人，若没有目的，怎么会到这里来？"

王动道："他为什么不能来？"

郭大路道："他为什么要来？"

王动道："无论哪一种人，晚上都要找个地方睡觉的。"

郭大路道："你真认为他是来睡觉的？"

王动道："他正在睡觉。"

郭大路道："像这样子睡觉，什么地方不能睡，为什么偏偏要到这里来睡？"

王动道："无论他为的是什么，他现在总是在睡觉，所以……"

郭大路道："所以怎么样？"

王动道："所以我们大家都应该去睡觉。"

这就是他的结论。

所以他就去睡觉了。

王动说要去睡觉的时候，你想叫他去做任何别的事都不行。

但郭大路却还站在窗口，看着。

燕七道："你为什么还不去睡？"

郭大路道："我想看看，他是不是真的睡着了，能睡多久？"

燕七咬着嘴唇，说道："但这是我的房间，我要睡了。"

郭大路道："你睡你的，我又不会吵你。"

燕七道："不行。"

郭大路道："为什么不行？"

燕七道："有别人在我屋里，我睡不着。"

郭大路笑了，道："你以后若娶了老婆，难道还要她到别的屋里去睡觉？"

燕七的脸仿佛又有些红了，瞪着眼道："你怎么知道我一定要娶老婆？"

郭大路道："因为世上只有两种人不娶老婆。"

燕七道："哪两种人？"

郭大路笑道："一种是和尚，一种是半男不女的人，你总不是这两种人吧。"

燕七有些生气了，道："就算我要娶老婆，也不会娶个像你这样的臭男人吧。"

他本来有些生气的，但说完了这句话，脸却反而更红了。

郭大路忽然一把将他拉了过来，悄声道：“你看，那边墙上是什么？”

燕七刚准备甩脱他的时候，已看到对面墙头上伸出一个脑袋来。

夜色很暗。

他也没有看清这人的脸长得什么样子，只看见一双炯炯有光的眼睛四面看了看。

幸好这屋里并没有燃灯，所以这人也没有看见他们，四面看了几眼，忽然又缩了回去。

郭大路轻轻地冷笑道：“你看，我猜得不错，这人非但不怀好意，而且来的还不止他一个。”

燕七道：“你认为他是先到这里来卧底的？”

郭大路道：“一定是。”

那黑衣人虽然还是站在那里，动也不动，但燕七却也不禁看得出神了。

没有动作，往往也是种很可怕的动作。

燕七就算真的想睡觉，现在也早已忘得干干净净。

也不知过了多久，突听郭大路喃喃道：“奇怪，真奇怪。”

燕七道：“什么事奇怪？”

郭大路道：“你身上为什么一点也不臭？”

燕七这才发觉他站得离郭大路很近，几乎已靠在郭大路怀里。

幸好屋里没有灯，也看不出他脸上是什么颜色，什么表情。

他立刻退出了两步，咬着嘴唇，道：“我能不能不臭？”

郭大路道：“不能。”

燕七忍不住问道：“为什么？”

郭大路道：“因为我从来没看过你洗澡，也没看过你换衣服，你本来应该臭得要命才对的。”

燕七道：“放屁。”

郭大路笑道：“放屁就更臭了。”

燕七狠狠地瞪着他，好像很想给他一个耳刮子，幸好就在这时，墙外突然有个人轻烟般掠了进来。

他当然不会真的像烟一样，但却真轻，一掠三丈后，落在地上，居然连一点声音都没有。

他身子不但轻，而且特别瘦小，简直跟小孩子的身材差不多。

可是他脸上却已有了很长的胡子，几乎已和乱松松的头发连在一起，遮住了大半个脸，只能看到一双狐狸般的狡猾的眼睛。

他眼睛四下一转，就盯在倚着柱子的黑衣人身上。

黑衣人还是没有动，也没有睁开眼睛。

这人忽然一招手，墙外立刻就又掠入了三个人来。

这三个人的身材当然高大些，但轻功却都不弱，三个人都是劲装，一身夜行衣靠，手上都拿着兵器。

一个人用的是判官笔，一个人用的是弧形剑，一个人用的是链子枪，那枯瘦的老人也亮出了一对双环。

四种都是很犀利，也很难练的外门兵器。

能用这种兵器的人，武功绝不会差。

但黑衣人还是不动寂然地站着，连一点反应都没有。

四个人的神情都很紧张，眼睛瞬也不瞬地盯在他身上，一步步向他逼了过去，显然随时都可能使出杀手，一下子就要他的命。

郭大路看了燕七一眼，意思像是说："原来他们并不是同路的。"

燕七点点头。

两个人都按兵不动，心头都有同样的打算，要看看这四个用外门兵器的夜行盗，怎么样来对付这神秘的黑衣人。

谁知就在这时，大门忽然开了。

郭大路本来明明记得已将大门闩上了的，现在不知怎的，竟又无声无息地开了。

一个穿着碧绿长衫的人，手里摇着折扇，施施然走了进来。

他穿得很华丽，神情很潇洒，看起来就像是个走马章台的花花公子。

郭大路看清他的脸时，却不禁吓了一跳。

那简直就不像是张人的脸，就连西藏喇嘛庙里的魔鬼面具，都没有这张脸可怕。

因为这确是一张活生生的脸，而且脸上还有表情。

一种令人看了之后，睡着了都会在半夜里惊醒的表情。

郭大路若非亲眼看到，简直不相信这么样一个人身上，会长着这么样一张脸。

那四个用外门兵器的人，居然还没有发觉又有个人进来了。

这绿衫人的脚步，轻得就好像根本没有沾着地似的，飘飘然走到那用判官笔的人背后，用手里的折扇轻轻拍了拍这人的肩。

这人立刻就像只中了箭的兔子般跳了起来，凌空一个翻身，落在那枯瘦老人的旁边。

他们这才看见了这绿衫人，脸上立刻充满了惊骇之意。

郭大路又和燕七交换了个眼色："原来这些人也不是一路来的。"

这些人就像是正在演一出无声的哑剧，但却实在很神秘、很刺激。

绿衫人手里还在轻摇着折扇，显得从容得很。

那四个用外门兵器的人却更紧张，手里的兵器握得更紧。

绿衫人忽然用手里的折扇，指了指他们，又向门外指了指。

这意思显然是叫他们出去。

四个用外门兵器的人对望了一眼，那老人咬了咬牙，摇了摇头，用手里的钢环指了指这栋屋子，又向他们自己指了指。

他的意思显然是说："这地盘是我们的，我们不出去。"

绿衫人忽然笑了。

无论谁都不可能看到这样子的笑。

无论谁看到这样子的笑，都一定会为之毛骨悚然。

四个用外门兵器的人脚步移动，已站在一起，额上冒着光，显见已是满头冷汗。

绿衫人折扇又向他们手里的兵器指了指，好像是在说："你们一起上来吧！"

四个人又对望了一眼，像是已准备出手，但就在这时，绿衫人忽然间已到了他们面前。

他手里的折扇轻轻在那用链子枪的人头上一敲。

敲得好像并不重。

但这人立刻就像是一摊泥般软软地倒了下去，一个大好的头颅竟已被敲得裂开，飞溅出的血浆在夜色中看来，就仿佛是一片落花。

他倒下去的时候，弧形剑已划向绿衫人的胸膛。

剑走轻灵，滑、狠，而且快。

但绿衫人更快。他一伸手，就听到“嚓”一声，接着，又是“嚓”一声。

弧形剑“叮”地掉在地上，这人的两只手已齐腕折断，只剩下一层皮连在腕子上。

他本来还是站着的，但看了看自己这双手，突然就晕了过去。

这不过是一瞬间的事。

另外两个已吓得面无人色，两条腿不停地在弹琵琶。

那老人总算沉得住气，忽然向绿衫人弯了弯腰，用钢环向门外指了指。

谁都看得出他已认输了，已准备要走。

绿衫人又笑了笑，点了点头。

这两人立刻将地上的两个尸体抬起来，大步奔了出去。

他们刚走出门，绿衫人身形一闪，忽然间也已到了门外。

门外发生了什么事，郭大路并没有看见，只听到两声惨呼。

接着，几样东西从门外飞了进来，跌在地上，原来正是一对判官笔、一对钢环。

但判官笔已断成四截，钢环也已弯曲，根本已不像是个钢环。

郭大路倒抽了口凉气，看着燕七。

燕七眼睛里似也有些惊恐之色。

这绿衫人的武功不但高，而且高得邪气。

最可怕的是，他杀起人来，简直就好像别人在切菜似的。

无论谁看到他杀人的样子，想不流冷汗都不行。

但那黑衣人还是没看见，因为他根本就没有动，没有睁开眼来。

院子里发生了这么多事，就在他面前死了这些人，他还是连一点反应都没有。

就算天下的人都在他面前死光了，他好像也不会有一点反应。

这时那绿衫人又施施然从门外走了进来，手里轻摇折扇，显得又潇洒、又悠闲。

若有谁能看得出他刚才一口气杀了四个人，那才是怪事。

他有意无意，向郭大路他们那窗口瞟了一眼，但还是笔直走到黑衣人的面前。

走廊前有几级石阶。

他走到第二级石阶，就站住，看着黑衣人。

郭大路忽然发现这黑衣人不知在什么时候也张开眼睛来了，也正在看着他。

两个人你看着我，我看着你，那样子看起来本该很滑稽的。

但郭大路却连一点滑稽的感觉都没有，只觉得手心有点发冷。

连他手心都已沁出了冷汗。

又过了很久，绿衫人忽然道："刚才'恶鸟'康同已带着他的兄弟来过了。"

这是他第一次开口，原来他不但风度翩翩，说话的声音也很好听。

只要不看他的脸，只听他说话，只看他的风姿，真是位浊世佳公子。

黑衣人道："哼。"

绿衫人道："我生怕他们打扰了你的清梦，已打发了他们。"

黑衣人道："哼。"

绿衫人道："你莫非也已知道他们要来，所以先在这里等着他们？"

黑衣人道："他们不配。"

绿衫人笑道："不错，这些人的确还不配你出手，那么你是在等谁呢？"

黑衣人道："鬼公子。"

绿衫人道："承蒙你看得起，真是荣幸之至。"

原来他叫作鬼公子。

郭大路觉得这名字真是再恰当也没有了。

但这黑衣人是谁呢？

是不是南宫丑？他为什么要在这里等这鬼公子？

鬼公子又道："你在这里既然是等我的，莫非已知道我的来意？"

黑衣人道："哼。"

鬼公子道："我们以前也见过面，彼此一直都很客气。"

黑衣人道："你客气。"

鬼公子笑道："不错，我对你当然很客气，但你却也曾找过我的麻烦。"

黑衣人道："哼。"

鬼公子道："这次我希望大家还是客客气气地见面，客客气气地分手。"

黑衣人道："哼。"

鬼公子道："我只要问这里的主人几句话，立刻就走。"

黑衣人道："不行！"

鬼公子道："只问两句。"

黑衣人道："不行！"

鬼公子居然还是客客气气的，微笑着道："为什么不行，难道你和这里的主人是朋友？"

黑衣人道："不是。"

鬼公子笑道："当然不是，你和我一样，从来都没有朋友的。"

黑衣人道："哼。"

鬼公子道："既然不是朋友，你为什么要管这闲事呢？"

黑衣人道："我已管了。"

鬼公子目光闪动，道："莫非你也在跟我打一样的主意？"

黑衣人道："哼。"

鬼公子道："催命符的钱是不是在这里，还不一定，我们又何必为此伤了和气？"

黑衣人道："滚！"

鬼公子笑道："我不会滚。"

黑衣人道："不滚就死！"

鬼公子道："谁死谁活也还不一定，你又何必要出手？"

他看起来居然还是一点火气都没有，一直都好像是忍气吞声，委曲求全。

无论谁来看，都绝对看不出他有动手的样子。

但在那边窗口看着的郭大路和燕七，却突然同时道："看，这人要出手了！"

说到第三个字时，鬼公子果然已出手。

也就在这同一刹那间，黑衣人的双手一抬，握住了肩后的剑柄。

他两只手全都举起，整个人前面都变成了空门，就好像个完全不设防的城市，等着敌军长驱直入。

鬼公子的折扇本来是以判官笔的招式，点他前胸璇玑穴的，这时折扇突然撒开，扇沿随着这一撒之势，自他的小腹刺向咽喉。

这一招的变化看起来并没有什么特别精妙之处，其实就在这折扇一撒之间，出手的方向，招式的路数，就好像他手里突然间已换了种兵器。

这一招突然已由点变成了划，攻势也突然由点变成了面。

其变化之精妙奇突，实在能令他的对手无法想象。

黑衣人背后倚着柱子，站着的地方本来是个退无可退的死地。

再加上他双手高举，空门全露，只要是个稍微懂得点武功的人，对敌时都绝不会选择这种地方，也不会选择这种姿势。

他的剑长达六尺，在这种情况下，根本就没法子拔出来。

别人根本就没法子拔出来。

黑衣人有。

一个人若选择了个这么坏的地势，这么坏的姿势来和人交手，他若不是个笨蛋，就一定有他自己独特的法子。

鬼公子一扇划出，黑衣人身子突然一转，变成面对着柱子，好像要和这柱拥抱一样。

他虽然堪堪将这一招避开了，但却把背部完全卖给了对方。

这法子更是笨不可言。

连鬼公子都不禁怔了怔，他平生和人交手至少也有两三百次，其中当然有各式各样的人，有的很高明，也有的很差劲。

但像这样笨的人，他倒还真是平生第一次见到。

谁知就在这时，黑衣人的手突然用力向柱子上一推，两条腿也同时向柱子上一顶，腹部向后收缩，臀部向后突直。

他的人也箭一般向后蹿了出去，整个人像是突然自中间折成了两截，手和腿都叠到一起。

也就在这时，剑光一闪。

一柄六尺长的寒铁剑已出鞘。

这种拔剑的法子，不但奇特已极，而且诡秘已极。

鬼公子想转身追击时，就发现这柄寒铁剑的剑尖正在指着他。

黑衣人的整个身子都在长剑的后面，已连一点空门都没有了。

最笨的法子，突然已变成了最绝的法子。

鬼公子突然发现自己已连一点进击的机会都没有。

他只有退，身形一闪，退到柱子后。

柱子是圆的，黑衣人的剑太长，也绝对无法围着柱子向他进击。

他只要贴着柱子转，黑衣人的剑就不可能刺到他。

他就可以等到第二次进击的机会。

这正是败中求胜、死中求活的法子，这法子实在不错。

鬼公子贴在柱子上，只等着黑衣人从前面绕过来。

黑衣人还在柱子的另一边，连一点动静都没有。

难道他也在等机会?

鬼公子松了口气，他不怕等，不怕耗时间，反正他已先立于不败之地。

黑衣人要来攻，就得从前面绕大圈子，他却只要贴着柱子转小圈，两个人体力的消耗，相差最少也有三四倍。

那么用不着多久，黑衣人体力就会耗尽，他的机会就来了。

这笔账他算得很清楚，所以他很放心。

他好像听到柱子后面有“笃”的一响，就像是啄木鸟在啄树的声音。

他并没有留意。

但就在这一刹那，他突又觉得背脊上一凉。

等他发觉不妙时，已感觉到有样冰冷的东西刺入了他的背脊。

接着，他就看到这样东西从他前胸穿了出来。

一截闪着乌光的剑尖。

鲜血正一滴滴从剑尖上滴下来。

你若突然看到一截剑尖，从你的胸膛里穿出来，你会有什么感觉呢?

这种感觉只怕很少有人能体会得到。

鬼公子看着这段剑尖，脸上的表情显得很惊讶，好像突然看到了一样很奇怪，很有趣的事。

他呆呆地看了两眼，一张脸突然因恐惧而扭曲变形，张大了嘴，像是想放声大喊。

可是，他的喊声还没有发出来，整个人就突然冰凉僵硬。

完全僵硬。

远远看过来，好像他还在凝视着自己胸前的剑尖沉思着。

鲜血还在不停地自剑尖滴落。

滴得很慢，愈来愈慢……

他的人还是保持着同样的姿势——一种说不出有多么诡秘可怖的姿势。

燕七已转过头，不忍再看。

郭大路的眼睛虽然张得很大，其实也并没有真的看见什么。

刚才那一幕，已经把他看得呆住了。

他清清楚楚地看见，黑衣人鼓气作势，突然一剑刺入了柱子。

他也清清楚楚地看见，剑尖没入柱子，突然又从鬼公子的前胸穿出。

他实在很难相信自己看到的这件事是真的。

——你听来也许会立刻相信，但若亲眼看到，反而很难相信。

这是柄什么剑，这是什么剑法?

郭大路叹了口气，等他眼睛再能看到东西时，就发现黑衣人不知何时已将长剑拔了出来。

但鬼公子的人却还留在剑尖上。

黑衣人正用剑尖挑着鬼公子的尸体，慢慢地走了出去。

一个看不见面目的黑衣人，肩上扛柄六尺长的剑。

剑锋发着乌光，剑尖上挑着个僵硬扭曲的绿衣人……

夜色凄清，庭院寂静。

假如这只不过是一幅图画，看见这幅图画的人，也一定会毛骨悚然的。

何况这并不是图画。

02

郭大路忽然觉得很冷，突然想找件衣服披起来。

他只希望今天晚上发生的这件事，只不过是场噩梦而已。

现在梦已醒了。

黑衣人已走了出去，院子里已没有人。

还是同样的院子，同样的夜色，郭大路喃喃道："现在到这里来的人，若能想象到刚才这里发生过什么事情，我就佩服他。"

王动忽然道："刚才这里发生过什么事？"

郭大路道："你不知道？"

王动道："不知道。"

郭大路道："刚才这里难道什么事都没有？"

王动道："没有。"

郭大路笑了，道："不错，已经过去了的事，根本就跟从未发生过的没什么两样。"

王动道："答对了。"

郭大路道："所以你最好莫要多想，想多了反而烦恼。"

王动道："又答对了。"

燕七忽然道："这次不对。"

王动道："哦？"

燕七道："因为这件事无论你想不想，都一样会有烦恼。"

郭大路道："什么烦恼？"

燕七叹了口气，道："现在我还看不出，也想不出，所以我才知道那一定是很大的烦恼。"

他们忽然同时闭上了嘴。

因为这时那黑衣人又慢慢地走了进来，穿过院子，走上石阶，站在柱子前。

他背后的长剑已入鞘。

郭大路忍不住道："我去问问他。"他不等别人开口，已跳出窗子，冲了过去。

黑衣人倚着柱子，闭着眼睛，似又睡着。

郭大路故意大声咳嗽，咳得自己的嗓子真的已有些发痒了。

黑衣人这才张开眼，冷冷地看着他，冷冷道："看来你应该赶快去找个大夫才对。"

郭大路勉强笑了笑，道："我用不着找大夫，我自己也有专治咳嗽的药。"

黑衣人道："哦。"

郭大路道："我无论有什么大大小小的毛病，一喝酒就好。"

黑衣人道："哦。"

郭大路道："现在你是不是也想喝两杯了。"

黑衣人道："不想。"

郭大路道："为什么？你刚才不是已经……已经杀过人了吗？"

黑衣人道："谁说我杀过人？"

郭大路怔了怔，道："你没有？"

黑衣人道："没有。"

郭大路道："刚才你杀的那……"

黑衣人道："那不是人！"

郭大路讶然道："那不是人？要什么样的人才能算是人？"

黑衣人道："这世上的人很少。"

郭大路又笑了，道："我呢？能不能算是人？"

黑衣人道："你要我杀你？"

郭大路目光闪动，道："你若不杀我，怎么能得到催命符的贼赃呢？"

黑衣人道："这里没有贼赃，这里什么都没有。"

郭大路道："你知道？"

黑衣人道："嗯。"

郭大路道："那么你为什么来的？"

黑衣人道："错过宿头，来借宿一宵。"

郭大路道："可是刚才你却为这件事杀了那个不是人的人？"

黑衣人道："不是为这件事。"

郭大路道："你是为了我们杀他的？"

黑衣人道："不是。"

郭大路道："你为了什么？"

黑衣人冷冷道："我要睡了，我睡的时候，不喜欢别人打扰。"

他果然又慢慢地闭起眼睛，再也不说一个字。

郭大路看着他，看着他肩后的剑，竟然觉得自己很走运。

第二天一早，黑衣人果然不见了。

他什么也没有带走，什么也没有留下——只留下了柱子上的一个洞。

郭大路看着柱子上的这个洞，忽然笑道："你知不知道我在想什么？"

燕七摇摇头。

郭大路道："我想我实在很走运。"

燕七道："走运？为什么？"

郭大路道："因为我上次遇见的那黑衣人，不是这个。"

燕七沉吟着，道："但这次你还是遇见了他。"

郭大路道："这次我也没有倒霉，他对我们非但连一点恶意都没有，而且还好像是特地来帮我们忙的。"

燕七道："他是你朋友？"

郭大路道："不是。"

燕七道："是你儿子？"

郭大路笑道："我若有这么样一个儿子，不发疯也差不多了。"

燕七道："你以为他真是无意中到这里来的，帮了我们一个忙之后，就不声不响地走了，非但不要我们道谢，连我们的酒都不肯喝一杯。"

他摇着头，冷笑道："你以为天下真有这么样的好人好事？"

郭大路道："你的意思，是不是说他一定还另有目的？"

燕七道："是。"

郭大路道："他的目的是什么呢？"

燕七道："不知道。"

郭大路道："就因为你不知道，所以才认为他一定会为我们带来很多麻烦的，是不是？"

燕七道："是。"

郭大路道："你想这麻烦什么时候会来呢？"

燕七目光凝视着远方，缓缓道："就因为你不知道那是什么样的麻烦，也不知道它什么时候会来，所以那才是真正的麻烦，否则就也用不着担心了。"

第三十六章

神秘的南宫丑

01

世上并没有真正“绝对”的事。

同样的一件事，你若由不同的角度去看，就往往会有不同的结论。

若有个迷路在荒山中的旅人，夜半来敲门求宿，你只要还有点同情心，就“绝对”应该收容他的。

来的若是个蒙面的黑衣人，你是不是收容他，就不一定了。

就算收容他，也“绝对”应该有戒心的，多多少少总会提防着些。

但来的这黑衣人，若是昨天晚上刚为你出过力，帮过你忙的，那情况是不是又完全不同了呢?

情况不同，做法当然也就会改变。

只有原则才是不变的。

有些人无论做什么事，无论怎么去做，都有一定的原则。

郭大路他们的原则是什么呢?

他们很容易就会忘记别人的仇恨，却很难忘记别人的恩情。

你只要对他们有过好处，无论在什么情况下，他们都一定会想法子报答你。

只要是他们答应过的话，无论在什么情况下，都一定会想法子做到的。

就算打破头也要去做到。

他们绝不会找借口来推诿自己的责任，更不会厚着脸皮赖账。

无论遇到什么样的事，他们都绝不会逃避。

02

夜半，又有人来敲门。

敲门声很急。

第一个听到敲门声的，也许是燕七，也许是王动，但第一个抢着去应门的，却一定是郭大路。

来的还是昨夜的那神秘的黑衣人。

他还是幽灵般站在那里，缓缓道："荒山迷路，错过了宿头，不知是否能在这里借宿一宵？"

郭大路笑了，道："能，当然能，莫说只借宿一宵，就算在这里住一年，也没问题。"

黑衣人道："真的没问题？"

郭大路道："一点问题也没有，不管你是不是错过了宿头，你随时来，我们随时欢迎。"

黑衣人道："阁下虽如此，只怕别人……"

郭大路抢着道："别人也一样，你既然来了，就是我们的客人。"

黑衣人道："哪种客人？"

郭大路道："我们的客人只有一种。"

黑衣人道："主人却有很多种。"

郭大路道："哦？"

黑衣人道："有种主人随时都会逐客的。"

郭大路笑道："那种主人这地方绝没有，你只要进了这道门，除非你自己愿意出去，否则就绝不会有任何人要你走的。"

黑衣人忽然长长叹息一声，道："看来我果然没有敲错门。"

他这才慢慢地走了进来，穿过院子，走上长廊。

他走路的姿势还是没有变，样子也没有变，但却至少有一样事变了——变得话多了起来。

在这片刻之间，他说的话比昨天一晚上加起来都多了两三倍。

夜虽已很深，但还有两三间屋子灯光是亮着的。

林太平好像还在看书。

燕七呢？

他在屋里做什么，从来都没有别人知道，因为他总是喜欢将门窗都关得很紧。

黑衣人看着窗上的灯光，忽然道："你的朋友都住在前面？"

郭大路点点头，笑道："我住的是最后一间，离吃饭的地方最近。"

最后一间房，不但灯还没有熄，门也是开着的。

黑衣人走过去，站在门口，过了很久，才缓缓道："有件事阁下虽然未说，想必也早就知道。"

郭大路道："哪件事？"

黑衣人道："没有人真能站着睡觉的。"

郭大路笑了，道："连坐着睡都很难。"

从开着的门里望进去，可以看到屋里的一张大床。

黑衣人看着这张床，忽又长长叹息一声，道："但还有些事阁下却想必不会知道。"

郭大路道："哦？"

黑衣人缓缓道："阁下绝不会知道，我已有多久未曾在这么大的一张床上，安安稳稳睡过一宵了。"

郭大路笑了笑，道："这件事我的确不知道，但却知道另外一件事。"

黑衣人道："哦？"

郭大路道："我知道你今天晚上，一定可以在这张床上，安安稳稳地睡一宵。"

黑衣人霍然回头，道："真的？"

郭大路道："当然是真的。"

黑衣人道："阁下能让我一直睡到天亮？"

郭大路微笑道："就算睡到中午也无妨，我保证绝没有人会来打扰。"

黑衣人看着他，眼睛里发着光，忽然长长一揖，再也不说别的，就大步走了进去，而且关起了门。

然后，屋里的灯也熄灭了。

灯已灭了很久，郭大路才慢慢地转过身，坐在门外廊前的石阶上。

富贵山庄里并不是没有别的空房、别的空床。

但他却偏偏要坐在这里，好像已准备要替这黑衣人守夜一样。

第三十七章

紫衣女

夜很凉，石阶更凉，但他不在乎，因为他的心是热的。

长廊上响起了一阵很轻的脚步声，一个人轻轻地走了过来。

他没有回头，因为他知道来的是谁。

来的当然是燕七。

他披着件很长的袍子，袍子拖在地上，他也在石阶上坐了下来。

繁星满天，银河就像是条发光的丝带，牵牛和织女星，就仿佛这丝带上的两粒明珠。

天上有比他们更亮的星，但却没有比他们更美的。

因为他们不像别的星那么无情。

因为他们不是神，他们也有和人类同样的爱情和苦难。

他们的苦难虽多，距离虽远，但他们的爱情却永远存在。

燕七忽然轻轻叹了口气，道："现在你总该已知道了吧？"

郭大路道："知道什么？"

燕七道："麻烦——你昨天晚上还想不通的，现在却已经来了。"

郭大路笑了笑，道："把自己的床让给客人睡一夜，并不能算麻烦。"

燕七道："这能不能算是麻烦，还得看客人是个什么样的人。"

郭大路道："他是个什么样的人？"

燕七道："是个有麻烦的人，而且麻烦还不小。"

郭大路道："哦？"

燕七道："就因为他知道自己有麻烦，所以才躲到这里来。"

郭大路道："哦？"

燕七道："就因为他今天晚上要躲到这里来，所以昨天晚上才先来替我们做那些事，就好像要租房子的人，先来付订金一样。”

郭大路道：“哦？”

燕七道：“你用不着装傻，其实这道理你早也就知道了。”

郭大路道：“我知道什么？”

燕七道：“你知道今天晚上一定会有人来找他，所以才会守在这里，准备替他挡住。”

郭大路沉默了半晌，缓缓道：“昨天晚上有人来找我们麻烦的时候，是谁替我们挡住的？”

燕七道：“是他。”

郭大路道：“那么，今天晚上就算真有人要来找他麻烦，我们为什么不能替他挡一挡？”

燕七道：“那也得看是什么样的麻烦。”

郭大路道：“不管什么样的麻烦都一样，我们既已收下了他的订金，就得把房子租给他。”

燕七也沉默了半晌，才缓缓道：“你看他武功比你怎么样？”

郭大路道：“好像比我高明些。”

燕七道：“现在我们这里，能出手的只有两个人，他挡不住的麻烦，我们能挡得住？”

郭大路道：“我们总得试一试。”

他说“试一试”的意思，就是说已准备拼命了。

燕七道：“他若是个强盗，是个杀人的凶手呢？你也替他挡住？”

郭大路道：“那完全是两回事。”

燕七道：“什么两回事？”

郭大路道：“别人为什么找他，是一回事；我为什么要替他挡住，又是另外一回事。”

燕七道：“你为的是什么？”

郭大路道：“因为他今天晚上是我的客人，因为我已答应过他，让他安安稳稳地睡一夜。”

燕七道：“别的你都不管？”

郭大路道：“反正今天晚上我管的就只这一样。”

燕七瞪着他，咬着嘴唇：“你……你究竟是个什么样的人？”

郭大路道：“我就是个这样子的人，你早就应该知道的。”

燕七瞪着他，突然跺了跺脚，站起来，扭头就走。

走了两步，又停下，将身上披着的袍子一拉，甩在他身上。

郭大路笑了，道：“你若怕我冷，就最好替我找瓶酒来。”

燕七咬着嘴唇，恨恨道：“我怕你冷？我只怕冻不死你。”

袍子又宽又大，也不知是谁的。

燕七的屋子里面，好像总是会出现些奇奇怪怪的东西。

以前他每隔一阵子，总要失踪几天，近来这毛病似已渐渐改了，但郭大路总觉得他还是有点神秘，跟每个人都有点距离。

像他们这么好的朋友，这种距离本来应该早已不再存在。

袍子很旧了，也很脏，而且到处都是补丁，但却一点也不臭。

这也是郭大路一直都很奇怪的事。

燕七好像从来都没有洗过澡，但一点也不臭。

而且他身上虽然脏，但屋子里却总是收拾得干干净净。

郭大路下定决心，明天一定要问他一句：“你究竟是个什么样的人呢？”

现在燕七屋子里的灯也熄了，但郭大路知道他绝不会真睡着的。

郭大路将袍子披在身上，心里立刻充满了温暖之意，因为他也知道燕七嘴里无论说得多么硬，但只要是他的事，燕七就一定比谁都关心，比谁都着急。

夜很静，风吹着墙角的夹竹桃，花影婆娑。

郭大路真想找点酒来喝喝，但就在这时，他忽然听到一阵奇异的乐声。

乐声轻妙飘忽，开始的时候在东边，忽然又到了西边。

接着，四面八方好像都响起了这么奇异的乐声。

“来了，找麻烦的人毕竟来了。”

郭大路只觉得全身发热，连心跳都变得比平常快了两三倍。

来的究竟是个怎么样的人？他当然猜不出。

但他却知道那一定是个很厉害的角色，否则黑衣人又怎会怕得躲起来？

来的人愈厉害，这件事就愈刺激。

郭大路眼睛瞪得大大的，身上披着的袍子也掉了下来。

突然“砰”的一声，大门被撞开。

两个卷发虬髯、钩鼻碧眼、精赤着上身的昆仑奴，突然在门口出现，身上只穿着条绣着金花的撒脚裤，左耳上挂着个很大的金环。

他们手里捧着卷红毡，从门口一直铺到院子里，然后就凌空一个翻身，同时退了出去，连眼角都没有瞟郭大路一眼，就好像院子里根本没有人似的。

郭大路虽已兴奋得连汗都冒了出来，却还是沉住了气。

因为他知道好戏一定还在后头。

这两个昆仑奴来得虽奇突诡秘，但也只不过是跑龙套的，主角一定还没有登场。

门外果然立刻又有两个人走了进来。

两个打扮得奇形怪状的蛮女，满头黑发梳成了七八十根辫子，东一根，西一根，随着乐声摇来摇去。

两人手上都提着个很大的花篮，正用嫩藕般的粉臂，将一朵朵五颜六色的鲜花，撒在红毡上。

两个人都长得很美，短裙下露出一截雪白晶莹的小腿。

腿上戴着一串金铃，随着舞姿“叮叮当当”地响。

郭大路眼睛张得更大了。

只可惜她们却连眼角都没有往这边瞟一眼，撒完了鲜花，也凌空一个翻身，退了出去。

“看来这件事不但愈来愈刺激，而且也愈来愈有趣了。”

无论什么事，其中若有美女参加，总是特别刺激有趣的。

何况美女好像也愈来愈多了。

四个长裙曳地、高髻堆云的宫装少女，手提着四盏宫灯，袅袅而来。

四个人都是风姿绰约，美如天仙，刚停下脚步，那两个身高腿长的昆仑奴，就抬着架胡床，自门外大步而入。

胡床上斜倚着一个紫衣贵妇，手里托着个亮银水烟袋，悠悠闲闲地吸着，轻烟云雾般四散缥缈，她的面目如在云雾里。

她手里架着根很长的龙头拐杖，床边还有侏儒少女，正在轻轻地替她捶腿。

郭大路暗中叹了口气。

他虽然看不到这紫衣贵妇的面目，但看到这龙头拐杖，看到这捶腿的少女，无论谁都已能猜得出，她年纪一定已不小。

这真是唯一美中不足的事。

事情发展到这里，一直都很有趣，主角若也是个花容月貌的美人，岂非就更十全十美了？

幸好郭大路一向很会安慰自己："无论如何，这老太婆一定是个很了不起的角色，只看到她这种气派，江湖中只怕已很少有人能比得上。"

所以这件事毕竟还是很有趣的。

至于这老太婆是什么人？怎么会和那黑衣人结下了仇？

仇恨究竟有多深？郭大路是不是能挡得住？

这几点他好像连想都没有想。

事情既然已包揽在自己身上，反正挡不住也要挡的，想又有什么用？

所以他索性沉住了气，等着，别人不开口，他也不开口。

别的人也没有开口。

过了很久，那紫衣妇人嘴里突然喷出了口浓烟，箭一般向郭大路喷了过来。

好浓的烟。

郭大路虽然喝酒，却从不抽烟，被呛得几乎连眼泪都流了出来，几乎忍不住要骂了。

但一个人若能将一口烟喷得这么直、这么远，你对她还是客气点的好。

烟雾还未消散，只听一人道："你是什么人，三更半夜的坐在这里干什么？"

声音又响又亮，听起来倒不像老太婆的声音，但也并不好听，问起话来更是又凶又横，就好像公差在问小偷似的。

郭大路叹了口气，苦笑道："这里好像是我的家，不是你的，一个人坐在自己的家里，总不犯法吧。”

他话未说完，又是一口烟迎面喷了过来。

这口烟更浓，郭大路被呛得忍不住咳嗽起来，而且脸上好像被针在刺着。

只听这人道：“我问你一句，你就答一句，最好少玩花腔，明白了吗？”

郭大路摸着脸，苦笑道：“看样子我想不明白也不行。”

紫衣贵妇道：“南宫丑在哪里，你快点去叫他滚出来。”

那黑衣人果然是南宫丑。

郭大路又叹了口气，道：“抱歉得很，我不能叫他滚出来。”

紫衣贵妇道：“为什么？”

郭大路道：“第一，因为他不是球，不会滚；第二，因为他已睡着了，无论谁要去叫醒他，都得先做一件事。”

紫衣贵妇道：“什么事？”

郭大路道：“先让我倒下去。”

紫衣贵妇冷笑道：“那容易。”

这三个字还未说完，烟雾中突然飞来一条人影，寒光一闪，直取郭大路咽喉。

这人来得真快，幸好郭大路的反应也不慢。

可是他刚躲开这一剑，第二剑又跟着来了，一剑接着一剑，又狠又快。

郭大路避开第四剑时，才看出这人原来竟是那捶腿的侏儒少女。

她身高不满三尺，用的剑也最多只有一尺六七，但剑法却辛辣诡秘，已可算是江湖中的一流身手。

只可惜她的人实在太小，剑实在太短。

郭大路忽然抄住了那件长袍，随手撒了出去。

袍子又长又大，就像是一大片乌云一样，那么小的一个人，要想不被它包住，实在很难。

这少女“嘤咛”一声，娇喘道：“以大欺小，不要脸，不要脸。”

话才说完，人已退了回去。

郭大路苦笑道：“不要脸至少也总比不要命好。”

紫衣贵妇冷笑道："你敢来管我的闲事，还想要命么？"

冷笑声中，那两个卷发虬髯的昆仑奴，已出现在他面前，看来就像是两座铁塔似的。

郭大路又叹了口气，喃喃道："小的实在太小，大的又实在太大，这怎么办？"

他不等这两人出手，身子突然往前一冲，已自他们的肋下游鱼般钻了出去，一步就蹿到胡床前，笑道：

"还是你不大不小，你若不是太老了些，刚刚好跟我能配得上。"

紫衣贵妇冷笑道："你说我太老了吗？"

这时她面前的烟雾已渐渐消散，郭大路终于看到了她的脸。

他居然忍不住惊呼了一声，就像是看到了鬼似的，一步步往后退。

他从未想到看见的居然是这么样一张脸。

一张又漂亮、又年轻的脸，虽然又涂胭脂又抹粉，尽量打扮成大人的样子，却还是掩不住脸上的稚气，就正如老太婆永远没法子用脂粉掩住脸上的皱纹一样，无论用多厚的脂粉都不行。

这气派奇大，又抽烟，又要人捶腿的"老太婆"，竟是个十六七岁的小姑娘。

郭大路实在大吃了一惊。

紫衣女已慢慢地从胡床上站了起来，一双眼睛铜铃般瞪着他。

他一步步往后退。

紫衣女就一步步逼前来，手里居然还拄着那根龙头拐杖。

这小姑娘明明又年轻、又漂亮，为什么偏偏要做出老太婆的模样？

看她最多也只不过十六七岁，又怎会有那么深厚的功力，就连她手下一个小丫头，都有那么高的剑术，那两个昆仑奴，当然也绝不会是容易对付的角色。

这小姑娘是凭什么能服得住这些人的呢？

她又怎会和成名已在二十年以上的南宫丑，结下了仇恨？

以南宫丑的名声和剑法，为什么对这小姑娘怕得要命？

郭大路实在想不通，现在他根本也没工夫想。

紫衣女的眼睛虽美，瞪着你的时候，却好像老虎要吃人似的，冷冷道："我老不老？"

郭大路道："不老，一点也不老。"

紫衣女道："你是不是想跟我配一对？"

郭大路道："不……不想。"

他说的倒不是假话，像这样的女孩子，也没有人能受得了的。

紫衣女道："你想不想要命？"

郭大路道："想。"

紫衣女道："想要命就去叫南宫丑滚出来。"

郭大路道："你叫他滚出来干什么？"

紫衣女道："要他的命。"

郭大路道："你一定要在今天晚上杀他？"

紫衣女道："是。"

郭大路道："为什么？"

紫衣女道："因为我说过，天亮前若还杀不了他，就饶他一命。"

郭大路道："你说过的话要算数，别人说的话也一样不能不算数的。"

紫衣女道："你说过什么？"

郭大路道："我说过，今天晚上要让他安心睡一觉，睡到天亮，所以……"

紫衣女道："所以怎么样？"

郭大路道："所以你要杀他，就得先杀了我。"

紫衣女道："你是他的朋友？"

郭大路道："不是。"

紫衣女道："你知不知道他做过多少坏事？"

郭大路道："不知道。"

紫衣女道："但你还是要为他拼命？"

郭大路道："不错。"

紫衣女冷笑道："你以为我不敢杀人？"

郭大路勉强笑了笑，道："你看来的确不像会杀人的样子。"

紫衣女冷冷道："我九岁时已开始杀人，每个月至少杀一个，你算算已有多少个了。"

郭大路倒抽了口凉气，道："好像已有七八十个了吧。"

紫衣女道："所以再多加你一个，也没关系。"

郭大路叹了口气，还未说话，突听一人冷冷道："你若要杀他，就得先杀了我。"

这不是燕七的声音，是林太平。

夜色凄清，林太平不知何时已走了过来，脸色苍白如纸。

紫衣女瞪眼道："你是谁？"

林太平冷冷道："你用不着管我是谁，你既已杀了七八十个人，再多加一个也没关系。"

紫衣女冷笑道："想不到这里不怕死的人还真不少。"

林太平道："的确不少。"

紫衣女道："既然如此，我就成全了你。"

她身子一转，手里的龙头拐杖突然一招"分花拂柳"，向林太平刺了过去。

她用的竟是剑法。

不但是剑法，而且是剑法中最轻盈的一种。

这么长，这么重的一根拐杖，在她一双白生生的小手里，竟变得好像没有四两重。

郭大路大喝道："你的病还没好，让我来。"

但这时他想抢着出手，都已来不及了。

紫衣女已闪电般向林太平攻出了七招，剑走轻灵，变化无方。

林太平的人已被围住。

他体力显然还未恢复，似已无还手之力。

但紫衣女密如抽丝的剑法，却偏偏沾不到他一片衣角。

突听一声清啸，九尺长的拐杖笔直插入地上，紫衣女的人却已在拐杖上风车般向林太平卷了过去。

这一招她竟以拐杖作骨干，以人作武器，招式变化之诡异，更出人想象。

林太平脚步错动，连退了九步。

紫衣女突又一声清啸，冲天而起，拐杖仍插在地上，她手里却多了柄精光四射的短剑。

剑本来藏在拐杖中的，一到了她手里，她的人与剑就似已融合为一，连人带剑向林太平刺了过去。

这一招更是妙绝、险绝。

郭大路的冷汗已被吓了出来，他若遇着这一招，能避开的希望实在不多。

但林太平却似乎对她招式的每种变化都早已熟悉得很。

她的剑如经天长虹，刚飞到林太平面前，林太平身子突然一转，向前冲出，已拔出了地上的拐杖。

紫衣女长啸不绝，凌空翻身，回剑反刺。

林太平头也不回，随手将拐杖一扬。

只听“铮”的一声，火星四溅，短剑竟已没入拐杖里。

紫衣女的身子却已冲天掠起，凌空翻了四个跟斗，才飘飘落下来，落在胡床前，看着林太平发怔。

郭大路也看得怔住了。

刚才林太平挥起的拐杖，若有半分偏差，紫衣女的剑只怕已刺入他的胸膛。

紫衣女出手的方向部位，他竟算得连半分都不差，就好像他跟紫衣女交手过几百次，她一招还未出手，他就已知道了。

只见林太平随手将拐杖往地上一插，掉头就走。

第三十八章

冒名者死

紫衣女忽然大声道："等一等。"

林太平冷冷道："还等什么？"

紫衣女咬着嘴唇，道："你……你难道这么样就想走了？"

她好像突然变得很激动，连手脚都在发抖。

林太平迟疑着，终于慢慢地转过身，道："你想怎么样？"

紫衣女道："我……我……我只想问你一句话。"

林太平道："你问吧。"

紫衣女握紧了双手，道："你是不是……"

林太平忽然打断了她的话，道："是。"

紫衣女跺了跺脚，道："好，那么我问你，你那天为什么要逃走？"

林太平道："我高兴。"

紫衣女的手握得更紧，连嘴唇都发白了，颤声道："我有哪点配不上你，你一定要让我那样子丢人？"

林太平冷冷道："是我配不上你，丢人的也是我，不是你。"

紫衣女道："现在我既然已找到了你，你准备怎么办？"

林太平道："不怎么办。"

紫衣女道："你还是不肯回去？"

林太平道："除非你杀了我，抬着我的尸体回去，否则就休想。"

紫衣女眼睛发红，嘴唇都已咬出血来，恨恨道："好，你放心，我绝不会找人来逼你回去的，但总有一天，我要叫你跪着来求我，总有一天……"

她语声哽咽，已完全忘记来找南宫丑的事了，突又跺了跺脚，凌空一个翻身，掠出墙外。

跟着她来的人，眨眼间也全都不见。

只留下满地香花，一卷红毡。

夜更深，灯光远去，黑暗中已看不出林太平面上的表情。

有些事，既不便问，也不必问。

过了很久，林太平才转过头，勉强向郭大路笑了笑，道："多谢。"

郭大路道："应该是我多谢你才对，你为什么要谢我？"

林太平道："因为你没有问她是谁，也没有问我怎么认得她的。"

郭大路笑了笑，道："你若想说，我不必问；你若不想说，我又何必问。"

林太平叹了口气，道："有些事，不说也罢。"

他慢慢地转过身，走回屋里。

郭大路看着他瘦削的背影，心里实在觉得很惭愧。

因为他不问，只不过因为他已猜出这紫衣女是谁，他知道的事，远比林太平想象中多得多。

有些事，是他在瞒着林太平，不是林太平瞒着他。——那次他和燕七遇见林太平母亲的事，直到现在，林太平还被蒙在鼓里。

虽然他们是好意，但郭大路心里总还是觉得有点不舒服。

他从来没有在朋友面前隐瞒过任何事，无论为了什么原因都没有。

有风吹过，吹起了地上的残花。

然后他就听见了燕七的声音。

燕七轻轻道："现在你想必已知道那位紫衣姑娘是谁了？"

郭大路点点头。

他当然已猜出她就是林太平未过门的妻子，林太平就是为了不愿要这么样一个妻子，才逃出来的。

燕七叹道："直到现在我才完全明白，他为什么要逃出来。"

郭大路苦笑道："像那样的女孩子，连我都受不了，何况小林？"

燕七道："原来你也有受不了的女孩子。"

郭大路道："当然有。"

燕七道："她长得不是很美吗？"

郭大路道："长得美又有什么用？男人看女孩子，并不是只看她一张脸的。”

燕七眨眨眼，道：“男人怎么样看女孩子？”

郭大路道：“要看她是不是温柔贤惠，是不是懂得体贴丈夫，否则她就算长得跟天仙一样，也不见得有人喜欢。”

燕七用眼角瞟着他，道：“你呢？你喜欢什么样的女孩子？”

郭大路笑道：“我喜欢的女孩子，跟别的男人不一样。”

燕七道：“哦？”

郭大路道：“若有一个女孩子真的能了解我，关心我，她就算长得丑一点，凶一点，我还是一样会全心全意地喜欢她。”

燕七嫣然一笑，垂下头，从他身旁走过去，走到墙角的花坛前。

夜色仿佛忽然又变得温柔起来。

墙角的芍药开得正艳，燕七轻抚着花瓣上的露珠，过了很久，才回过头，就发现郭大路好像一直都在凝视着他。

他轻轻皱了皱眉，道：“我又不是女人，有什么好看的？你为什么老是盯着我？”

郭大路道：“我……我觉得你今天走路的样子，好像跟平常有点不同。”

燕七道：“有什么不同？”

郭大路笑道：“你今天走路的样子，好像特别好看，简直比女孩子走路还好看。”

燕七的脸似又有些红了，却故意板起了脸，冷冷道：“我看你近来好像也有点变了。”

郭大路道：“哦？”

燕七道：“你最近好像得了种莫名其妙的毛病，总是会做些莫名其妙的事，说些莫名其妙的话，我真该替你找个大夫来看看才对。”

郭大路怔了半晌，目中竟真的露出了种忧郁恐惧之色，竟真的好像一个人知道自己染上大病的样子。

燕七却又笑了，嫣然道：“但你也用不着太担心，其实每个人多多少少都有点毛病的。”

郭大路道：“哦？”

燕七道：“你知不知道毛病最大的是谁？”

郭大路道："不知道。"

燕七道："就是那位玉姑娘。"

郭大路道："玉姑娘是谁？"

燕七道："玉姑娘就是刚才来的那女孩子，她姓玉，叫玉玲珑。"

郭大路道："玉玲珑？"

燕七道："你以前难道从来没有听说过她？"

郭大路道："没有。"

燕七叹了口气，摇着头道："看来你真是孤陋寡闻，一点学问也没有。"

郭大路道："我也看得出她毛病实在不小，但是我为什么一定要听说过她呢？"

燕七道："因为她九岁的时候，就已经是江湖中的名人了。"

郭大路道："九岁？你是说九岁？"

燕七点点头，道："她家世显赫，而且从小就是个女神童，据说还未满两岁的时候，就已经开始练剑，五岁时就已把招式变化最繁复的一套'七七四十九式回风舞柳剑'学全了。"

郭大路道："她说她九岁的时候已杀过人，听你这么讲，她说的话好像并不假。"

燕七道："一点也不假，她九岁的时候非但真的杀过人，而且被杀的还是江湖中一个很有名气的剑客。"

郭大路问道："从那时以后，她每个月都要杀个把人？"

燕七道："那也不假。"

郭大路忍不住笑道："世上哪有这么多人送给她杀？"

燕七道："不是别人送去，是她自己去找别人。"

郭大路道："到哪里去找？"

燕七道："到各处去找。只要她听说有人做了件该杀的事，就立刻会赶去找那个人算账。"

郭大路道："难道她每次都能得手？"

燕七道："她自己武功高低，你刚才已见过了，再加上那两个昆仑奴和两个蛮女，也都是一等一的高手，甚至连那四个挑灯的婢女，武功都不弱，所以只要她找上门去，就很少有人能逃避得了。"

郭大路道："难道就没有人管管她？"

燕七道："她父亲死得很早，母亲是江湖中最难惹的母老虎，对这宝贝女儿，一向千依百顺，别人就算惹得起她，也惹不起她母亲。"

她叹了口气，接着又道："何况她杀的人本来就该杀，所以江湖中老一辈的人，非但没有责备她，反而只有夸奖她。"

郭大路道："所以她的毛病就愈来愈大了。"

燕七道："所以她十三四岁的时候，就已成为江湖中派头最大，武功也最高的女孩子——杀的人愈多，武功自然也愈高。"

郭大路道："就因为如此，所以连南宫丑这样的人，知道她要来找麻烦的时候都只有躲起来不敢露面？"

燕七道："答对了。"

郭大路道："南宫丑当然已知道她和小林的关系，所以才会躲到我们这里来？"

燕七道："又答对了。"

郭大路道："但南宫丑若不是真的很该死，她也不会来找他的？"

燕七道："不错，她以前从来也没有找错过人。"

郭大路长长叹了口气，苦笑道："所以错的并不是她，是我。"

燕七道："你也没有错。"

他柔声接着道："有恩必报，一诺千金，本来是男子汉大丈夫的本色，你这么样做，绝没有人会怪你。"

郭大路道："只有一个人会。"

燕七道："谁？"

郭大路道："我自己。"

天已快亮了。

郭大路身上还披着那件袍子，一个人坐在那里，看见乳白色的晨雾，慢慢地从院子里升起，听着晓风自远方传来的鸡啼。

然后，他就听到开门的声音。

他没有回头，脸上也没什么表情。

一阵很轻很慢的脚步，走到他身后，停下。

他还是没有回头，只淡淡地问了句："你睡得还好么？"

黑衣人就站在他身后，凝视着他脖子，道："十年来我从未睡得如此安适过。"

郭大路道："为什么？"

黑衣人道："因为从来没有像你这样的人，替我在门外看守过。"

郭大路笑了笑，道："没有人为你看门，你就睡不着？"

黑衣人道："有人替我看门，我也一样睡不着。"

郭大路道："为什么？"

黑衣人道："因为我从不相信任何人。"

郭大路道："但你却好像很信任我。"

黑衣人忽然笑了笑，道："看来，你好像也很信任我。"

郭大路道："怎见得？"

黑衣人缓缓道："因为除了你之外，从没有别的人敢让我站在他背后。"

郭大路道："哦？"

黑衣人道："我并不是个君子，我常常在背后杀人的。"

郭大路慢慢地点了点头，道："背后杀人的确方便得多。"

黑衣人道："尤其是在这人点头的时候。"

郭大路道："为什么是在点头的时候？"

黑衣人道："每个人后颈上，都有一处最好下刀的地方，你只有找到这地方，才能一刀砍下他的脑袋来，这道理有经验的刽子手都明白。"

郭大路又慢慢地点了点头，道："的确有道理，很有道理。"

黑衣人又沉默了很久，才缓缓地道："你一直没有睡？"

郭大路道："我若睡了，你还能睡么？"

黑衣人又笑了。

他的笑声尖锐而短促，就好像刀锋在摩擦。

他忽然走到郭大路前面来了。

郭大路道："你为什么让我站在你背后？"

黑衣人道："因为我不愿被你诱惑。"

郭大路道："诱惑？"

黑衣人道："我若站在你背后，看到你再点头时，手会痒的。"

郭大路道：“你手痒的时候就要杀人？”

黑衣人道：“只有一次是例外。”

郭大路道：“哪一次？”

黑衣人道：“刚才那一次。”

这句话说完，他忽然头也不回地，大步走了出去。

郭大路看着他，直到他走到门口，忽然道：“等一等。”

黑衣人道：“你还有什么话要说？该说的似已全都说完了。”

郭大路道：“我只有一句话要问你。”

黑衣人道：“问。”

郭大路慢慢地站起来，一字字道：“你是不是南宫丑？”

黑衣人没有回答，也没有回头，但郭大路却可以看得出，他肩上的肌肉似已突然僵硬。

风也似乎突然停了，院子里突然变得死寂无声。

过了很久，郭大路才缓缓道：“你若不愿说话，点点头也行，但你可以放心，我从来没有砍人脑袋的经验，也绝不会在背后杀人。”

还是没有风，没有声音。

又过了很久，黑衣人才缓缓道：“十年来，你是第七个问我这句话的人。”

郭大路道：“前面那六个人，是不是全都死了？”

黑衣人道：“不错。”

郭大路道：“他们就是因为问了这句话才死的？”

黑衣人道：“无论谁要问这句话，都得付出代价，所以你最好还是先考虑考虑再问。”

郭大路叹了口气，道：“我也很想考虑考虑，只可惜现在我已经问过了。”

黑衣人猝然回身，目光刀一般瞪着他，厉声道：“我若是南宫丑又如何？”

郭大路淡淡地道：“昨天晚上我已答应过你，只要你走进这扇门，就是我的客人，绝没有人会伤害你，也没有人会赶你出去。”

黑衣人道：“现在呢？”

郭大路道：“现在这句话还是同样有效，我只不过想留你多住些时候而已。”

黑衣人道：“住到什么时候？”

郭大路又是淡淡道：“住到你想通自己以前所做的事都不对，住到你自己觉得惭愧、忏悔的时候，你就可以走了。”

黑衣人的瞳孔似在收缩，厉声道：“我若不肯又如何？”

郭大路笑了笑，道：“那也很简单。”

他慢慢地走过去，微笑道：“我脖子后面是不是也有处比较容易下刀的地方？”

黑衣人道：“每个人都有。”

郭大路道：“你若能找出来，一刀砍下我的脑袋，也可以走了。”

黑衣人冷笑道：“我已用不着再找。”

郭大路道：“你刚才就已找了出来？”

黑衣人道：“刚才我未曾下手，是为了报答你昨夜之情，但现在……”

他身子突然向后一缩，人已箭一般倒蹿了出去。

郭大路竟也跟着蹿了过去。

黑衣人凌空一翻，剑已出鞘，六尺长剑，如一泓秋水。

突然间，“锵”的一声。

这柄秋水般的长剑上，竟又多了个剑鞘。

剑鞘是从郭大路的长袍下拿出来的。

黑衣人身子往后蹿，他也跟着蹿出，黑衣人的长剑出鞘，他就拿出了袍子下的剑鞘，往前面一套，套住了黑衣人的剑。

剑长六尺，剑鞘却只有三尺七寸。

但黑衣人的剑既已被套住，就再也无法施展。

他身子还是在往后退，因为他已没法子不退——郭大路双手握住剑鞘，用力往前送，他长剑若不撒手，就只有被一直推得住后退。

他长剑若是撒手，那么就势必要被自己的剑柄打在胸膛上。

他身子本就是往后退的，现在想改变用力的方向，再往前推，已不可能，所以现在根本已身不由主。

郭大路往前推一尺，他就得往后退一尺。

只听“砰”的一声，他身子已被推得撞在墙上。

这时他退无可退，长剑更不能撒手——只要一撒手，剑柄就会重重地打上他胸膛。

这情况之妙，若非亲眼看到的人，只怕谁也想象不出。

郭大路笑道："这一招你大概没有想到过吧。"

黑衣人咬着牙，道："这算是什么功夫？"

郭大路笑道："这根本就不能够算是什么功夫，因为这种功夫，除了对付你之外，对付别的人根本就没有用。"

他好像还生怕这黑衣人不懂，所以又解释道："因为世上除了你之外，绝没有别的人会用这种法子拔剑的。"

黑衣人冷冷道："你特地想出了这么一招来对付我的？"

郭大路道："答对了。"

黑衣人又道："你其实早已存心要将我留在这里的了？"

郭大路笑道："其实留在这里也没什么不好，至少每天都可以安心睡觉。"

黑衣人道："哼！"

郭大路道："只要你肯答应我留下来，我立刻就放手。"

黑衣人道："哼！"

郭大路道："'哼'是什么意思？"

黑衣人冷笑道："现在我虽然无法杀你，但你也拿我无可奈何，只要你一松手，我还是可以立刻置你于死地。"

郭大路道："那倒也并非完全不可能。"

黑衣人道："所以你休想以此要挟我，我就算肯答应，也得等你先放开手再说。"

郭大路看了他半晌，忽又笑了笑，道："好，我不妨再信任你一次，只要你……"

他的话还没有说完，还没有放手，竟然看到一样东西从黑衣人的胸膛钻了出来。

一段剑尖！

剑尖上还在滴着血。

黑衣人看着这段剑尖，目中的表情就和鬼公子临死前完全一样。

郭大路也看得怔住了。

只听黑衣人咽喉里咯咯作响，仿佛想说什么，却又说不出。

郭大路突然大喝一声，凌空掠起，掠出墙外。

这柄剑果然是从墙外刺进来的，穿过了黑衣人的胸膛，剑柄还留在墙外。

但只有剑柄，没有人。

风又吹起，山坡上野草如波浪般起伏，但却看不见半条人影。

剑柄上系着块白绸子，也在随风卷舞。

郭大路想去拔剑，却又发现白绸上还写着七个墨渍淋漓的字：

“冒名者死！南宫丑。”

剑尖上血渍已干，黑衣人却仿佛还在垂首凝视着这段剑尖，又仿佛还在沉思。

那神情也正和鬼公子死时完全一样。

燕七、王动、林太平都远远地站在走廊上，看着他的尸体。

他来得奇突，死得更奇突。

但最奇突的还是，原来连他也不是南宫丑。

郭大路站在他身旁，看着他胸上的剑尖，似乎也在沉思。

燕七悄悄走过去，道：“你在想什么？”

郭大路叹了口气，道：“我在想，他既不是南宫丑，为什么要替南宫丑背这口黑锅？”

燕七道：“什么黑锅？”

郭大路道：“他若不是南宫丑，玉玲珑就不会杀他，他根本就不必躲到这里来，现在当然也就不会死在这里。”

燕七道：“你是不是在为他难受？”

郭大路道：“有一点。”

燕七道：“但我却只替南宫丑难受。”

郭大路道：“为什么？”

燕七道：“他冒了南宫丑的名，在外面也不知杀了多少人，做了多少坏事，南宫丑也许连影子都不知道，所以你本该说，是南宫丑替他在背黑锅，不是他替南宫丑背黑锅。”

郭大路想了想，终于点了点头，却还是叹息着道："但无论如何，他总是我的客人，总是死在我们院子里的。"

燕七道："所以你还是在为他难受？"

郭大路道："还是有一点。"

燕七道："你刚才若真的松了手，不知道他现在会不会替你难受？"

郭大路道："我若松开了手，他难道就会乘机杀我？"

燕七道："你以为他不会？"

郭大路叹道："无论你怎么说，我还是觉得，人总是人，总有些人性的，你虽然看不见，摸不着，但却也绝不能够不相信它的存在，否则，你做人还有什么意思？"

燕七凝视着他，忽也叹息了一声，柔声道："其实我又何尝不希望你的看法比我正确？……"

郭大路抬起头，遥视着云天深处，沉默了很久，忽又道："现在我也在希望一件事。"

燕七道："你希望什么？"

郭大路道："我只希望，有一天我能看到真的南宫丑，看看他究竟是个怎么样的人……"

他眼睛里发着光，缓缓接着道："我想，他一定比我以前看到的任何人都神秘得多，可怕得多。"

但世上是不是真的有南宫丑这么样一个人存在呢？

谁也不知道，谁也没有见过。

第三十九章

春去何处?

01

没有人知道南宫丑的下落，正如没有人能知道春的去处。

但春去还会再来，南宫丑却一去无消息。

现在，春已将去。

院子里的花虽开得更艳，只可惜无论多美的花，也不能将春留住。

天气已渐渐热了起来。

王动的伤势虽已好了，但人却变得更懒，整天躺在竹椅上，几乎连动都不动。

除了他们为那黑衣人下葬的那一天……

那一天虽近清明，却没有令人断魂的雨。

天气好得很，他们从墓地上回来，王动又像往常一样，走在最后。

红娘子没有来。

她的伤虽也已快好了，却还是整天把自己关在房子里——现在不是王动在躲着她，她反而好像总是在躲着王动。

女人的心，总是令人捉摸不透的。

这并不奇怪。

奇怪的是，郭大路最近好像也总是在躲着燕七。

燕七和林太平在前面走，他就懒洋洋地在后面跟着王动。

半路上，王动找了个有树荫的地方坐下来，伸了个懒腰，打了个呵欠。

他也跟着坐下来，伸了个懒腰，打了两个呵欠。

王动笑了，看着他微笑道："最近你好像变得比我还懒。"

郭大路道："谁规定只有你才能最懒的？我能不能比你懒一点？"

王动道："不能。"

郭大路道："为什么不能？"

王动道："因为你最近本该比谁都有劲。"

郭大路道："为什么？"

王动道："你还记不记得那天燕七说你的话？"

郭大路道："不记得。他说的话我为什么一定要记得？"

这人就好像刚吞下三斤火药，一肚子都装满了火药气。

王动却并不在意，还是微笑着道："他说，我们这四个人之中，本来以你的武功最差的。"

郭大路道："你们都有好师父，我没有。"

王动道："可是自从那天你跟那黑衣人交过手之后，他才发现，我们的武功虽然比你高，但若真和你打起来，也许全都不是你的对手。"

郭大路冷冷道："他说的话，也许连他自己都不相信。"

王动道："但我却相信，因为我的看法也跟他的一样。"

郭大路道："哦？"

王动道："你武功虽然不如我们，但是和人交手时，却能随机应变，制敌机先，若套句老话来说，你正是个天赋异禀、百年难遇的练武好材料，所以……"

郭大路道："所以我们应该打一架来试试看，对不对？"

他的火药味还是很重，王动还是不理他，微笑着道："所以你应该振作起精神来，再好好地练练功夫，若能够找个好师父，以后说不定就是天下武林的第一高手。"

郭大路忽然长长叹了口气，道："现在我倒并不想找个好师父，只想找个好大夫。"

王动道："为什么？"

郭大路咬着自己的手指道："因为……因为我有病。"

王动动容道："你有病？什么病？"

郭大路道："一种很奇怪的病。"

王动道："你以前为什么没有说起过？"

郭大路道："因为我……我不能说。"

他的确满脸都是痛苦之色，并不像是在开玩笑的样子。

王动居然也没有再问。

因为他知道问得愈急，郭大路愈不会说的。

他既然不问，郭大路反而憋不住了，反而问他："你难道没有发现最近我有点变了？"

王动皱着眉，沉吟着说道："嗯，好像有那么一点点。"

郭大路叹道："那就因为我有病。"

王动试探着道："你知不知道你的毛病在哪里？"

郭大路指着自己的心口，道："就在这里。"

王动皱眉道："你得的是心病？"

郭大路的脸色更痛苦。

王动道："心病也有很多种，据我所知，最厉害的一种就是相思病——你难道得了相思病？"

郭大路不停地叹气。

王动却笑了，道："相思病并不丢人的，你为什么不肯说出来？说不定我还可以替你去做媒呢。"

郭大路用力咬着牙，又过了很久，忽然一把抓住王动的肩，道："你是不是我的好朋友？"

王动道："当然是。"

郭大路道："好朋友是不是应该互相保守秘密？"

王动道："当然应该。"

郭大路道："我有个秘密，已憋了很久，再不说出来，只怕就要发疯了，可是……可是我想说出来，又怕你笑我。"

王动道："你……你得的难道是……是花柳病？"

郭大路道："不是。"

王动松了口气，道："那就没关系了，你尽管说出来，我绝不笑你。"

郭大路又犹豫半天，才苦着脸道："相思病也不止一种，我得的却是最见不得人的那一种。"

王动道："为什么见不得人？窈窕淑女，君子好逑，求之不得，辗转反侧，那本是天经地义的事，有什么丢人？”

郭大路道：“可是……可是……我这相思病，并不是为女人得的。”

王动也怔住了，怔了半天，才试探着问道：“你相思病的对象难道是个男人？”

郭大路点点头，简直好像要哭出来的样子。

王动好像很害怕的样子，故意压低了声音，悄悄道：“不会是我吧？”

郭大路看着他，也不知是想哭，还是想笑，只有板着脸道：“我的病倒还没有这么重。”

王动却似又松了口气，笑道：“只要不是我，就没有关系了。”

他忽又压低声音，道：“是不是小林？”

郭大路道：“你见了活鬼。”

王动又皱着眉想了半天，才展颜笑道：“我明白了，你喜欢的是燕七。”

郭大路不说话了。

王动悠然道：“其实我早就已看了出来，你老是喜欢跟他在一起。”

郭大路苦着脸，道：“以前我还没有觉得有什么不对，还以为那只不过因为我们是好朋友，但后来……后来……”

王动眨了眨眼，道：“后来怎么样？”

郭大路道：“后来……后来就不对了。”

王动道：“什么地方不对？”

郭大路道：“我也说不出来究竟什么地方不对，反正只要我跟他在一起的时候，心情就特别不一样。”

王动道：“有什么不一样？”

他倒真是打破砂锅问到底，连一点都不肯放松。

郭大路道：“不一样就是不一样，反正……反正就是不一样。”

他说了也等于没说。

王动好像已忍不住要笑出来了，但总算还是忍住，正色道：“其实这也不能算丢人的事。”

郭大路道："还不丢人？像我这样一个男子汉，居然……"

王动道："有这种毛病的人，你也不是第一个。断袖分桃，连皇帝老子都有这种嗜好，而且千古传为佳话，我看你倒不如索性跟他……"

郭大路跳了起来，瞪着他，怒道："原来你不是我的朋友，我看错了你。"

他扭头就想走了。

王动却拉住了他，道："别生气，别生气，我这只不过是在试试你的，其实我也早已看出来，燕七这个人有点不对了。"

郭大路怔了怔，道："他有什么不对？"

王动好容易才总算没有笑出来，板着脸道："你难道没有看出他这人有点邪气？"

郭大路道："邪气？什么邪气？"

王动道："我们虽然是这么好的朋友，但他却还是像防小偷似的防着我们，睡觉的时候，一定先把门窗都闩上，对不对？"

郭大路道："对。"

王动道："他每次出去的时候，总是偷偷地溜走，好像生怕我们会跟着他似的，对不对？"

郭大路道："对。"

王动道："他好像从来没洗过澡，但身上却并不太臭；穿的衣服虽然又脏又破，但屋子里却比谁都干净……你说这些地方是不是都有点邪气？"

郭大路脸色似乎有些发白，迟疑着道："你的意思，难道是说他……"

王动道："我什么都没有说，也没有说他是魔教的人。"

他忽然大声咳嗽，因为若再不咳嗽，只怕就要笑出来了。

郭大路的脸色却更发白，嘴里翻来覆去地念着两个字："魔教……魔教……"

王动咳嗽了半天，才总算忍住了笑声，又道："我只不过听说魔教中有几对夫妻很奇怪。"

郭大路道："什么地方奇怪？"

王动道："这几对夫妻，丈夫是男人，太太也是男人。"

郭大路就像是忽然中了一根冷箭似的，整个人都跳了起来，一把抓住了王动，嗄声道：“你……你一定要帮我个忙。”

王动道：“怎么帮法？”

郭大路道：“想法子跟我大吵一架。”

王动道：“大吵一架？怎么吵法？”

郭大路道：“随便怎么吵都没关系，吵得愈厉害愈好。”

王动道：“为什么要吵？”

郭大路道：“因为吵过之后我就可以一走了之。”

王动脸色也变了变，似乎觉得自己这玩笑开得太大了，过了半晌，才勉强笑道：“其实你也不必要走，其实他……”

他好像要说出什么秘密，但郭大路却打断了他的话，抢着道：“其实我也不是真的要走，只不过暂时离开这里一阵子。”

王动道：“然后呢？”

郭大路道：“然后我就在山下等着他，只要他出去，我就可以在暗中跟踪，看看他究竟到些什么地方去，跟些什么人见面。”

他长长叹了口气，接着道：“无论如何，我也要查出他究竟有什么秘密。”

王动沉吟着，道：“你为什么不在家里等？”

郭大路道：“因为我若就这样跟踪他，一定会被他发觉的。”

王动道：“难道你想到山下去易容改扮？”

郭大路道：“嗯。”

王动道：“你懂得易容术？”

郭大路道：“不懂，但我却有我的法子。”

王动歪着头，考虑了半天，缓缓道：“你既然已决心要这么做，也未尝不可，只不过……”

郭大路道：“只不过怎么样？”

王动道：“我们要吵，就得吵得像个样子，否则他绝不会相信的。”

郭大路道：“不错。”

王动道：“所以我们就要等机会，绝不能就这样无缘无故地吵起来。”

郭大路道："要等什么样的机会呢？"

王动笑了笑，道："我虽然不太喜欢跟别人吵架，但要找个吵架的机会，倒并不太困难。"

郭大路道："为什么？"

王动道："因为你本来就常常不说人话的。"

郭大路也笑了，道："若是燕七在这里，我现在就可以跟你吵起来。"

王动道："现在我只担心一件事。"

郭大路道："担心什么？"

王动道："我只怕他帮着你跟我吵，吵完了跟着你一起走。"

郭大路眨了眨眼，道："这点你倒用不着担心。"

王动道："哦？"

郭大路道："我既然能跟你吵，难道就不能跟他吵么？"

王动又笑了，道："当然能。有时你说的话，足足可以气死一城的人，无论谁跟你吵起来，我都不会觉得很奇怪的。"

郭大路还没有开口，突然听到一声惊呼，从那边的树林中传了出来。

一个少女的声音在放声大叫："救命呀……救命！"

男人听到女孩子叫"救命"，大多数都会立刻赶过去。

就算他并没有真的准备去救她，至少也会赶过去看看。

每个男人一生中，多多少少总会幻想过一两次"英雄救美人"这种事的，只可惜事实上这种机会并不太多而已。

现在机会来了，郭大路怎么肯错过。

郭大路不等王动有所行动，就已经跳了起来，直冲过去。

只可惜他好像还是迟了一步。

他身子刚跳起来，就看到一个人箭也似的冲入了树林。

叫"救命"的女孩子，大多数都不会长得太丑，但像现在叫救命的这个女孩子这么样漂亮的，倒也并不太多。

这女孩子年纪不大，最多也只不过十七八岁，梳着两根油光水滑的大辫子，更显得俏皮伶俐。

她手里提着个花篮，一张白生生的瓜子脸已吓得面无人色，正围着一棵树在打转。

一个满脸胡子的彪形大汉，脸上带着狞笑，围着树追。

他追得并不急，因为他知道这女孩子已经是他口中的食物，已经休想逃出他的手掌心。

他再也想不到半路上竟会杀出个程咬金来。

幸好来的这程咬金，只不过是个年轻小伙子，长得也跟大姑娘差不多。

所以，不等林太平开口，他反而先吼了起来，大声道："你这兔崽子，谁叫你来的？若是撞走了老子的好事，小心老子把你的脑袋拧下来。"

林太平沉着脸，道："什么好事？"

大汉狞笑道："老子在干的什么事，你小子难道看不出？"

那小姑娘已躲到林太平背后，喘着气，颤声道："他不是好人，他……他要欺负我。"

林太平淡淡道："你放心，现在已经没有人能欺负你了。"

大汉怒吼道："难道你这个兔崽子还想多管闲事不成？"

林太平道："好像是的。"

大汉狂吼一声，饿虎扑羊般，向林太平狠狠扑了过来。

看来他也是练过几天功夫的，不但下盘很稳，而且出手也很快。

只可惜他遇着的是林太平。

林太平一挥手，他就已像野狗被踢了一腿，"骨碌碌"滚了出去。

他又惊又怒，嘴里大骂着，看样子还想爬起来，再拼一拼。

谁知后面已有个人一把揪住了他的衣领，把他整个人拎了起来。

这人不但力气大，身材也不比他矮，只用一只手拎住他，他居然连一点反抗的法子都没有。

郭大路总算赶来了，拎着他走到林太平面前，微笑道："你说应该怎么打发这小子？"

林太平道："那就得看这位姑娘的意思了。"

那小姑娘惊魂未定，身子还在发抖。

郭大路冲着她挤了挤眼，笑道："这人欺负了你，我们把他宰了喂狗，你说好不好？”

小姑娘惊呼一声，吓得人都要晕了过去，一下子倒在林太平身上。

郭大路大笑，道：“我只不过是说着玩的，像这种臭小子，连野狗都不肯嗅一嗅的。”

他一挥手，喝道：“滚吧，滚得愈快愈好，愈远愈好。”

用不着他说，这大汉早已连滚带爬地跑了。

小姑娘这时才松了口大气，红着脸站了起来，盈盈拜倒，道：“多谢这位公子相救，否则……否则……”

她眼圈又开始发红，连话都说不出了，像是恨不得抱住林太平的脚，来表示自己心里有多么感激。

林太平的脸也红了。

郭大路笑道：“救你的又不是这位公子一个人，我也有份，你为什么不来谢谢我？”

小姑娘的脸更红，更不知道应该怎么办才好。

幸好这时燕七已赶来，瞪着郭大路，道：“人家已经受了罪，你还要欺负她？”

他将这小姑娘从地上拉起来，又道：“他这人也有点毛病，你用不着理他。”

小姑娘垂着头，道：“多……多谢。”

燕七道：“你一个小姑娘家，怎么会跟那种人到这种地方来呢？”

小姑娘头垂得更低，嗫嚅着道：“我是个卖花的，他说这地方有人要把我这一篮子花都买下来，所以……所以我就跟着他来了。”

燕七叹了口气，道：“这世上男人坏的比好的多，下次你千万要小心。”

林太平忽然开口问道：“你这一篮子花，共值多少钱？”

卖花姑娘道：“三……三……”

林太平道：“好，我就给你三两银子，这一篮花我全买下来。”

卖花女抬起头，看着他，温柔的目光中，充满了感激。

林太平却又红着脸，扭过头去，反而好像不敢面对着她。

郭大路看看林太平，又看看这卖花女，忽然问道：“小姑娘，你贵姓？”

卖花姑娘却好像很怕他的样子，他一开口，这小姑娘就吓得退了两步。

郭大路道："你是不是住在山下？是不是最近才搬来的？我以前怎么没见过你？"

卖花姑娘红着脸，垂着头，咬着嘴唇，一句话也不说。

郭大路笑了，道："你怎么不说话呀？怎么突然哑巴了？"

卖花姑娘像是想说什么，但还是什么都没说，忽然扭头就跑。

只见她两条大辫子在背后甩来甩去，跑出去很远，忽又回过头来，瞟了林太平一眼，把篮子里的花全都拿出来，放在地上，道："这些花全都送给你。"

话还没有说完，脸更红，跑得更快，好像生怕别人会追过去似的。

郭大路笑道："这小姑娘胆子真小。"

燕七冷冷道："看见你那副穷凶极恶的样子，胆子再大的女人，也一样会被你吓跑。"

郭大路道："我只不过问了她两句话而已，又没有怎么样。"

燕七道："人家姓什么，叫什么，住在什么地方，又关你什么事？你有什么好问的？"

郭大路道："我又不是自己要问。"

燕七道："你替谁问？"

郭大路向林太平努了努嘴，笑道："你难道没看见我们这位多情公子的样子？"

林太平好像根本没听见他在说什么，眼睛还盯在小姑娘身影消失的地方，竟似有些痴了。

02

春天还没有去远，早上的风里，还带着春寒。

郭大路推开门，深深吸了口气，一院子春风就似已全都扑入他怀里。

每天起得最早的人，一定是他，因为他觉得将大好时光消磨在床上，实在是件很浪费的事。

但今天他推开门的时候，却发现林太平已经站在院子里。

站在院子里发怔。

郭大路轻轻咳嗽了几声，他没听见，郭大路又敲了敲栏杆，他也没听见。

他眼睛直勾勾地盯在墙角的一丛芍药上，心里却不知在想什么。

郭大路轻轻走过去，突然大声道："早。"

林太平这回终于听见了，同时也吓了一跳，回头看见郭大路，才勉强笑道："早。"

郭大路盯着他的脸，道："看你眼睛红红的，是不是昨天晚上没睡好？"

林太平支吾着，道："嗯。"

郭大路又道："你看起来好像有点心事，究竟在想什么？"

林太平道："我在想……春天好像已经过去了。"

郭大路点点头，道："不错，春天已经过去了，昨天刚过去的。"

林太平道："昨天过去的？"

郭大路微笑道："你难道不知道么？昨天那位小姑娘跑走的时候，春天岂非也已跟着她一起走了么？"

林太平的脸红了，郭大路故意叹了口气，喃喃道："春天到哪里去了呢？谁知道？——若有人知春去处，又何妨唤取归来同住？"

林太平红着脸道："你能不能少说几句缺德话？"

郭大路笑道："我这话难道说错了么？你难道不想将春天留住？"

林太平道："我……"

他忽然停住了口，因为这时春风忽然传来了一阵悠扬的歌声：

小小姑娘，清早起床，
提着花篮儿，上市场。
穿过大街，走过小巷，
卖花，卖花，声声嚷。
花儿虽美，花儿虽香，
没有人买怎么办？

提着花篮儿，空着钱袋，
怎么回去见爹娘？

歌声又甜又美，又有些酸酸的，不但林太平听得痴了，就连郭大路都已听得出神。

过了很久，他才轻轻叹了口气，喃喃道："看来春天并没有去远，现在又回来了。"

他忽然用力一推林太平，笑道："你还不出去，还怔在这里干什么？"

林太平红着脸道："出去干什么？"

郭大路眨了眨眼，道："人家昨天送了你那么多花，今天你至少也该对人家表示点意思呀。"

林太平还在犹豫着，却终于还是半推半就地，被郭大路推了出去。

雾已散，阳光满地。

一个手提着花篮的小姑娘，正踩着满地阳光，慢慢地走过来。

她抬起头，忽然看见林太平，满地阳光忽然全都到了她脸上。

也许还有一半在林太平脸上。

郭大路看了看他，又看了看那小姑娘，悄悄地退了回去，掩上门，将他们留在门外。

春风温柔得就像是情人的眼波。

郭大路微笑着，心里觉得愉快极了，背负起双手，在院子里慢慢地踱着步。

他本来并不想找燕七去的，但抬起头来时，忽然发觉已到了燕七门外。

如此美的春光，怎能不让朋友来同享？

郭大路终于伸出手，轻轻地敲门。

没有回应。

敲门声更大，还是没有回应。

燕七怎会睡得这么死？

郭大路大声唤道："太阳已经晒在头上了，还不起来？"

门里静悄悄的，一点声音也没有。

背后却有了声音，是王动的声音。

王动道：“他不在后面院子，也不在厨房。”

郭大路的脸色已有些变了，忍不住用力去推门。

门根本是虚掩着的。

郭大路一推开门，一院子春光好像都已被他推了出去。

屋子里没有人。

床上的被褥，还整整齐齐地叠在那里，除此之外，就没有别的。

非但燕七的人不在屋子里，他的一些零星东西也全都不见了。

郭大路站在那里，手脚冰冷。

王动的眉也皱了起来，喃喃道：“看样子他好像是昨天晚上走的。”

郭大路道：“嗯。”

王动道：“这次他为什么把东西也带走了呢？为什么连一句话都没有留下来？”

郭大路突然转身，用力抓住了王动的肩，道：“昨天晚上，你有没有告诉他什么？”

王动道：“你想我会告诉他什么？”

郭大路道：“我跟你说的那些话。”

王动道：“你以为我是那种人？”

郭大路道：“你真的什么都没有说？”

王动叹了口气接道：“现在我们已用不着吵架了，否则就凭着这句话，我已经可以跟你吵起来。”

郭大路怔了半晌，终于也长长叹了口气，慢慢地松开手。

王动勉强笑了笑，道：“其实你也用不着急，以前他也溜出去过，过几天就会回来的。”

郭大路摇摇头，苦笑道：“你自己刚才也说过，这次不同。”

王动道：“可是他根本没有原因要不辞而别。”

郭大路低下头，道：“也许……也许他也跟我一样，也觉得有点不对了，所以……所以，还是不如走了的好。”

王动犹豫着，道：“其实你们根本没有什么不对劲。”

郭大路苦笑道：“还没有？”

王动道："其实他……他……"

郭大路道："他怎么样？"

王动凝视他，过了半晌，忽又摇了摇头，道："没怎么样，没怎么样……"

他不等话说完，就掉头走了。

郭大路道："你到哪里去？"

王动道："去找杯酒喝喝。"

其实王动也并不是个能将话藏在心里的人，只不过觉得，有些话还是不要说出来的好。

因为他觉得，有些事郭大路也是不知道的好，知道得多了，反而更烦恼。

只可惜不知道也同样烦恼。

现在春天才真的去远了。

春去何处？从来没有人知道。

03

小小姑娘，清早起床。
提着花篮儿，上市场……

甜美的歌声，每天清晨都能听得到。

只要听到这歌声，林太平就觉得春天已回来了。

但郭大路的春天却已一去不返。

燕七的人也和春风一样，一去就无踪影，一去就无消息。

"他到哪里去了？为什么一句话都不留下？"

郭大路决心要将这原因找出来。

所以他也走了。

走的时候只留下了一句话："不找到他，我绝不回来！"

富贵山庄中的笑声少了，天气虽一天比一天热，但在王动的感觉中，这地方却似一天比一天冷。

没有郭大路的消息，没有燕七的消息，也没有春天的消息。

只有那甜美的歌声，还是每天都可以听到。

除此之外，唯一令人稍觉愉快的，就是红娘子的伤也已痊愈。

有一天，她和林太平陪着王动，坐在屋檐下。

苍穹本来一碧如洗，但忽然间，乌云已连天而起。

接着，夏日的雷雨就已倾盆而落。

雨水重帘般从屋檐上倒挂而下，墙角的残花也已不知被雨水冲向何处。

王动看着檐上的雨帘，忽然长叹了一声，喃喃道："春天真的已经过去了。"

红娘子柔声道："现在虽已过去了，但很快就会再来的。"

林太平道："不错，春天无论去得多远，都一定会回来的。"

王动道："一定？"

林太平道："一定！"

第四十章

同是天涯沦落人

01

雷雨。

雨点乱石般打在郭大路身上。

他终于醒了。

陋巷、低墙，他醒来才发觉自己睡在墙角的泥泞中，至于他是怎么会睡在这里的，已睡了多久，这连他自己都不知道。

他只记得昨夜先跟东城的兄弟们一起去踹西城老大的赌场，打得那里鸡飞狗跳，一塌糊涂。

然后东城的老大就特地为他在小冬瓜的妓院里大摆庆功宴，二三十个弟兄，轮流灌他的酒。

东城老大还当众拍胸脯，表示只要他能把西城那一帮打垮，以后西城那边的地盘就归他，后来两个人好像还磕头，拜了把子。

再后面的事他就更记不清了，好像是小冬瓜的妹妹小蜜桃把他扶回去的，正在替他脱靴子，脱衣裳。

可是他忽然不肯去了，一定要走，要出去找燕七。

小蜜桃想拉他，反而挨了个耳刮子。

然后他就发现自己躺在这里，中间那一大段，完全变成了空白。

严格说来，这半个多月的日子，究竟是怎么过去的，他也弄不清。

他本是出来找燕七的，但人海茫茫，又到哪里去找呢？

所以他到了这里后，就索性留了下来，每天狂赌乱醉。

有一天大醉后，和东城的老大冲突了起来，两人不打不相识，这一打，竟成了朋友。

那时东城老大正被西城帮压得透不过气，郭大路就拍胸脯，保证为他出气。

所以他就跟东城的弟兄们混在一起了，每天喝酒、赌钱、打架、找乐子，每天都大叫大笑，日子好像过得开心极了。

但为什么每次大醉后，他都要一个人溜走，第二天醒来时，不是倒在路上，就是躺在阴沟里？

一个人若要折磨别人，也许很难，但若要折磨自己，就很容易了。

他是不是在故意折磨自己？

好大的雨，雨点打在人身上，就好像石子一般。

郭大路挣扎着，勉强站起来，头疼得仿佛随时都会裂开来，舌头上也像是长出了一层厚厚的青苔。

这种日子过得真的有意思吗？

他不愿想。

他什么事都不愿想，最好立刻有酒，再开始喝，最好每天都没有清醒的时候。

仰起脖子，想接几口雨水来喝，雨点虽然很多很密，能落到他嘴里的，却偏偏没有多少。

世上岂非有很多事都是这样子的？

你看着明明可以得到的，却偏偏得不到。你愤怒、痛苦，用自己的头去撞墙，把自己折磨得不成人形，却还是一点用也没有。

郭大路用力挺起了胸膛，胸膛里，心口上，就像是有针在刺着。

明明不该想的事，为什么偏偏又要想呢？

霹雳一声，闪电击下。

他咬了咬牙，大步向前走，刚走了两步，忽然看到前面一扇小门，“呀”的一声开了。

一个绯衣垂髫的小丫头，手里撑着把花油伞，正站在门口，看着他盈盈地笑，笑起来两个酒窝好深。

有个这么甜的小姑娘，对着你笑，任何男人都免不了要上去搭讪搭讪的。

但郭大路现在却没有这种心情，他现在的心情，简直比他的样子还糟。

谁知这小姑娘却迎了上来，甜甜地笑道："我叫心心。"

她不等别人开口，第一句话就说出了自己的名字，这种事倒也少见得很。

郭大路看了她两眼，慢慢地点了点头，道："心心，好，好名字。"

他不等话说完，又想走了。

谁知心心却还是不肯放过他，又笑着道："我认得你。"

郭大路这才觉得有点奇怪，转过身停下来，道："你认得我？"

心心眨着眼，道："你是不是郭家的大少爷？"

郭大路更奇怪，忍不住问道："你以前在哪里见过我？"

心心道："没有。"

郭大路道："那么你怎么认得我的？"

心心嫣然，道："你去问问我们家的小姐，就知道了。"

郭大路道："你们家的小姐是谁？"

心心道："你看见她时，就知道了。"

郭大路道："她在哪里？"

心心抿嘴一笑，道："你跟我来，就什么事都知道了。"

她转过身，走进了那扇小门，又回头向郭大路招了招手："来呀。"

郭大路什么话都没有说，大步走了进去，现在他的好奇心已被引起，你想不叫他进去，都很难了。

门里是个小小的院子，一棚紫藤花在暴雨中看来，显得怪可怜的。

屋檐下挂着三两只鸟笼，黄莺儿正在笼子里吱吱地吵着，好像正在怪它们的主人太不体恤，为什么还不把它们带入香闺里。

心心走上回廊，用一根白生生的小手指，轻轻在笼子上一弹，瞪眼道："小鬼，吵死人了，今天小姐房里有客人，你们再吵，她也不会睬你们的。"

她又回眸向郭大路一笑，嫣然道："你看，我还没进去，它们已在吃醋了。"

郭大路也只好笑了笑。

现在他心里除了好奇之外，又多了种说不出是什么滋味的感觉，仿佛有点甜酥酥的。

但这究竟是怎么回事？他仍然如在十里雾中，连一点影子都摸不着。

“难道我忽然交上桃花运了么？”

只不过，丫头虽然俏，并不一定就表示小姐也很漂亮。

那位小姐若是母夜叉，你说怎么办？

门上挂着湘妃竹的帘子，当然是天气开始热了之后，刚换上去的。

门里悄无人声。

心心掀起帘子，嫣然道：“你先请里面坐，我去请小姐来。”

里面是个精致高雅的小客厅，地上还铺着厚厚的波斯毡。

连郭大路都不由自主，先擦了擦脚底的泥，才能走得进去。

“像这种地方的主人，为什么要请我这么样一个客人进来？”

那当然一定有目的。

什么目的呢？

郭大路看了看自己，全身上上下下，连五钱银子都不值。

他对自己笑了笑，索性找了张最舒服、最干净的椅子坐下来。

桌上有壶茶，还是新泡的。几个小碟子里，摆着很精美的茶食。

郭大路替自己倒了碗茶，一边喝茶，一边吃杏脯，就好像是这地方的老客人似的，一点也不客气。

然后，他就听到一阵“叮叮当当”的环佩声，心心终于扶着他们家的小姐进来了。

郭大路只抬头看了一眼，眼睛就已发直。

郭先生并不是没见过女人的毛头小伙子，但像这样的美人，倒还真是少见得很。

若不是这样的美人，又怎配住这样的地方？

郭大路嘴里含着半片杏脯，既忘了吞下去，也忘了拿出来。

不知什么时候，这位小姐也坐下来了，就坐在他对面。一张宜喜宜嗔的脸上，仿佛还带着点红晕，也不知是胭脂，还是害羞；一双明如秋水般的眼波，正脉脉含情地看着他。

郭大路开始有点坐立不安了，想开口说话，一个不小心，却将嘴里含着的半片杏脯，噎在喉咙里。

心心忍不住“扑哧”一笑，一开始笑，就再也停不下来，捧着肚子，吃吃地笑个不停。

小姐瞪了他一眼，仿佛在怪她笑得不该，但自己也忍不住为之辗然。

郭大路看着她们，突也大笑起来。

他笑的声音反而比谁都大，你只有在听到这笑声的时候，才能感觉到他是真正的郭大路。

无论多么严肃、多么尴尬的场面，只要郭大路一笑，立刻就会轻松起来。

这位羞答答的小姐，终于也开口说话了。

她的声音就和她的人同样温柔，柔声道：“这地方虽然不太好，但郭大爷既然已来了，就不要过于拘束……”

郭大路打断了她的话，笑道：“你看我像是个拘束的人吗？”

小姐嫣然道：“不像。”

心心也笑道：“茶是小姐刚托人从普洱捎来的，郭大爷多喝两杯，也好醒醒酒。”

郭大路道：“茶的确不错，你却错了。”

心心怔了怔，道：“我什么地方错了？”

郭大路道：“无论多好的茶，也不能醒酒。”

心心道：“要什么才能醒酒？”

郭大路道：“酒。”

心心笑道：“再喝酒岂非更醉？”

郭大路道：“你又错了，只有酒，才能解酒，这叫作还魂酒。”

心心眨眨眼道：“真的？”

郭大路道：“这法子是我积数十年经验得来的，绝对错不了。”

小姐也笑道：“既然如此，还不快去为郭大爷斟酒。”

酒来了，是好酒。

菜当然也不错。

郭大路开怀畅饮，真的好像已将这位小姐当作老朋友，一点也不客气。

这位小姐居然也能喝两杯，酒色染红了她的双颊，看起来更艳光照人。

郭大路眼睛直勾勾地盯着她，连酒都似已忘记喝了。

小姐低下头，轻轻道："郭大爷再喝三杯，我陪一杯。"

三杯酒眨眼间就下了肚，郭大路忽然道："我有几件事要告诉你。"

小姐道："请说。"

郭大路道："第一，我不叫郭大爷，叫郭大路，我的朋友都叫我小郭。但现在已渐渐变成老郭了。"

小姐嫣然道："有些人永远都不会老的。"

郭大路道："也有些人永远都不会变成大爷。"

他又喝了杯酒，才接着道："我只不过是个穷光蛋，而且又脏又臭，你却是位千金小姐，而且不认得我，为什么要请我来喝酒？"

小姐眼波流动，道："同是天涯沦落人，若是有缘，又何必认得。"

心心抢着道："我们家小姐姓水，闺名叫柔青，现在你们总该已认得了吧。"

郭大路抚掌笑道："水柔青，好名字，值得喝三大杯。"

水柔青垂首道："多谢。"

郭大路一饮而尽，盯着她，过了很久，忽又道："我的肠子是直的，无论有什么话，那都是存不住的。"

水柔青嫣然道："我看得出你是个豪气干云的大丈夫。"

郭大路道："那么我问你，是不是有人欺负了你，你要我替你出气？"

心心又抢着道："我们家小姐足不出户，怎么会有人欺负她？"

郭大路道："你是不是遇着了件很困难的事，要我替你去解决？"

心心道："也没有。"

郭大路缓缓地道："我既然来了，又喝了你们的酒，无论什么事，只要你们开口，我一定尽力去做。"

水柔青柔声道："只要你有这样的心意，我也就心满意足了。"

郭大路瞪着她，道："你真的没有什么事求我？"

水柔青道："真的没有。"

郭大路道："那么，你为什么对一个又脏又臭的穷光蛋这么好？"

水柔青抬起头，看着他，眼波如醉。

被她这样子看着的人，能不醉的又有几个？

心心看着郭大路，又看看她的小姐，忽然笑道："有句话郭大爷不知道有没有听说过？"

郭大路道："你说。"

心心道："天子重英豪。美人喜欢的，也是真正的英雄。"

水柔青的脸更红，娇嗔轻啐道："小鬼，再乱嚼舌，看我不撕你的嘴。"

心心笑道："我也是直肠子，心里有什么话，也存不住。"

水柔青红着脸站起来，真的像是要去拧她。

心心却已吃吃地娇笑着，一溜烟跑了出去，跑出去时还没有忘记替他们关上门。

水柔青垂首站在那里，又忍不住偷偷瞟了郭大路一眼。

郭大路还在盯着她。

她的脸已红得像是秋夕的晚霞。

醉了。

此时此刻，此情此景，不醉的人也该醉了。

郭大路忽然握住了水柔青的手。

她的手冰冷，脸却是火烫的。

郭大路正想拉她，还没有拉她，她已"嘤咛"一声，倒入他怀里。

窗外是盛夏，窗内却是浓春。

春色浓得化也化不开。

有些人虽然素不相识，但只要一见面，就好像铁遇见磁石一样，立刻会紧紧黏住。

水柔青黏在郭大路身上，她的肌肤柔软、光滑，如丝缎。

她的腰肢盈盈一握。

郭大路握着她的腰，忽然轻轻叹息，喃喃道：“我不懂，真的不懂。”

水柔青轻轻道：“有些事本来就是没法子解释的，本来就没有人懂。”

郭大路道：“你以前既没有看见过我，也不知道我是个怎么样的人，为什么这样子对我？”

水柔青道：“我虽然没看见过你，却早已知道你是个怎么样的人了。”

郭大路道：“哦？”

水柔青的身子贴得更紧，缓缓道：“这些天来，城里的人谁不知道自远地来了个天不怕地不怕的好汉。”

郭大路苦笑道：“好汉？你知不知道好汉是什么意思？”

水柔青道：“我听你说。”

郭大路道：“‘好汉’的意思，有时候就是流氓无赖。”

水柔青嫣然道：“我不知道。我只知道，好汉就是好汉。”

郭大路笑了，轻抚着她的腰肢，笑道：“你真是个奇怪的女人。”

水柔青道：“所以我才会喜欢像你这么样奇怪的男人。”

这句话没说完，她的脸又红了。

郭大路凝视着她，道：“我以前做梦也没想到，会遇见你这样的女人，更没有想到会跟你这样子在一起。”

水柔青的脸更红，轻轻道：“只要你愿意，我就永远这样子跟你在一起。”

郭大路又凝视了她很久，忽又轻轻叹了口气，翻了个身，张大了眼睛，瞪着屋顶。

水柔青道：“你在叹气？”

郭大路道：“没有。”

水柔青道：“你在想心事？”

郭大路道：“没有。”

水柔青也翻了个身，伏在他胸膛上，轻抚着他的脸，柔声道：“我只问你，你愿不愿意永远跟我这样子在一起？”

郭大路沉默着，沉默了很久，才一字字道：“不愿意。”

水柔青柔软的身子，突然僵硬，嗄声道：“你不愿意？”

郭大路道：“不是不愿意，是不能。”

水柔青道：“不能？为什么不能？”

郭大路慢慢地摇了摇头。

水柔青道：“你摇头是什么意思，不喜欢我？”

郭大路叹道：“像你这样的女人，若有男人不喜欢你，那人一定有毛病，可是……”

水柔青道：“可是什么？”

郭大路苦笑道：“可是我有毛病。”

水柔青看着他，美丽的眼睛里充满了惊讶之色。

郭大路道：“我是个男人，已有很久没接近过女人；你是个非常美的女人，而且对我很好；这地方又如此温柔，我们又喝了点酒。在这种情况下，我怎么能不动心，所以……”

水柔青咬着嘴唇，道：“所以你要了我？”

郭大路叹息着，道：“可是我们之间，并没有什么真的感情。我……我……”

水柔青道：“你怎么样？……难道你心里在想着另一个人？”

郭大路点点头。

水柔青道：“你跟她真的有感情？”

郭大路点点头，忽又摇摇头。

水柔青道：“到底是不是真的有感情？”

郭大路叹道：“我也不知道那是种什么样的感情，我不知道。我看不见他的时候，时时刻刻都在想着他。你虽然又美、又温柔，我虽然也很喜欢你，但在我心里，无论谁也无法代替他。”

水柔青道：“所以你还是只有去找她？”

郭大路道：“非找到不可。”

水柔青道：“所以你要走？”

郭大路闭上眼睛，点了点头。

水柔青看着他，眼睛里并没有埋怨，反而似也被感动。

过了很久，她才长长叹息了一声，幽幽地道：“世上若有个男人也像这样子对我，我……我就算死，也甘心了。”

郭大路柔声道："你迟早一定也会找到这么样一个人的。"

水柔青摇摇头，道："永远不会。"

郭大路道："为什么？"

水柔青也沉默了很久，忽然道："你是个很好的人，我从来也没有见到你这样的好人，所以我也愿意对你说老实话。"

郭大路听着。

水柔青道："你知不知道我是个什么样的人？"

郭大路道："你姓水，叫水柔青，是位千金小姐，而且温柔美丽。"

水柔青道："你错了，我并不是什么千金小姐，只不过是个……是个……"

她咬着嘴唇，突又长长叹息，道："我只不过是个妓女。"

"妓女！"

郭大路几乎从床上直跳了起来，大声叫道："你不是。"

水柔青笑得很凄凉，道："我是的。不但是，而且是这地方身价最高的名妓，不是一掷千金的王孙公子，就休想做我的入幕之宾。"

郭大路怔住，怔了半天，喃喃道："但我并不是什么王孙公子，而且身上连一金都没有。"

水柔青忽然站起来，打开了妆台的抽屉，捧着了一把明珠，道："你虽然没有为我一掷千金，但却已有人为你量珠买下了我。"

郭大路更吃惊，道："是什么人？"

水柔青道："也许是你的朋友。"

郭大路道："难道是东城的老大？"

水柔青淡淡道："他还不配到我这里来。"

郭大路道："那么是谁？"

水柔青道："是个我从未见过的人。"

郭大路道："什么样的人？"

水柔青道："是个麻子。"

郭大路愕然道："麻子？我的朋友里连一个麻子都没有。"

水柔青道："但珍珠却的确是他为你付给我的。"

郭大路吃惊得连话都说不出了。

水柔青道："他叫我好好地侍候你，无论你要什么都给你。"

郭大路道："所以你才……"

水柔青不让他说下去，又道："但他也算出来，你很可能不愿留下来的。"

郭大路道："哦？"

水柔青道："等到你不愿留下来的时候，他才要我告诉你一件事。"

郭大路道："什么事？"

水柔青道："一件很奇怪的事。"

她慢慢地接着道："几个月以前，这里忽然来了个很奇怪的客人，跟你一样，穿得又脏又破，我本来想赶他出去的。"

郭大路道："后来呢？"

水柔青道："可是他一进来，就在桌上摆下了百两黄金。"

郭大路道："所以你就让他留下来了？"

水柔青眼中露出一丝幽怨之色，淡淡地道："我本来就是个做这种事的女人，只认金子不认人的。"

郭大路叹道："我明白，可是……可是你并不像这样的女人。"

水柔青忽然扭过头，仿佛不愿让郭大路看到她脸上的表情。

过了很久，她才慢慢地接着道："世上本来就有很多富家小子，喜欢故意装成这种样子，来寻欢作乐，找别人开心，这并不奇怪。"

郭大路道："奇怪的是什么呢？"

水柔青道："奇怪的是，他花了百两黄金，却连碰都没有碰我，只不过在这里洗了个澡，而且还穿了我一套衣服走了。"

郭大路道："穿了你一套衣服？"

水柔青点点头。郭大路道："他究竟是男是女？"

水柔青道："他来的时候，本是个男人，但穿上我的衣服后，简直比我还好看。"

她苦笑着，接着道："老实说，我虽然见过许许多多奇怪的人，有的人喜欢要我用鞭子抽他，用脚踩他，可是，像他这样的人，我倒是从来没有见过，到后来连我都分不清他究竟是男是女。"

郭大路又怔住，但眼睛却已发出了光。

他似已隐隐猜出她说的人是谁了。

水柔青道："这些话我直到现在才说出来，只因为那麻子再三嘱咐我，你若愿意留下来，我就永远不能把这件事告诉你。”

郭大路道：“你……你知不知道那奇怪的客人叫什么名字？”

他似已紧张得连手都在发抖。

水柔青道：“她并没有说出她的名字来，只告诉我，她姓燕，燕子的燕。”

郭大路突然跳起来，用力握着她的肩，嗄声道：“你知不知道她现在在什么地方？”

水柔青道：“不知道。”

郭大路倒退了两步，似已连站都站不住了，“噗”地又坐到床上。

水柔青道：“可是她最近又来过一次。”

郭大路立刻又像中了箭一般跳起来，大声道：“最近是什么时候？”

水柔青道：“就在前十来天。”

她接着又道：“这次她来的时候，样子看起来好像有很多心事，在我这里喝了很多酒，第二天就穿了我一套衣裳走了。”

郭大路更紧张，道：“你知不知道她走到什么地方去了？”

水柔青道：“不知道。”

郭大路好像又要倒下去。

幸好水柔青很快地接着又道：“但她喝醉了的时候，说了很多醉话，说她这次回去之后，就永远不会再回来，我永远也不会再见到她了。”

郭大路道：“你……你有没有问过她，她的家在哪里？”

水柔青笑了笑，道：“我本来是随口问的，并没有想到她会告诉我。”

郭大路眼睛里充满了迫切的期望，抢着道：“但她却告诉了你？”

水柔青点点头，道：“她说她的家在济南府，还说那里的大明湖春色之美，连西湖都比不上，叫我以后有机会时，一定要去逛逛。”

郭大路忽然又倒了下去，就像是跑了几天几夜的人，历尽了千辛万苦，终于到达了他的目的地。

他虽然倒了下去，但心里却是幸福愉快的。

水柔青看着他，目中充满了怜惜，轻轻道：“你要找的，就是她？”

郭大路点点头。

水柔青道：“她知不知道你对她如此痴情？”

郭大路点了点头，又摇了摇头——女人的心，有谁知道呢?

水柔青又轻轻地叹息了一声，幽幽道："她为什么要走？若是我，你就算用鞭子赶我，我也不会走的。"

郭大路喃喃道："她不是你……她也是个很奇怪的人，我始终都没有了解过她。"

水柔青黯然道："她不是我，所以她才会走；只有像我这样的女人，才懂得世上绝没有任何东西比真情更可贵。"

她叹息着，又道："一个女人若不懂得珍惜这一份真情，她一定会后悔终生。"

郭大路又沉默了很久，忽然问道："你看她究竟是不是个女人？"

水柔青道："难道你直到现在还不知道？"

郭大路仰面倒在床上，长长吐出口气，喃喃道："幸好现在我总算知道一件事了。"

水柔青道："什么事？"

郭大路微笑着，缓缓道："我并没有毛病……一点毛病都没有，我只不过是个瞎子而已。"

黄昏。

夕阳照进窗户，照在郭大路刚换的一套新衣服上，他似已完全变了个人，变得容光焕发，而且非常清醒。

水柔青看着他，咬着嘴唇，道："你……你现在就要走？"

郭大路笑道："老实说，我简直恨不得长出两只翅膀来飞走。"

水柔青垂下头，目中又露出种说不出的幽怨凄楚之色。

郭大路看着她，笑容也渐渐暗淡，目中也充满怜惜，忍不住拍了拍她的肩，柔声道："你是个很好的女孩子，将来总有一天……"

水柔青凄然一笑，道："将来总有一天，我也会找到一个像你这样的男人的，是不是？"

郭大路勉强笑道："答对了。"

水柔青也勉强笑了笑，道："见到那位燕姑娘时，莫忘记替我向她问好。"

郭大路道："我会的。"

水柔青道："告诉她，以后若有机会，我一定会到大明湖去看你们。"

郭大路笑道："说不定我们会先来看你。"

他虽然在笑着，但也不知为了什么，心里总像是有点酸酸的。

他实在已不忍再留下去，实在不忍再看她的眼睛，忽然转过头，望着窗外的夕阳，喃喃道："现在天还没有黑，我还来得及赶段路。"

水柔青垂着头，轻轻道："不错，你还是快走的好，她说不定也在等着你去找她。"

郭大路看着她，仿佛想说什么，但终于什么也没有说。

他就这样走了出去。

不走又能怎么样呢？还是走了的好——还是快走的好。

水柔青突然道："等一等。"

郭大路慢慢地回过身，道："你……"

水柔青没有让他说出这句话，自怀中取出了个浅紫色的绣花荷包，递给他，柔声道："这个给你，请转交给燕姑娘，就说……就说这是我送给你们的贺礼。"

郭大路道："这是什么？"

他接过，就已用不着再问。

他已可感觉到荷包里的明珠的光滑圆润。

水柔青已转过身，看也不去看窗外的夕阳，淡淡道："现在你可以走了。"

郭大路紧紧握着这荷包，她的心岂非也正如荷包中的明珠一样，岂非也已被他握在手里？

她没有再回头。

他也没有再说话。

有些话，是根本就用不着说出来的。

同是天涯沦落人，相逢何必曾相识？

或许也只有在天涯沦落的人，才能了解这种心情，这种意境。

这种意境虽然凄凉，却又是多么美丽。

第四十一章

村 姑

01

远山青绿，湖水湛蓝。

青绿的远山倒映在湛蓝湖水里，蓝翠如绿，绿浓如蓝。

郭大路沿着湖岸，慢慢地往前走，就像是个游魂似的，既没有目的，也不辨方向。

听到了燕七的消息，他就恨不得肋生双翅，飞到济南府来，好像只要他一到了济南府，立刻就可以找到燕七。

现在他已到了济南府，才知道自己想得实在太天真了。

这见鬼的济南府可真不小，城里至少有几千几百户人家，几千几万个人。

要到这么大的地方，这么多人之中来找燕七，还是好像想在大海里捞针一样。

他只有每天在这里游魂般逛来逛去，希望有一天运气特别好，能撞上燕七。

可是连他自己也知道，这希望实在太渺茫，但无论多渺茫的希望，总比没有希望好。

现在连湖岸旁有多少棵树，他几乎都能数得出来了。

前面的垂柳下，停泊着条卖莲蓬鲜藕的小船，摇船的小姑娘也已跟他很熟，远远就向他嫣然而笑，笑容灿烂如阳光。

就只为了这甜笑，郭大路就已不能不去买几只莲蓬了。

莲子的心是苦的，就像现在郭大路的心一样。

别人两分银子只能买六只莲蓬，郭大路却买到七八只。

这戴着斗笠，赤着双白足的小姑娘，仿佛对郭大路也很有意思，只要郭大路来，她总是额外多送两只，有时甚至还会偷偷塞上一节鲜藕。

若是在以前，郭大路说不定早已坐上她的船，把船荡到湖心，去亲亲她苹果般的小脸，摸摸她嫩藕般的白足了。

但现在，郭大路实在没有这种心情。

他的烦恼已经够多的了。

他接着莲蓬，就准备走了，谁知道这小姑娘却又向他招了招手，悄悄地道："你过来，我有话跟你说。"

郭大路实在不想再惹麻烦，却又实在不忍拒绝这小姑娘的好意。

他在心里叹了口气，准备做出一副大哥哥的样子来，这小姑娘若是想约他幽会，他一定要好好教训她一顿，告诉她，天下的男人都不是好东西。她幸好遇见了他，否则一定会上当的。

想到这里，他觉得自己简直是个圣人。

只可惜老天偏偏不给他个机会，让他来做一两次圣人。

他只用一只脚踩上船头，故意板起脸，道："你有什么话要跟我说？"

小姑娘眼睛里发着光，悄悄道："你是不是个化了装出来私访民情的大官？"

郭大路怔住了，怔了半晌，忍不住笑道："我由头到脚，有哪点像是大官的样子？"

小姑娘道："你不是？"

郭大路笑道："非但不是，而且我一见到大官就会发抖的。"

小姑娘的神情更兴奋，声音更低，道："那么你一定是个大强盗。"

郭大路苦笑，道："也不是，我连做强盗都会蚀本的。"

小姑娘瞪着他，道："你真的不是？"

郭大路道："我为什么要骗你？"

小姑娘叹了口气，显得失望极了，好像连话都懒得跟他再说。

原来她对郭大路有兴趣，只不过以为郭大路是个大盗。

大盗在少女们的心目中，有时的确比各种人都有吸引力。

郭大路现在才知道，这小姑娘并不是真的对他有意思。

他也用不着再担心会惹上麻烦了，本来应该觉得很开心才是。

但也不知为了什么，他反而偏偏觉得有点失望，有些不甘心地问："你从哪点看我像是大盗？"

小姑娘态度已冷淡了下来，道："因为这两天来，我总觉得有个人在后面盯你的梢。"

郭大路道："哦，是个什么样的人？"

小姑娘道："这人有时打扮成小贩，有时打扮成乞丐，但无论他打扮成什么样子，都休想瞒过我。"

郭大路道："为什么？"

小姑娘露出很得意的样子，道："因为他的脸我一眼就能够认出来。"

郭大路道："他脸上是不是有什么跟别人不同的地方？"

小姑娘点点头，道："他是个大麻子。"

郭大路几乎忍不住要跳了起来，连血都似已流得快了很多。

小姑娘看着他，目中又露出期望之色，道："他是不是来盯你梢的？你认不认得他？"

郭大路眨了眨眼，也故意压低话声，道："我跟你说老实话，你可不许告诉别人。"

小姑娘立刻道："我发誓不跟别人说，否则以后叫我也变成个大麻子。"

郭大路悄悄道："好，我告诉你，那大麻子是个很有名的捕头，的确是来盯我梢的。"

小姑娘又兴奋了起来，道："他……他为什么要盯你的梢？"

郭大路声音更低，道："因为我的确是个大盗，别人都叫我'大盗满天飞'，刚在京城里做了七十八件巨案，才逃到这里来避风头。"

小姑娘兴奋得全身都发起抖来，咬着嘴唇，道："你……你是不是个采花盗？"

郭大路忍住笑，向她挤了挤眼睛，道："你猜我是不是？"

小姑娘的脸，已烫得像是个刚烤透了的红山芋，咬着鲜红嘴唇道："就算你是，我也不怕你，我……我……"

她的腿像是已有点发软，连站都站不稳，几乎一跤跌下水里去。

郭大路大笑，伸手摸了摸她的脸，道：“你放心，我就算要来找你，也得再过两三年，现在你只不过还是个小孩子。”

他大笑着扬长而去。

小姑娘看着他，发了半天怔，也不知是有意，还是无意，偷偷用手碰了碰自己的胸，脸上的红霞已红到耳朵根子。

郭大路心里暗暗好笑，知道这小姑娘今天晚上一定是睡不着觉的了。

他这倒绝不是存心想害她。只不过是想为这小姑娘平凡的一生，添些作料，加些色彩，让她以后成了亲，抱着孩子洗碗时，也会有段可以令自己心跳的回忆来想想。

世上又有几个女孩子，能亲眼看到个活生生的采花大盗呢？

第四十二章

盯梢的麻子

风吹着垂柳，吹起了湖水中一阵涟漪。

郭大路还是慢慢地向前走，一面剥着莲子，一面哼着小调。

走了不算很近的一段路，他才忽然回头。

他立刻发现有个手里捧着个破碗的乞丐，而且果然是个麻子。

他一回头，这麻子立刻躲到树后。

这麻子盯梢的技术并不高明，若不是郭大路这两天总是心不在焉，胡思乱想，早应该发现他了。

这麻子是不是水柔青说的那个麻子？

郭大路有意无意间转回头，朝这麻子走了过去，走得很慢。

他准备快走到时，再一下子跳过去，抓住他。

谁知道这麻子居然也有了警觉，立刻也往回头的路走。

郭大路的脚步加快，他的脚步立刻也加快。

光天化日之下，在这么多人的面前，若是施展起轻功，未免有点不像话。

郭大路只有放大脚步，在后面追。

本来是他盯着郭大路的，现在反而变成郭大路在盯他的梢了。

船上的小姑娘，看着他们一前一后跑过去，满脸都是吃惊之色。

她实在不懂，为什么捕头不去抓强盗，强盗反而追捕头。

对她说来，这世上无法解释的事实在太多，所以她总是觉得很烦恼。

等她年纪渐渐大了，懂得的事渐渐多了，她才明白，还是以前什么都不懂的时候活得快乐些。

初夏，正是游湖的时候，湖岸上红男绿女，游人如织。

游客多的地方，乞丐自然也特别多——出来玩的人，出手总是比较大方些，尤其是在身畔还带着个如花美眷的时候。

所以人丛中东也有个乞丐，西也有个乞丐，这本是他们的旺季，连最懒的乞丐都出动了。

那麻子在人丛中钻来钻去，有好几次郭大路都几乎被他甩掉。

幸好郭大路的运气不错，每次到了紧要关头，总是凑巧看到了他脸上的麻子。

相貌特别的人，本就不适于盯别人的梢。

到后来这麻子似也被追得急了，索性离开了湖区，向人少的地方走。似乎想将郭大路诱到荒僻无人处，好好修理一顿。

郭大路非但一点也不在乎，反而追得更起劲。

他本就想找个没人的地方，抓住这麻子问个清楚，问问他是不是认得燕七，知不知道燕七的下落。

郭大路的确已从棍子那里，学会了几手要人说实话的本事。

他本来以为很快就能追上这麻子的。

谁知这麻子非但走得很快，体力也很好，就好像永远也不会累似的，居然愈来愈快。

郭大路反而觉得有点吃不消了，最近他过的那种日子，过一天就可以令人老一年。

他忍不住叫了出来，大声道："喂，你别跑，我并不是来找你麻烦的，只不过有几句话想要问问你。"

这麻子本来没有真的跑，听到这句话，反而放开脚步飞奔了起来。

乞丐本就常常会被追得满街乱跑的，无论是被人追，还是被狗追，别人看到都不会觉得奇怪。

但一个穿得整整齐齐的人，在街上追着个乞丐乱跑，好像就有点不像话了。

他知道已有人开始注意他，其中好像还有两个真的捕快。

他们本就是在附近巡逻的，这时已准备来拦住郭大路，问个究竟。

郭大路只要被人一拦，这麻子立刻就会跑得踪影不见。

这是他唯一的线索，他绝不能轻易放过。

他眼珠子一转，突然先发制人，指着前面跑的麻子大呼道："这要饭的是个小偷，谁帮我抓住他，赏银二十两。"

最后的一句话，果然很有效，那两个捕快不等他说完，已掉转头，去追那麻子。

还有些人也帮着在旁边起哄。

这麻子似已真的着了急，突然一纵身，从五六个人的头上飞了过去，蹿上了前面的房脊。

他轻功之高，居然是江湖中第一流的身手。

这一来连不想管闲事的人也起了哄：

"看来这人不但是个小偷，还是个飞贼，千万不能让他溜了。"

起哄的人虽多，但能上房去追的人，却连一个也没有。

那两个捕快也只有在墙下看着干着急。

轻功毕竟不是人人都学得会的，像麻子这样的轻功，十万个人里面，最多也只有一两个能比得上。

幸好郭大路就是其中的这一两个。

他也已掠过人群，蹿上了房子，嘴里还在大喊大叫："我是京城来的捕头，专程来抓这飞贼的，但望各方的英雄好汉助我一臂之力。"

他也知道无论哪一路的英雄好汉，都不会来管这种莫名其妙的闲事。

他这样大喊大叫，只不过想叫得这麻子心慌意乱而已。

因为他实在没把握能追上这麻子，轻功他虽然练得不错，但实习的机会却不多，无论技巧和经验，好像都比这麻子差了一截。

这麻子果然像是被他叫得有点心虚了。

光天化日之下，在别人的房檐上飞来跃去，这目标也的确太大。

他终于又被逼得跳了下去。

下面是条并不算很宽的巷子，一共只不过有六七户人家。

郭大路赶过来的时候，刚巧瞥见他人影一闪，闪入了巷口一家人的大门里。

这家人的大门居然是开着的。

无论在多太平的年头，终日开着大门的人家也并不多。

这家人想必和这麻子有关系，说不定这地方就是他自己的家。

郭大路不管三七二十一，立刻也跟着闯了进去。

院子里没有人，前面的客厅里，却有人正在笑着道："难怪别人总是说，十个麻子九个怪，你果然真是妖怪。"

郭大路大喜，一个箭步蹿了进去。

"这下子你总溜不掉了吧。"

谁知客厅里却连半个麻子都没有，只有一男一女，好像是对夫妻，正在那里打情骂俏。女的白白胖胖，长得很标致，男的却是面黄肌瘦，连腰都有点伸不直了。

男人若要了个太标致的老婆，有时也不能算是好福气。

他们看到外面突然有条大汉闯进来，显然也吃了一惊。

丈夫的胆子好像比太太还小，吓得几乎跌倒在太太身上了，吃吃道："你……你是谁？想来干什么？"

郭大路道："来找人。"

丈夫道："找……谁？"

郭大路道："来找个麻子，你刚才所说的麻子在哪里？"

太太一双水灵灵的眼睛本就一直在瞟着他，忽然站起来，抢着道："他刚才说的麻子就是我，你难道是来找我的？"

她鼻尖上果然有几点浅白麻子。

郭大路怔住了。

这位太太还是用眼角瞟着他，似笑非笑的，又道："你是不是慕名来找我的？只可惜你已来迟了，现在我已经嫁了人，不接客了。"

郭大路非但怔住，简直已有点哭笑不得。

其实他早就该看出来，真正的良家妇女，哪有像她这样子看男人的？

做丈夫的终于发威了，跳起来，大声道："你听见了没有？她现在已经是我老婆，谁也休想再动她的脑筋，你还不出去？"

郭大路只有苦笑，还是忍不住问道："刚才没有别的人进来过？"

太太又瞟了他一眼，笑道："城里就算还有你这样的冒失鬼，也没有你这么大的胆子。谁敢到别人家里来找别人的老婆？"

她居然认定他是个特地来找她的登徒子了。

做丈夫的火气更大，指着郭大路的鼻子，大叫道："你还不出去？

还在这里打什么糊涂心思？小心我一拳打破你的头。”

郭大路笑了。

这人的手看起来简直就像是个鸡爪子，连苍蝇都未必打得死，居然还想打人。

郭大路拍了拍他的肩，笑道：“你放心，没有人会来抢你的老婆。但你自己的身体也不是偷来的，还是保重些好，无论做什么事都用不着太卖力。”

他不让这人再开口，就已转过身，扬长而去。

其实他自己也知道这句话说得未免有点缺德，平时他绝不会说这种话的。

但一个人自己心里恼火的时候，往往就想要别人也难受一下子。

他明明看到麻子进来的，怎么会突然不见，难道一进门就钻到地下去了？

这夫妻两人，当然是早就跟那麻子串通好，唱双簧给他看的。

他明明知道，却偏偏没法子揭穿，何况，青天白日的硬往人家屋子里闯，也究竟是自己理亏。

若要他逼着别人，带着他一间间屋子里去搜查，他也做不出来。

何况那麻子当然早已趁机溜了，他就是去找，也一定找不到的。

郭大路想来想去，愈想愈窝囊。

“若是换了王动，那麻子今天就休想能溜得掉。”

他决定先找个地方去大吃大喝一顿，安慰安慰自己，晚上再到这附近来查个水落石出。

他已决心在这里泡上了，不找到那麻子，绝不善罢甘休。

太阳已经快下山了，现在开始喝酒，已不能算是太早。

城里最大的饭馆叫会宾楼，一鸭三吃和活杀鲤鱼是他们的招牌菜，从汾阳来的汾酒喝下去也蛮有劲头。

郭大路找了张临窗的桌子，叫了一桌子菜。

临走的时候，东城老大着实送了他一笔盘缠，这些市井中的游侠儿，有时的确比江湖豪杰还讲义气，还够朋友。

平时只要几杯酒下肚，郭大路的心情立刻就会开朗起来。

但这两天酒喝到嘴里，却好像是苦的，而且特别容易醉。

既然晚上还有事，他也不敢多喝，只有拼命吃菜。他的心情愈坏，吃得愈多。若是再找不到燕七，他说不定就会变得比这填鸭还肥。

太阳下山后，饭馆里就渐渐开始上座了。各式各样的人，川流不息地上楼来，其中还有獐头鼠目的龟奴，带着花枝招展的粉头，来应客人叫的条子。

于是，旁边用屏风隔起来的雅座里，又响起了丝竹声、歌曲声、调笑声、碰杯声，夹杂着呼卢喝雉声、猜拳行令声，实在热闹极了。

但郭大路却好像坐在另一个世界里，这件事本来是他最感兴趣的，但现在却觉得一点意思都没有。

没有燕七在旁边，就好像菜里没有盐一样，索然无味。

他叹了口气，慢慢地替自己斟了杯酒，忽然看到五六个很标致的小姑娘，拥着个锦衣佩剑的大汉，嘻嘻哈哈地上了楼。

莫说是店里的伙计，连郭大路都看出，这锦衣大汉是个挥金如土的豪客，手面必定不会小。

他也忍不住多瞧了一眼，这一眼瞧过，他手里的酒壶都几乎跌了下来。

这锦衣豪客竟然是个麻子，而且正是刚才在湖畔要饭的那麻子。下午还是个乞丐，晚上就变成了阔佬，这一变实在变得太厉害。

但无论他怎么变，就算他变成了灰，郭大路还是一眼就认出了他来。

谁叫他脸上的麻子这么多的？

郭大路只看了两眼，就立刻扭过头，去看窗子外的招牌。这次他决定先沉住气，绝不再轻举妄动。

现在他若走过去，一把揪住那麻子，问他为什么要送珍珠给水柔青，问他知不知道燕七的下落，别人一定会认为他是个疯子。那麻子当然也可以一问三不知，把什么事都推得干干净净。

现在这麻子也进了雅座。

跟他一齐来的女客，显然也不是良家妇女，还没过多久，就在里面唱了起来，又是“小冤家”，又是“亲哥哥”的，简直拿肉麻当有趣。

奇怪的是，世上偏偏就有很多男人，喜欢这种调调儿。

凭良心说，郭大路本来也蛮喜欢的，但现在却听得全身都起了鸡皮疙瘩。

一个人是否因爱而改变，其关键并不在他是男是女，只看他爱得够不够真实，够不够深切。

酒楼上还热闹得很。

郭大路又叫了壶酒，添了样菜，已准备长期作战，那麻子就算要喝到天亮，他也会沉住气等到天亮。

第四十三章

龙王庙

谁知这麻子居然很快就出来了，已喝得醉醺醺的，扶着个十七八岁少女的肩，大声问伙计，洗手的地方在哪里。

原来他酒喝得太多，想找条出路。

郭大路沉住气，看着他下了楼，等了半天，也没看见他再上来。

“莫非他已发现了我在这里，趁机借尿遁了？”

郭大路终于沉不住气了，正准备追下去。

但就在这时，他眼角已瞥见了街对面有个人低着头往前走，正是这麻子。

他果然溜了。

郭大路一着急，人已从窗子里蹿了出去。酒客中已有人大叫起来，还以为这人想跳楼自杀。

那麻子也回头瞟了一眼，身子一闪，忽然钻进了对面一家粮食坊。

粮食坊的门口，堆着一口袋一口袋的面，一筐子一筐子的米、小米、杂粮，还有流鼻涕的顽童正在门口踢毽子。

等郭大路赶过去的时候，那麻子又人影不见了。

店里的伙计和掌柜的，闲着没事做，正倚着柜台在下棋。

看他们悠悠闲闲的样子，绝不像刚看到有人闯进去的样子。

这两人莫非也和那麻子串通好了，准备演出双簧给郭大路看？

但郭大路这次却学乖了，根本就不进去问，却躲在旁边，招手将那个流鼻涕的小孩子叫了过来，摸出串铜钱，带着笑道：“我问你的话，你若乖乖地回答，我就把这串钱给你买糖吃。”

这小孩一只手拿着毽子，一只手擦着鼻涕，眼睛却已盯在这串钱上。

无论是大人也好，是小孩也好，看见钱不喜欢的，只怕还没有几个。

郭大路道：“你听明白了吗？只要你说实话，这串钱就是你的。”

这孩子立刻用力点头，道：“我说的都是实话。爹爹告诉我，小孩子若是说谎，将来舌头会烂掉的。”

郭大路拍了拍他的头，笑道：“不错，说实话的才是好孩子。这粮食坊是不是你家开的？”

孩子点点头，道：“我们家有好多好多大白米，吃一百年都吃不完。”

郭大路道：“你们家里是不是还有个麻子？”

孩子眨眨眼，好像觉得很奇怪，道：“你怎么知道的？”

郭大路笑了，要骗出一个小孩子的老实话来，的确不太困难。

但大人骗小孩，毕竟也不是件很有面子的事。

所以他也觉得有点不好意思，先把一串钱塞到孩子手里，才带着笑道：“我从来没有看见过麻子，你能不能带我去看看？”

这孩子也笑了，道：“当然能，他刚才进去，马上就会出来的。”

郭大路道：“他真的会出来？”

孩子点点头，眼珠子一转，忽又笑道：“现在他已经出来了。”

他一只手紧紧抓着那串钱，却抛开了手里的毽子，去将刚走出粮食坊的麻子拉过来。

一个只有七八岁的小麻子。

郭大路又怔住，又有点哭笑不得。

那孩子却笑得很开心，道：“他叫小三子，是我的弟弟，从小就是麻子，我们家只有这么样一个麻子。”

郭大路怔了半晌，掉头就走。

只听那孩子还在偷偷地笑着道：“小三子，若是每个人看你一眼，都给我一串钱，我们就发财了，你将来也不必愁娶不到漂亮的媳妇，只要有大把的钱，就算你是个麻子，也一样有人抢着要嫁给你。”

郭大路又好气又好笑，气又气不得，笑也笑不出。

他知道这孩子一定拿他当作个活瘟生、大笨牛。

他自己的想法也和这孩子差不了多少。

他一回头，就看见会宾楼的伙计，正在皮笑肉不笑地盯着他，道：“客官刚才的账，是三两六分银子，剩下的鸭架子还可以包起来带回去。”

饭馆伙计对一个喝完酒就跳楼走了的客人，当然不会有什么好脸色的。

郭大路已经连火气都没有了，拿了锭银子给他，忽又问道：“刚才那个派头奇大的麻子，你认不认得？”

伙计接着银子，掂了掂，立刻赔笑道：“那麻子小的虽不认得，但陪他来的那几个粉头，小的却可以去替大爷叫来。”

郭大路道：“我要找的是那麻子，你以前难道没见过？”

伙计摇了摇头，显然觉得很奇怪：“这人究竟有什么毛病？花枝招展的小姑娘他不要，却要找大麻子。”

郭大路懒得跟他多说了，他知道若是去问那些小姑娘，也一定问不出那麻子的底细来的。

这麻子倒真是个怪人。

他明明是在躲着郭大路，却又偏偏总是在郭大路眼前出现，若说他不是故意的，天下又怎么会有这么巧的事？

这粮食坊和那夫妻两个人，既然都跟他有很密切的关系，他在这城里想必也已耽了很久。

但别的人却好像都没有见过他。

他无缘无故地为郭大路送了价值千金的珍珠给水柔青，当然绝不会连一点企图都没有。

可是他的企图究竟是什么？为什么要做这些莫名其妙的事？

你就算打破郭大路的头，他也想不出个道理来。

他几乎已准备放弃这个人了。

谁知就在这时，刚才扶着麻子下楼的那小姑娘，突然扭着腰，从对面走了过来，而且还笑眯眯地看着郭大路，抛着媚眼。

那店伙看看她，又看看郭大路，悄悄扮了个鬼脸，溜了。

做这种事的人，很少有不识相、不知趣的。

这时那小姑娘已走到郭大路面前，甜笑着道：“这位想必就是郭家的大少爷了。”

郭大路点点头，瞪着她道：“是不是那麻子告诉你的？”

这小姑娘也点点头，嫣然道：“我叫梅兰，是留春院里的，以后还得请郭少爷多捧场。”

郭大路道：“你若能替我找到那麻子，我就天天去捧你的场。”

梅兰眨眨眼，道：“真的？”

郭大路道：“说话不算数的是王八。”

梅兰又笑了，笑得更甜，道：“我来找郭少爷，正是为了那位麻大爷有话要我转告。”

郭大路道：“什么话？”

梅兰道：“他说他今天晚上三更时，在大明湖东边的龙王庙里等你，他还说……还说……”

郭大路急着问道：“他还说什么？”

梅兰嗫嚅着道：“他还说，你若是没胆子，不敢去也没关系。”

她忽又嫣然一笑，道：“现在郭少爷已经可以找到他了，郭少爷你说的话，也得算数呀——男人做了王八，那滋味可不是好受的。”

这打扮成小妖怪一样的女孩子，终于又一扭一扭地走了。

临走时还没有忘记将留春院的地址告诉郭大路。

郭大路这才发现，自己又说错话了——他为什么不能沉住气等一等，等这小妖精先说出那麻子要她传的话呢？

他为什么总是会莫名其妙地为自己找来很多麻烦？

可是那麻子却更莫名其妙。

他明明在躲着郭大路，却又要约郭大路见面。

难道这也是个阴谋圈套？

难道他已在那龙王庙安排了埋伏，等着郭大路去自投罗网？

他虽然好像对郭大路的事情知道得很多，郭大路以前却连这个人都没见过，更绝不会有什么恩怨。

他费了这么多心机，花了这么多本钱，目的究竟是什么？

郭大路叹了口气，喃喃道：“十个麻子九个怪，看来这句话倒真的一点也不错。”

龙王庙。

有水的地方，好像都有龙王庙。

龙王庙就像是土地庙一样，已成了聋子的耳朵，只不过是一个地方的点缀，既没有什么香火，也没有道士和尚。

这龙王庙也一样。

郭大路是坐驴车来的。

因为他既不认得路，又想节省些体力，好来对付那麻子。

赶车的是个老人，白发苍苍，还驼着背。

郭大路本来不想坐这辆车的，怎奈别的车把式晚上都不肯到龙王庙这种荒僻的地方来。

这条路的确不好走，又黑黝黝没有灯光。

赶车的老头子一路上都像在打瞌睡，到了这里，忽然“的兜”一声，勒住了驴子，回头道：“一直往前走，就是龙王庙，你自己去吧。”

郭大路忍不住，问道：“你为什么不一直送我到门口？”

驼背老人忽然笑了笑，道：“因为我这条老命还想再多活两年。”

夜色清冷，他的笑看起来竟有点阴森森的样子。

郭大路皱皱眉道：“难道你送我到了那里，就活不下去了？”

驼背老人笑得更诡秘，淡淡道：“今天晚上到那里去的人只怕很难活着回来，我劝你还是不要去的好。”

郭大路道：“龙王庙人人都可以去的，为什么不能去？”

驼背老人阴恻恻笑道：“因为今天晚上和别的日子不同。”

郭大路道：“有什么不同？”

驼背老人忽然不说话了，眼睛却直勾勾地瞪着郭大路背后的夜色，就好像忽然看见了鬼似的。

郭大路背脊也有点发毛了，也忍不住转过头去看。

夜静无人，风吹着柳条，在黑暗中看来，的确有些像是一个个幽灵鬼影，在张牙舞爪。

但那最多也只不过有三分像而已，很少有人会被真的吓倒的。

郭大路失笑道："你只管放心送我去，你若死了，我……"

他语声突然停顿。

因为等他回过头来时，那赶车的驼背老人竟已不见了。

远方也是一片黑暗，非但看不见人，就算真的有鬼，也一样看不见。

这驼背老人怎么忽然不见了？难道已被黑暗中等着择人而噬的恶鬼捉走？

一阵风吹过，郭大路竟也忍不住激灵灵打了个寒噤，喃喃地说道："好，你不去，我就自己赶车去。"

一个人在黑暗无声时，听听自己说话的声音，也可以壮胆的。

他跳上前座，找着了马鞭，挥鞭赶驴。

谁知这驴子四条腿就好像钉在地上一样，死也不肯再往前走一步。

难道连这驴子也已嗅出了前面黑暗中，有什么凶恶不祥的警兆？

在这种地方，这种时候，莫说恶鬼会吃人，人也会吃人的。

郭大路人地生疏，就算真的被人吃了，连诉冤的地方都没有，连尸骨都找不着。

若是换了别人，应付这种情况，最好的法子就是赶快回头走，找个地方喝两杯热酒，再找张舒服的床，先睡一觉再说。

只可惜郭大路偏偏也有点骡子脾气，你若想要他往后退，他就偏要往前走。

就算前面真是龙潭虎穴，他也要闯一闯的。

"你既不肯走，我也有腿，我难道不能自己走？"

他索性跳下车，迈开了大步。

"龙王庙是不是真的就在前面呢？"

他还不知道，也看不见屋影。

前面空荡荡的，什么都看不见，无论谁约会，都不会约在这种鬼地方的。

除非他有什么见不得人的阴谋。

郭大路挺着胸，冷笑着，身后忽然响起了一种很奇怪的声音，就好像是有人在长嘶。

他回过头，才发现那只不过是驴子在叫——这头驴子也像是见了鬼似的，不知何时已掉转头，飞也似的向来路奔了回去。

郭大路冷笑着，喃喃道："我不是驴子，你吓得了它，却吓不到我。"

他回过头，还是吓了一跳。

前面的黑暗中，不知何时已多了一盏灯笼，一条人影。

灯笼居然是绿的，惨碧色的灯光，照在这个人的身上、脚上，却照不到他的脸。

他头上戴着顶又宽又大的斗笠，戴得很低，几乎将整张脸都盖住了。

但郭大路却已看出他绝不是那麻子。

因为这人只有一条腿——他左腿已齐膝而断，装着个木脚。

可是他来的时候，居然还是连一点声音都没有。

他远远地站在那里，一只手提着灯笼，另一只手上提着根黑黝黝的棍子，也不知是木头削成的，还是铁打的。

他虽然只有一只脚，但站在那里，却是气度沉凝，稳如泰山。

三更半夜时，四野无人处，突然看到这么样一个人出现在面前，无论谁都难免要吃一惊。

但郭大路非但很快就镇定了下来，而且还微笑着向这人点了点头。

只要别人还没有伤害到他，他无论对什么人都总是很友善。

这独脚人居然也向他点了点头。

郭大路道："我姓郭，叫郭大路，大方的大，上路的路。"

独脚人冷冷道："我并未请教尊姓大名。"

郭大路笑道："但我们能在这种地方碰到，总算是有缘。"

独脚人道："你怎知我是碰巧遇见你的？"

郭大路道："你难道不是？"

独脚人道："不是。"

郭大路道："难道你本就是特地来找我的？"

独脚人道："是。"

郭大路道："找我干什么？"

独脚人道："要你回去。"

郭大路道："回去？回到哪里去？"

独脚人道："从哪里来，就回到哪里去。"

郭大路眨眨眼，道："你是不是想不让我到龙王庙去？"

独脚人道："是。"

郭大路道："为什么？"

独脚人道："那是个不祥的地方，去的人必然有祸事。"

郭大路笑了，道："多谢指教，只不过，我们素不相识，你又何必对我如此关心？"

独脚人道："你一定要去？"

郭大路道："是。"

独脚人道："好，先击倒我，再从我的身上跨过去吧。"

郭大路叹了口气，道："原来你是特地来找我打架的。"

独脚人再也不说什么，突然一挥手，手里的灯笼就冉冉地飞了出去，不偏不倚，刚好插在道旁的一根柳枝上。

郭大路失声道："好手法，就凭这一手，我就未必打得过你。"

独脚人道："你现在还来得及回去。"

郭大路又笑了，道："就因为我未必打得过你，所以才要打，若是我有必胜把握，打起来还有什么劲？"

独脚人慢慢地点了点头，道："好，有种，我从不杀有种的人，最多只砍断他两条腿。"

郭大路笑道："我最多只砍断你一条腿，因为你只有一条腿。"

他本不是个尖酸刻薄的人，本不愿说这种尖酸刻薄的话。

但现在他已发现，那麻子、驼子和这独脚人，都是早已串通好了的，而且已设下了圈套在等着他来上当。

现在他已快掉了下去，却连这是个什么样的圈套都不知道。

这一战敌暗我明，敌众我寡，打得未免有失公平。

郭大路的机会实在不多，就算故意说几句尖酸刻薄的话来激怒对方，也是值得原谅的。

至少他自己已原谅了自己。

独脚人果然已动了火气，厉喝一声，手里的短杖带着劲风，向郭大路横扫了过来。

短杖最多才三四尺长，他距离郭大路，至少还有两三丈。

可是他的手一挥，短杖就已到了郭大路面前。

这一杖来得好快。

郭大路手无寸铁，根本就没法子招架抵挡，只有闪避。

但这独脚人招式连绵，一招比一招急，一招比一招快，郭大路虽然看不出他杖法的路数，但也知道这套杖法必定大有来历。

江湖高手中，用短杖的一向只有两种人：一种是乞丐，一种是和尚。

乞丐大多属于丐帮，也就是俗称的穷家帮，他们用的短杖，通常叫作打狗棒。这名字据说是昔日一位姓查的帮主起的，但真的来源究竟出自何处，谁也没有认真去考据过。

所以他们用的杖法，就叫作“打狗棒法”，精巧变化，诡异繁复，真正能够将这套棒法学会的人，一向不多。

这独脚人用的招式，却是刚烈威猛，锐不可当，其间的变化倒并没有什么精妙之处。

郭大路在江湖中虽然嫩得很，打狗棒法总是听人说过的。

他也已看出这独脚人用的绝不是打狗棒法，就不会是丐帮的人。

郭大路眼珠子一转，忽然笑道：“我知道你是什么人了，你瞒不过我的。”

独脚人的短杖突然慢了下来，全身的肌肉似乎都已有些僵硬。

他听了这句话，为什么会如此吃惊？

难道他本身有什么不可告人的秘密，生怕被人看破了行藏？

独脚人的出手一慢，郭大路就快起来了。

他双拳如风，已抢攻入独脚人的空门中，独脚人的杖法就更施展不开。

高手相争，有时正如名家对弈一样，只要有一着之错，就可能满盘皆输。

突然间，郭大路连攻三拳，击向独脚人的胸腹，但等到独脚人用招封架时，他招式突又改变，一扬手，打落了独脚人头上的斗笠。

他若想打到独脚人的头，当然办不到。

但这斗笠又宽又大，何况，任何人打架时，都只会想着保护自己的头，又有谁对头上的斗笠放在心上。

斗笠一落下，就露出独脚人一张惨白的脸，和一个光秃秃的头颅，头顶上还有九颗受戒的香疤。

郭大路凌空一个跟斗，倒退出七尺，大声道："我猜得不错，你果然是个和尚。"

独脚人脸色变得更惨，突然跺了跺脚，短杖脱手飞出，打落了柳枝上的灯笼。

四下立刻又恢复一片黑暗。

独脚人的人影一闪，已消失在黑暗中。

郭大路反而有点奇怪了："做和尚又不是什么见不得人的事，就算被人看出了，也没什么了不起，他为什么偏偏要如此惊慌，甚至比被人认出他是个被通缉的逃犯还紧张？"

郭大路实在想不通。

但现在他自己的麻烦已经够多，哪里还有工夫去想别人的事。

前面既然已没有人挡路，他就继续往前走。

走着走着，忽然看到前面有个地方，奇迹般亮起了一片灯光。

灯光明亮，照出了一栋小小的庙宇。

龙王庙终于到了。

龙王庙虽然到了，但却是谁在庙里点起灯来的呢？

他为什么要忽然在庙里点起这么多盏灯？

驼背老人、独脚和尚，再加上那麻子，这三个人不但做的事诡秘离奇，来历也神秘难测。

看他们的武功行径，当然一定是江湖中一等一的高手。

但却偏偏没有人听说过他们，他们本身也好像根本就没有名姓。

庙里竟燃着七盏灯，但却没有一个人。

这人既然点起了灯，既然要郭大路找到这里来，他自己为什么又走了呢？

郭大路东张张，西望望，就好像是个游客似的，轻松极了。

其实他心里又何尝不紧张？

那麻子这么样做，当然不会是跟他闹着玩。

谁也不会费这么多心机，花这么大本钱，专跟一个人开玩笑。

现在郭大路只等着他暴露出自己的身份，说出自己的目的来。

那一刻必定很凶险，很可怕。

说不定那就是决定郭大路生存死亡的一刹那间。

等待本就是件很痛苦的事，何况他根本就不知道自己在等的是什么。

郭大路刚叹了口气，神案上的一盏灯突然灭了。

这里并没有风，一盏燃得正好的灯，怎么会无缘无故熄灭？

郭大路皱了皱眉，走过去仔细看了半天，才发现这盏灯突然熄灭，只不过是因为灯里的油已枯了。

灯虽是自己熄的，但神案下却好像有样东西在不停地动，不停地抖。

郭大路立刻后退三步，沉声道："什么人？"

没有回应，但神案下的那样东西，却抖得更厉害。抖得覆案的神幔都起了一阵阵波纹。

郭大路突然冲过去，一把掀起了神幔。

他自己也怔住。

在如此深夜，如此荒僻的地方——

在这阴森诡秘的龙王庙里，陈旧残破的神案下，竟有个十六七岁、美如春花的小姑娘。

为了要到这里来，郭大路也不知遇着多少奇奇怪怪的人、奇奇怪怪的事，甚至几乎可以说是冒了生命的危险。

这神案下藏着的，无论是多凶险的埋伏，多可怕的敌人，他都不会觉得奇怪。

可是他做梦也想不到，他遇见的竟只不过是这么样一个小姑娘。

她看起来是那么娇小，那么可怜，身上穿的衣服又单薄得很。

她全身抖个不停，也不知道是因为冷，还是因为害怕。

看见郭大路，她抖得更厉害，双手抱住了胸，全身都缩成了一团，美丽的眼睛里充满了惊惧和乞怜之意，好容易才断断续续地说出了几个字："求求你，饶了我吧……"

郭大路却还是怔在那里，也过了很久，才能说得出话来。

"你是什么人，怎么会到这种地方来的？"

小姑娘嘴唇发白，颤声说道："求求你……饶了我吧……"

她显然已被吓得连魂都飞了，除了这两句话之外，已不会说别的。

郭大路叹了口气，道："你用不着求我，我可不是来害你的。"

小姑娘瞪着他，过了很久，才渐渐回过神来，道："你……你难道不是那个人？"

郭大路道："那个什么人？"

小姑娘道："把我绑到这里来的人。"

郭大路苦笑道："当然不是。你难道连绑你到这里来的人是谁都不知道？"

小姑娘咬着嘴唇，道："我……我根本就没有看见他。"

郭大路道："那么你是怎么来的呢？"

小姑娘眼圈已红了，好像随时可能哭出来。

郭大路赶紧道："我早就说过，我绝不伤害你，所以，现在你已用不着害怕，有话慢慢说也没关系。"

他不安慰她反而好，这么样一安慰她，这小姑娘反倒掩住脸，失声痛哭了起来。

郭大路又不知该如何是好了。

要叫一个十六七岁的小姑娘大哭一场，无论什么样的男人都可以做得到。

但要叫她不哭，就得要有经验很丰富的男人才行了。

在这方面，郭大路的经验并不丰富。

所以他只有在旁边看着。

也不知过了多久，这姑娘才总算抽抽搭搭地停住了哭声。

郭大路这才松了口气，柔声道："难道你连自己是怎么来的都不知道？"

小姑娘还是用手蒙着脸，道："我本来已睡着了，后来突然醒来时，已经在这地方。"

郭大路道："你醒过来的时候，这里难道没有别的人？"

小姑娘道："非但没有人，而且连一点点灯光都没有。"

郭大路道："这些灯难道是你点起来的？"

小姑娘道："这里又黑又冷，我实在怕得要命，幸好总算在桌上摸到了块火石……"

神案的灯旁边，果然有副火石火刀。

郭大路道："所以你就将这里的灯全都点着了？"

小姑娘点点头。

郭大路总算明白了一件事情，但却又忍不住问道："刚才这里既然没有人，你为什么不趁机逃走呢？"

小姑娘道："我本来是想逃走的，可是一出了门，外面更黑更冷，我……我连一步都不敢往外走了。"

直到现在，她身子还在轻轻地发抖，但说话总算已清楚了些。

一个足不出户的闺女，醒来时忽然发现自己在破庙里，居然还没有吓得发疯，已经是奇迹了。

郭大路看着她，目中充满了怜惜之意。

她的手虽然还是蒙着脸，却也已在指缝里偷偷地看着郭大路。

郭大路看来的确不像是个坏人的样子——非但不像，也的确不是。

他本来想扶她从桌子下站起来的，但刚伸出手，又立刻缩了回去。

她模样虽然长得娇弱，但却已发育得很成熟。

她身上穿的衣服单薄得可怜。

她的手既已在蒙住脸，就不能再去掩住别的地方。

灯光还是很明亮。

郭大路非但不敢伸出手，连看都不敢再看了。

就在这时，另一盏灯也熄灭。

第三盏灯熄得更快，这些灯里的油，仿佛本就已全都将燃尽。

忽然间，七盏灯全都灭了。

那小姑娘"嘤咛"一声，已惊呼着扑入了郭大路的怀里。

黑暗中，郭大路骤然间软玉温香抱了个满怀，心跳立刻就加快了两倍。

他立刻警告自己："你是人，不是畜生，你千万不可趁人之危，千万不能做这种事。"

"非但不能做，连想都不能想，否则你非但对不起自己的良心，也对不起燕七。"

他心里在警戒自己，一心想要控制自己，可是一个人身上有很多地方，都是不受自己控制的。

第一个地方，就是他的鼻子。

处女的幽香、发泽间的甜香，一阵阵随着呼吸，钻入他的心。

再加上怀抱间那种温暖柔软的感觉。

再加上这要命的黑暗。

"不欺暗室"，这句话说来虽简单，只有体验过这种情况的人，才能知道那是多么不容易。

郭大路不是圣人，也不是神，若说他在此时此刻，还能不分心，那就是骗人的。

可是却有一股更强大的力量，使得他居然能控制住自己。

这力量既不是礼教，也不是别的，而是他对燕七那种深挚醇厚的感情。

他并没有推开这小姑娘。

他不忍。

这小姑娘蜷伏在他怀里，就像是一只受了无数折磨和惊吓的小鸽子，终在满天风雨中，找到一个可以安全栖息的地方。

郭大路轻轻揽住她的肩，柔声道："你用不着害怕，我送你回去。"

小姑娘道："真的？"

郭大路道："当然是真的，而且现在就可以送你回去。"

小姑娘道："可是……你三更半夜到这里来，一定有很重要的事，你怎么能放下自己的事，送我回去呢？"

郭大路暗中叹了口气。

他能到达这地方，实在不容易，要他就这样一走了之，他实在不甘心。

那麻子说不定随时会来的，他说不定随时都能得到燕七的消息。

但现在他已无选择的余地。

一个男子汉活在世上，非但要“有所不为”，还得要“有所必为”，其间的选择当然很难，那非但要有勇气，还得要有仁心。

他又拍了拍这小姑娘的肩，道：“现在天已经快亮了，你父母若发现你失踪，一定会很着急；别的人若知道你一夜没回去，更不知会有多少闲话。现在你年纪还小，也许还不知道闲话有多么可怕，可是我知道。”

那些闲话有时非但可以毁掉一个人的名誉，甚至会毁掉她的一生。

想到这里，郭大路更下定决心，断然道：“所以我现在非送你回去不可。”

小姑娘忽然紧紧抱住了他，过了很久，才柔声道：“你真是个好人，我从来也没有见过你这么好的人。”

“我的家就在前面那条巷子里，右边的第三家，前面种着棵柳树的那扇门。”

巷子里很安静。

东方刚刚现出曙色，照着青石板上的露水。

郭大路轻轻道：“他们一定还没有发现你失踪，你能不能溜得进去，不让他们知道？”

小姑娘点点头，道：“我可以从后门进去，我住的屋子就在那边。”

郭大路道：“你最好换间屋子睡，最好找个年纪大的老妈子陪你。”

他想了想，补充着道：“这两天晚上，我会随时在这附近来看看的，说不定我还可以替你查出来，谁是那绑走你的人。”

东方的曙色，照着他的脸，照着他脸上的汗珠，就仿佛露珠般晶莹明亮。

他脸上也仿佛在发着光。

小姑娘仰着脸，凝视着他，忽然道：“你为什么不问问我叫什么名字？难道你永远不想再来看我了吗？”

郭大路勉强笑了笑，柔声道：“我是个浪子，又是个很随便的人，若是跟你来往，也一定会有别人在背地说闲话的。”

小姑娘道：“我不怕。”

郭大路道：“可是我怕。”

小姑娘眨着眼，道："你怕什么？"

郭大路没有回答，又拍了拍她的肩，道："以后你就会知道我怕的是什么了，现在你赶紧乖乖地回房去，好好睡一觉，最好能将这件事完全忘掉。"

小姑娘垂下头，过了很久，才轻轻道："你走出这条巷子，最好向右转。"

郭大路道："为什么？"

小姑娘也没有回答他这句话，忽然抬起头，嫣然一笑，道："你真是个好人，好人是永远不会寂寞的。"

晨雾已升起。

初夏的清晨，风中还带着些寒意。

但郭大路心里却是温暖的。

因为他知道自己并没有亏负别人，没有亏负那些对他好的朋友，也没有亏负自己。

无论谁能做到这一点，都已很不容易。

他仰起头，伸了个懒腰，长长吐出口气。

"这一天真长。"

在这一天里发生的事，几乎每一件都是完全出乎他意料之外的。

那个神秘的麻子，那个突然在黑色中消失的驼背老人，那个武功极高、来历诡秘的独脚和尚，还有这可怜又可爱的小姑娘。

这些人的出现，也全都出乎他意外。

他也遭遇了很多危险，受了很多气，还是连一点燕七的消息也没有得到。

可是他已有了收获。

他做的事虽然并不希望别人报答，但却已使自己心里温暖愉快。

好人永不会寂寞，行善的人也是有福的。

"你出了这条巷子，最好向右转。"

郭大路并不知道这是为了什么，但他却还是向右面转了过去。

他立刻发现一件很奇怪的事。

第四十四章

秘屋奇人

01

凌晨。

晨雾刚刚从鹅卵石铺成的道路上升起，路很窄。

郭大路转过右边这条巷子，就看到一扇很熟悉的门户。

那意思就是说，他曾到这扇门里去过。

可是在这城市里，他几乎连一个熟人都没有，更没有一户熟悉的人家。

他立刻就想起，这扇门就是白天他追踪那麻子时，曾经闯进去过的那扇门。

现在里面已没有灯光。

那面黄肌瘦的丈夫，是不是又正在做那些使他面黄肌瘦的事？

郭大路本来就想晚上到这里来搜查的，看看那麻子会不会在这里出现。

但现在他却已改变主意。

他再往前走，又向右转。

这条巷子的路上，铺着很整齐的青石板，看起来远比别的巷子干净整齐。

现在已是凌晨，巷子里居然还有几盏灯是亮着的。

他看到其中两盏灯笼上的字，眼睛立刻亮了起来。

“留香院”。

那位梅兰姑娘的香巢，原来就在这条巷子里。

只可惜现在已不是寻芳的时候，梅兰姑娘的玉臂，说不定已成了别人的枕头。

郭大路纵然是个登徒子，现在也不能去煞别人的风景。

可是他心里，却似已有了种很特殊的感觉，就仿佛诗人在觅得一句佳句前的那种感觉一样。

他走得更快，再向右转。

这里已是大街，他沿着街走了十几步，就看到了那间粮食坊，也看到了斜对面会宾楼的金字招牌。

街道旁有几个石墩子，郭大路在上面坐了下来，沉思着。

小姑娘住的那排房子，假如是第一排。

那夫妇住的房子就是第二排。

留香院的那排房子，算是第三排。

粮食坊这排屋子，当然就是第四排。

这四排屋子里，都有一户人家，和那麻子是有关系的。

——若不是那麻子要他到龙王庙去，他怎会遇见那小姑娘？

——这究竟是巧合？还是故意的安排？

——那小姑娘为什么要他走出巷子后，最好向右转呢？

——是不是因为她知道某些秘密，却不便说出来，所以才如此暗示他？

——她知道的秘密是什么？

——她是不是故意躲在那神案下，故意要郭大路发现的？

——这一切难道都是那麻子早就安排好的？

——他这么样做，究竟是什么用意？

郭大路站起来，又沿着原来的路，重走了一次。

这四排房子，正是个不等边的四角形。

无论什么城市的街道，前面的一排房子，必定是紧贴着后面一排房子的。

但第一排房子和第三排房子之间，却有段很宽的距离。

第二排房子和第四排也一样。

所以这四排房子的中间，想必一定有块空地。

郭大路的心突然跳了起来。

"这四排屋子故意建筑成这样子，是不是有某种特殊的原因？"

要找出这答案来，只有一种法子。

郭大路纵身掠上了粮食坊的屋脊。

粮食坊前面一栋房子，是柜台门面，后面还有个院子。

院子两旁的厢房，好像是住人的，后面的一栋，就是堆粮食的仓房。

再后面就应该没有别的屋子了。

郭大路现在已到了后面一栋堆粮食的仓房屋脊上，立刻看到这四排房屋中间，果然还有一栋屋子。

这四排房屋就像是四面墙，将这栋屋子围在中间，所以这栋屋子既没有出路，也没有大门。

天下哪有人将屋子盖在这种地方的？

掠过这栋屋子的屋脊，就是那对夫妇住的地方，也就是第二排屋子。

若是不特别留意，无论谁都会以为这栋屋子也和别的屋子连一起的，就算有夜行人从屋脊上经过，也绝不会发现这栋房子的奇怪之处。

但现在郭大路已发现了。

——这屋子的主人，莫非就是那麻子？

——他将屋子建筑在这种地方，当然费了很大的力，花了很大的代价，为的是什么呢？

——莫非他也和那独脚和尚一样，有什么不可告人的隐私？抑或是为了逃避某个极厉害的仇家追踪，所以才要建筑这么样一栋房子躲起来？

——这房子的确比郭大路所看过的任何地方都隐秘，可是他为什么又要在有意无意间，让郭大路发现这秘密呢？

——若是他自己没有露出线索，郭大路是绝对找不到这地方的。

郭大路想来想去，愈想愈觉得这件事不但诡秘已极，而且复杂已极。

要找出这些问题的答案，也只有一种法子。

他跳了下去。

粮食坊的仓房，在这栋房子之间，还有道墙，墙内是条长而狭的花圃。

现在春花还未凋，在晨雾中散发着清香。

再过去就是条长廊，晨曦正照在洗得一尘不染的地板上。

四下静悄悄的，听不到一点声音。

连风都吹不到这里。

红尘间所有的一切烦恼、恩怨、悲欢，也都已完全被隔绝。

只有一个已历尽沧桑、看透世情，已完全心如止水的人，才能住在这里，才配住在这里。

那麻子并不像是个这么样的人，难道是郭大路看错了？想错了？

他几乎忍不住要退回去了。

但就在这时，他看到一个人从长廊尽头处，悄悄地走出来。

一个春花般美丽的少女，穿着件雪白的袍子，不施脂粉，足上只穿着双白袜，没有着鞋，仿佛生怕脚步声会踩碎这令人忘俗的幽静。

她手里捧着个雨过天青的瓷皿，静悄悄地走过长廊。

若不是她忽然回过头，瞟了郭大路一眼，郭大路几乎已认不出她了。

这文静朴素的少女，赫然竟是白天打扮得像妖怪一样的梅兰姑娘。

她回头看了一眼，明明看见了郭大路，但却又像是什么都没有看见，又垂下头，静悄悄地往前走。

郭大路却已几乎忍不住要叫了出来。

但就连郭大路，也不敢在这种地方叫出声来，不忍扰乱这里的幽静。

他只有怔在那里，看着。

梅兰已悄悄地推开一扇门，悄悄地走了进去。

屋子里还是没有声音，没有动静。

这里明明是不容外人侵入的禁地，郭大路明明就站在这里，却偏偏没有人理睬，就好像根本没有他这么样一个人存在。

这屋子里住的究竟是什么人？他们对他究竟是什么意思？

郭大路怔了半天，忽然大步走过去，大步跨上了长廊。

屋里的无论是人是鬼，他好歹都得去看看。

可是他一脚刚跨上去，却又缩了回来。

他看到了自己脚上的泥。

这长廊亮得就像是一面镜子，就用这双泥脚踩上去，连他都有些不忍，又有点不好意思。

他脱下脚上的泥鞋，袜子总算还干净，虽然还有点臭气，也顾不了那么多了。

于是他走过去，推开了那扇门。

屋子里居然是空的，什么都没有，没有床，没有桌椅，没有一点摆设，也没有一点灰尘。

地上铺着很厚的草席，草席上铺着一套雪白的被褥，一个人躺在被褥里。

屋里充满了药香，这人显然得了重病。

郭大路并没有看见他的脸，因为正有个长发披肩的白衣少女，正跪在他旁边，慢慢地喂着他喝梅兰送来的那碗药。

郭大路也看不见这少女的脸，因为她也是背对着他的。

只有梅兰的脸向着他，而且明明看见他推开了门，但脸上却偏偏还是连一点表情也没有，就好像根本没有将他当作活人。

郭大路简直恨不得立刻冲过去，揪住她的头发，问问她眼睛是不是长在头顶上的。

但这屋子里实在太静，已静得好像个神殿似的，令人觉得有种不可冒渎的神圣庄严。

郭大路几乎又忍不住想退回去了。

他要找的人并不在这里，何况，这种气氛本就是他最受不了的。

谁知就在这时，那长发披肩的白衣少女，忽然沉声道："快进来，关上门，别让风吹进来。"

听她说话的口气，就好像早就知道郭大路会来，又好像将郭大路当作自己家里的人一样。

郭大路连心跳都已几乎停止。

这明明是燕七的声音。

难道这长发披肩的白衣少女就是燕七？

门已关上了。

郭大路木头人般站在那里，瞪大了眼睛，看着这白衣少女。

他只能看到她的背影。

她的背影瘦削苗条，乌黑的长发，云水般披散在双肩。

郭大路双手紧握，嘴里发干，心却又跳得像是要跳出了嗓子眼儿来。

他真想冲过去，扳住她的肩，让她回过脸来。

谁也想不到他有多渴望看看她的脸。

可是他却只能像木头人一样站着。

因为他不敢，不敢冒渎了这庄严神圣的地方，更不敢冒渎了她。

病人终于喝完了碗里的药，躺了下去。

郭大路总算看到了他的满头白发，却还是没有看见他的脸。

她跪在旁边，轻轻放下了碗，为他拉起了棉被，显得又亲切、又敬爱、又体贴。

郭大路若不是看到了他的满头白发，简直已忍不住要打破醋坛子了。

这老人究竟是谁？她为什么要对他如此体贴？

只听他轻轻地咳嗽着，过了半晌，忽然道："是不是他已经来了？"

白衣少女点点头。

这老人道："叫他过来。"

他的声音虽然苍老衰弱，但还是带着种说不出的慑人之力。

白衣少女终于慢慢地回过头。

郭大路终于看到了她的脸。

在这一刹那间，宇宙间的万事万物，似都已突然毁灭停顿。

在这一刹那间，宇宙间仿佛只剩下他们两个人，两双眼睛。

"燕七……燕七……"

郭大路在心里呼唤，热泪似已将夺眶而出。

他的呼唤没有声音，但她却似能听得见，也只有她才能听得见。

她眼睛里也已珠泪满盈。

历尽了千辛万苦，历尽了千万重折磨，千万重考验，他总算又见到了她。

那你怎么要他不流泪？你怎知他这眼泪是辛酸？还是欢喜？

可是他终于将眼泪忍住。除了她之外，他不愿任何人看到他流泪。

但他却无法忍耐住不去看她的脸。

这已不是昔日那带着三分佯嗔，又带着三分调皮的脸。

现在这张脸上剩下的已只有真情。

这也不是昔日那虽然很脏、却充满了健康欢愉之色的脸。

现在这张脸，是苍白的、憔悴的，美得令人的心都碎了。

显然她也经历过无数折磨，无数痛苦。

唯一没有变的，是她的眼睛。

她的眼睛还是那么明亮，那么坚强。

可是她为什么垂下头？难道她眼泪已忍不住流了下来？

老人又在轻轻地咳嗽着。

她终于悄悄擦干了眼泪，抬起头，向郭大路招了招手，道："你过来。"

郭大路眼睛还盯在她脸上，就像是受了某种魔法的催眠似的，一步步走了过去。

她又垂下了头，面颊上似已泛起红晕，晚霞般醉人。

以前她脸上也曾泛起这种红晕，但郭大路却并没有十分留意。

男人有时也会脸红的。

现在郭大路只恨不得重重给自己七八十个耳刮子。

他实在不明白自己为什么会这么笨，为什么居然没有看出她是个女人。

老人忽又叹息着，道："你再过来一点，让我看看你。"

郭大路没有听见。

现在除了她之外，什么人的话他都听不见。

燕七却咬着嘴唇，道："我爹爹的话，你听见了没有？"

郭大路怔了怔，道：“他……他老人家就是你的父亲？”

燕七点点头。

郭大路立刻走近了一点。

他可以不尊重任何人，可以听不见任何人说的话，但燕七的父亲，那当然是例外。

老人看到了他，他也看到了这老人。

他又怔住。

02

世上有很多种人，所以也有很多种脸。

有的脸长，有的脸圆，有的脸俊，有的脸明朗照人，有的脸却永远都像是别人欠他三万两银子没还似的。

郭大路看过很多人，看过很多种脸。

但他从未看过这么样一张！

严格说来，这已不能算是一个人的脸，而是个活骷髅。

长而方的脸上，已只剩下一张皮包着骨头，仿佛已完全没有血肉。

但刀疤的两旁，却偏偏还有血肉翻起。

最可怕的就是这刀疤！

两条刀疤在他脸上划成了个十字。左面的一条，从眼睛划过，再划过鼻子，直划到嘴角。

右边的一条自右颊划断鼻梁，直划到耳根。

所以这张脸上，已分辨不出鼻子的形状，只剩下一只眼睛。

眼睛半闭着。

刀疤早已收了口，也不知是多少年前留下来的，但刀疤两旁翻起的血肉，却仍然鲜血般殷红。

血红的十字刀疤，衬着他枯瘦苍白的脸，看起来就像是个正在燃烧着的、地狱中恶鬼的符号。

这老人根本就像是活在地狱中的。

郭大路连呼吸都似已将停顿。

他不忍，也不敢再看这张脸，却又不能逃避。

他脸上甚至不能露出丝毫厌恶恐惧的表情，因为这老人是燕七的父亲。

老人也正在半闭着眼，看着他，过了很久，才缓缓道：“你就是郭大路？”

郭大路道：“是的。”

老人道：“你是我女儿的好朋友？”

郭大路道：“是的。”

老人道：“你是不是觉得我的脸很难看，而且很可怕？”

郭大路沉默了半晌，终于道：“是的。”

老人也沉默了半晌，喉咙里忽然发出短促的笑声，道：“难怪我女儿说你是老实人，看来你果然是的。”

郭大路瞟了燕七一眼，燕七还是垂着头。

梅兰的脸上，也有了笑意。

郭大路也垂下头道：“有时我也并不太老实的。”

这也是句老实话。他忽然发觉在这老人面前说老实话，是种很好的方法。

老人果然微微颔首，道：“不错，不老实的人，休想到这里来；太老实的人，也休想找得到这里的。”

他忽又感慨地叹了口气，道：“你能到这里来，总算不容易……实在不容易。”

郭大路听在耳里，心里忽然觉得有些酸酸的。

燕七为什么要让他受这许多折磨？为什么要他如此苦苦找寻？

老人虽半闭着眼，却已似看到他心里，忽然道：“叫他们也进来吧。”

梅兰道：“是。”

她静悄悄地走过去，静悄悄地打开了另一扇门。

门外立刻有三个人静静地走了进来。

第一个人，就是那麻子。现在他也已换了件雪白的长袍，一进来就垂手站在屋角，显得既敬畏，又尊敬，就好像奴才看到了他的主子一样。

跟在他后面的，当然就是那驼子。

第三个人才是那独脚和尚。

三个人都穿着同样的白袍，对这老人的态度都同样尊敬。三个人都垂着头，看都没有看郭大路一眼。

老人道："你们想必是认得的。"

三个人同时点了点头。

郭大路却忍不住道："他们虽认得我，我却不认得他们。"

老人唏嘘着，道："现在的年轻人，认得他们的的确已不多了，但你也许还听过他们的名字。"

郭大路道："哦？"

老人道："你跟蓝昆是交过手的，难道还没有看出他武功来？"

郭大路道："蓝昆？"

老人道："蓝昆是他的俗号，自从他在少林出家后，别人就只知道他叫铁松了。"

原来这独脚和尚竟是少林门下！也只有少林的"风雷降魔杖"，才能有那种惊人的威力。

郭大路悚然动容，道："莫非他就是昔日一杖降十魔、独闯星宿海的'金罗汉'铁松大师？"

老人道："不错，就是他。"

郭大路说不出话来了。

这金罗汉正是他少年时，心目中崇拜的偶像之一，他七八岁时就已听说过这名字，后来又听说这人已物化仙去了，想不到竟隐居在这里。

老人道："天外游龙神驼子，这名字你想必也该听人说过。"

郭大路又怔住。

原来这驼子竟是昔年最负盛名的轻功高手，难怪他一回头，就已看不见这人的影子了。

老人道："天外游龙神驼子、千变万化智多星，这两人本是齐名的。"

郭大路吃惊地看着那麻子，失声道："难道他就是智多星袁大先生？”

老人道：“原来你也知道他。”

郭大路怔在那里，久久都吐不出气来。

这三人在二十年前，全都是江湖中声名显赫、不可一世的武林高手。

在江湖传说中，这三人已全都死了。

谁也想不到这三人竟全都躲在这里，而且还好像都已成了这病老人的奴仆下属。

想到这里，郭大路心里又一惊。

像金罗汉、神驼子这样的绝顶高人，都已做了这老人的奴仆，而且对他如此敬畏，如此尊敬。

这老人又是个什么样的人物呢？

郭大路实在想不出。

就算是昔日的少林方丈铁眉复生，金罗汉也不会对他如此敬畏。就算是昔日的天下第一名侠再生，神驼子和智多星也绝不会甘心做他的奴仆下人。

这老人又有什么力量，能使得这三个人对他如此服从尊敬？

老人缓缓道：“他们今天让你吃了不少苦，你心里是不是对他们很不满？”

郭大路想摇头，没有摇，苦笑道：“有一点。”

老人道：“他们这样做，你是不是觉得很奇怪？”

郭大路道：“也有一点……不止一点。”

老人道：“你千方百计找到这里来，为了什么？”

郭大路嗫嚅着，又瞟了燕七一眼，讷讷道：“来找她的。”

老人道：“为什么要找她？”

他说话好像永远都是在发问，而且问得咄咄逼人，丝毫不给别人转圜的余地。

郭大路垂下头，仿佛忸怩不安。

但这时燕七却忽然抬起头来，用一双明如秋水般的眼波，凝视着他。

郭大路心里立刻又充满了勇气和信心，抬起头，大声道：“因为我喜欢她，想永远跟她厮守在一起。”

这本是光明正大的事，他用这种光明磊落的态度，正显出了他的真诚坦率。

老人的声音却更严肃，一字字道：“你是不是想要她做妻子？”

郭大路毫不考虑道：“是。”

老人道：“永不反悔？”

郭大路道：“永不反悔。”

老人半闭着的一只眼，突然睁开，眼睛里射出闪电般的光。

郭大路从未看过如此逼人、如此可怕的眼睛，但他却没有逃避。因为他知道这是最重要的一刻，因为他心中坦然无愧。

老人逼视着他厉声道：“但你知不知道我是谁？”

郭大路摇摇头，这句话正是他憋在心里久已想问出来的。

老人道：“你看到了我脸上的十字剑伤，还不知道我是谁？”

郭大路心里突然一阵惊悸，整个人都几乎为之震动起来。

十字剑伤！疯狂十字剑！

唯一能在疯狂十字剑下逃生的人，就是南宫丑！

莫非这病重垂危的老人，才是真正的南宫丑！

郭大路只觉自己的头脑在晕眩。

他再也想不到，江湖中声名最狼藉的第一恶人南宫丑，竟是燕七的父亲。

难怪燕七能确定那黑衣人绝不是南宫丑。

自墙后刺入，穿入黑衣人心脏的那一剑，原来是燕七下的手。

她这样做，显然是痛恨这人假冒她父亲的名，所以她不惜杀了他，来保护自己父亲的名誉。难怪她从不肯吐露自己的身世，仿佛有很多难言之隐。

她始终不肯对郭大路说出自己是女儿身，只怕也是为了自惭家世，生怕郭大路知道了她的出身后，会改变对她的感情。

所以她一直要等到临死前才肯说出来。所以她要逃避。

这些想来仿佛永远无法解释的事，现在终于完全有了答案。但郭大路却几乎不能相信。

屋子里更静。

每个人的眼睛，都在逼视着郭大路，只有燕七又垂下了头。她似已不敢再看郭大路。

她生怕郭大路的回答，会伤透她的心。

也不知过了多久，老人才缓缓道："现在你已知道我是谁了？"

郭大路道："是。"

老人道："现在你若是改变主意，还来得及。"

郭大路道："现在已经来不及了。"

老人道："为什么？"

郭大路道："因为世上已没有任何事能改变我对她的感情，连我自己都不能。"

他声音是如此坚定，如此真诚。

他转头去看燕七的眼睛，燕七也已情不自禁，抬起头来，凝视着他。

她目中已又露出泪光，但却已是欢喜的泪，也是感激的泪。

连梅兰的眼睛都已有些潮湿。

老人却仍然以厉电般的目光在逼视着郭大路，道："你还是愿意娶她做妻子？"

郭大路道："是。"

老人道："你愿意做南宫丑女儿的丈夫？"

郭大路道："是。"

老人的目光忽然像寒冰在春水中融化了，喃喃道："好，你果然是个好孩子……燕儿果然没有看错你。"

他又慢慢地阖起眼帘，一字字道："现在我已可放心将她交给你，现在她已是你的妻子。"

第四十五章

前尘往事

01

洞房。

世上有多少个未成亲的少年，在幻想着花烛之夜，洞房里的旖旎风光？又有多少个已垂暮的老人，在回忆着那一天，洞房里的甜蜜和温暖？

幻想和回忆永远都是美丽的。

事实上，花烛之夜的洞房里，通常都没有回忆中那么温暖甜蜜，风光也远不如幻想中的那么绮丽。

有些自以为很聪明的人，时常都喜欢将洞房形容成一个坟墓，甚至还说洞房里发出的声音，有时就像是个屠宰场。

洞房当然也不是坟墓和屠宰场。

那么洞房究竟是什么样子呢？

洞房通常是间并不太温暖的屋子，到处都是红红绿绿的，到处都充满了油漆味道，再加上贺客们留下的酒臭，在里面耽上一两个时辰还能不吐的人，一定有个构造很特别的鼻子和胃。

洞房里当然有一男一女两个人，这两个人通常都不会太熟，所以也不会有很多话说。

所以外面就算吵翻了天，洞房里却通常都很冷静。

贺客们虽然在拼命地吃，拼命地喝，生怕捞不回本钱似的，但新郎和新娘通常都在饿着肚子。

这本来是他们的洞房花烛夜，但这一天却好像是为别人过的。

燕七蒙面的红巾已掀起，正垂着头，坐在床沿，看着自己的红绣鞋。

郭大路远远地坐在小圆桌旁的椅子上，似乎也在发怔。

她不敢看他，他也不敢看她。

假如喝了点酒，他也许会轻松些，妙的是他今天偏偏没有喝。

好像只要做新郎官的人一定要喝酒，马上就会有一些“好心人”过来拦住，抢着替他把酒喝了。

他们本来就是很好的朋友，本来每天都有很多话可说。

但一做了夫妻，就好像不再是朋友了。

两个人竟好像忽然变得很遥远，很生疏，很怕难为情。

所以谁也不好意思先开口。

郭大路本来以为自己可以应付得很好的，但一进了洞房，就忽然发觉自己就像是变成了一个呆子。

这种情况他实在不习惯。

他本来想走过去，坐到燕七身旁，但也不知为了什么，两条腿却偏偏在发软，连站都站不起来。

也不知过了多久，郭大路只觉得连脖子都有点发硬的时候——

燕七忽然道：“我要睡了。”

她竟自己说睡就睡，连鞋都不脱，就往床上一倒，拉起上面绣着鸳鸯戏水的红丝被，把自己身子紧紧地裹住。

她面朝着墙，身子蜷曲得就像是只虾米。

郭大路咬着嘴唇，看着她，目中渐渐有了笑意，忽然道：“今天你怎么没有要我出去？”

燕七不睬他，像是已睡着。

郭大路笑道：“有别人在你的屋子里，你不是睡不着的吗？”

燕七本来还是不想睬他的，却又偏偏忍不住道：“你少说几句，我就睡着了。”

郭大路眨着眼，悠悠道：“有我在屋里，你也睡得着？”

燕七咬着嘴唇，轻轻道：“你……你不是别人。”

郭大路道：“不是别人是什么人？”

燕七忽然“扑哧”一笑，道：“你是个大头鬼。”

郭大路忽又叹了口气，道：“奇怪奇怪，你怎么会嫁给我这大头鬼的？我记得你以前好像说过，就算天下的男人全都死光了，也不会嫁给我。”

燕七忽然翻过身，抓起了枕头，用力地向他摔了过来。

她的脸红得就像是个刚摘下来的熟苹果。

枕头又飞回来了，带着郭大路的人一起飞回来的。

燕七红着脸道：“你……你……你想干什么？”

郭大路道：“我想咬你一口。”

粉红色的绣帐，不知何时已垂下。

假如有人一定要说，洞房里的声音像屠宰场，那么这屠宰场一定是杀蚊子的。

他们说话的声音也像是蚊子叫。

郭大路好像在轻轻道：“奇怪，真奇怪。”

燕七道：“又奇怪什么？”

郭大路道：“你身上为什么一点也不臭？”

只听“叭”的一响，就好像有人在打蚊子，愈打愈轻，愈打愈轻……

02

天已经快亮了。

锦帐中刚刚才安静下来，又过了半天，就听到郭大路轻轻道：“你知道我现在在想什么？”

燕七道：“嗯。”

她的声音如燕子呢喃，谁也听不清她在说什么。

郭大路道：“我想起了很多很奇怪的事，但最想的，还是个烧得又红又烂的大蹄髈。”

燕七“扑哧”一笑，道：“你能不能说你是在想着我？”

郭大路道："不能。"

燕七道："不能？"

郭大路道："因为我怕把你一口吞下去。"

他叹息着，喃喃道："你这老婆我得来可真不容易，若是吞下去，岂非没有了？"

燕七道："没有了岂非正好再去找一个。"

郭大路道："找谁？"

燕七道："譬如说……酸梅汤。"

郭大路慢慢地道："不行，她太酸，而且她喜欢的是你。"

他忽又一笑，道："现在我才知道，那天你不要她，她为什么一点也不生气了……那天你想必已告诉她，你也跟她一样，是个女人。"

燕七道："我若是男人，我就要她了。"

郭大路道："你为什么一直不肯告诉我，你是个女人呢？"

燕七道："谁叫你是个瞎子，别人都看出来了，就是你看不出来。"

郭大路道："你要告诉我的就是这个秘密？"

燕七道："嗯。"

郭大路道："你为什么一定要等到我快死的时候，才肯告诉我？"

燕七道："因为……因为我怕你不要我……"

她的话还没有说完，嘴就像是已被件什么东西堵住了。

过了很久，她才轻轻地喘息着，道："我们好好地聊聊，不许你乱动。"

郭大路道："好，不动就不动。可是你为什么要怕我不要你？你难道不知道，就算用全世界的女人来换你一个，我也不换的。"

燕七道："真的？"

郭大路道："当然是真的。"

燕七道："若用那个水柔青来换呢？"

郭大路叹道："她的确是个很好的女孩子，而且很可怜，只可惜我心里早已经被你一个人占满了，再也容不下别的人。"

燕七"嘤咛"了一声。锦帐中忽然又沉默了很久，好像两个人的嘴又已被什么堵住。

又过了很久，郭大路才叹息着道："我知道你那么样做，是为了试试我，对你是不是忠心。"

燕七咬着嘴唇，道："你若肯在那里留下来，这一辈子就休想再看见我了。"

郭大路道："可是我已经到这里来了之后，你为什么还不让我来见你呢？"

燕七道："因为还有别的人也想试试你，看你是不是够聪明、够胆量，看你的心是不是够好，够不够资格做我爹爹的女婿。"

郭大路道："所以他们就看我是不是够聪明能找出这间屋子的秘密，是不是够胆到那龙王庙去。"

燕七道："在那龙王庙里，你若是敢动我那小表妹的坏主意，或是不肯先送她回来，你就算能找到这里，还是看不见我的。"

郭大路叹了口气，道："幸亏我是个又聪明，又有胆量的大好人……"

燕七笑了，抢着道："否则你又怎么能娶到我这么好的老婆呢？"

郭大路叹道："到现在我才发现我们真是天生的一对。"

燕七道："你现在才发现？"

郭大路笑道："因为我现在才发现，我们两个人的脸皮都够厚的。"

现在这屋子才真的像是个洞房了，甚至比你想象中的洞房还要甜蜜美丽。

他们够资格享受。

因为他们的情感受得住考验，他们能有这么样一天，可真是不容易。

钻石要经过琢磨，才能发得出光芒。

爱情和友谊也一样。

03

经不住考验的爱情和友谊，就像是纸做的花，既没有花的鲜艳和芬芳，也永远结不出果实。

树上已结出果实，春天虽已远去，但收获的季节却已快来了。

燕七坐在树下，摘下了头上的马连坡大草帽做扇子，喃喃道："好热的天气，王老大想必更懒得动了。"

郭大路目光遥视向远方，道："这些日子来，他和小林不知道在干什么。"

燕七道："你放心，他们绝不会寂寞的，尤其是小林。"

郭大路道："为什么？"

燕七嫣然一笑，道："你难道忘记了那个卖花的小姑娘？"

郭大路也笑了，立刻又听到了那清脆的歌声：

小小姑娘，清早起床，
提着花篮儿，上市场；
穿过大街，走过小巷，
卖花卖花，声声嚷……

歌声当然不是那卖花的小姑娘唱出来的，唱歌的是燕七。

她轻摇着草帽，曼声而歌，引得路上的人都扭转头，瞪大了眼睛来瞧她。

郭大路笑道："你莫要忘记你现在身上穿的是什么衣服。"

她身上穿的还是男人打扮，但歌声却清脆如黄莺出谷。

燕七却笑道："没关系，反正我就算不唱，别人也一样能看出我是个女人的。一个女人要扮得像男人，并不是件容易事。"

郭大路道："你以前呢？"

燕七道："以前不同。"

郭大路道："有什么不同？"

燕七笑道："以前我比较脏……很脏，大家都觉得女人总应该比男人干净。"

郭大路道："其实呢？"

燕七瞪了他一眼，道："其实女人本来就比男人干净。"

这条路，是回富贵山庄的路。

他们并没有忘记他们的朋友，他们要将自己的快乐让朋友分享。

"王老大和小林若知道我们……我们已经成为夫妻，一定也会很高兴的。"

"不知道小林会不会吃醋。"

说完了这句话他就开始跑，燕七就在后面追。

他们既没有乘车，也没有骑马，在路上笑着，跑着，追着，就像是两个孩子。

快乐岂非总是能令人变得年轻的？

跑累了，就在树荫里坐下来，买一个烙饼就当午饭吃。

就算是淡而无味的硬面饼，吃在他们嘴里，也是甜的。

郭大路居然已经有好几天没喝酒了，除了他们临走前的那天，南宫丑为自己的女儿和女婿饯行，非但他自己居然也破例喝了半杯，而且还一定要他们放量喝个痛快，所以他们全醉了。

燕七微笑道："我爹爹自己现在虽不能喝酒了，却很喜欢看别人喝。"

郭大路笑道："他以前的酒量一定也不错。"

燕七道："何止不错，十个郭大路也未必能喝得过他一个。"

郭大路道："哈。"

燕七道："哈是什么意思？"

郭大路道："哈的意思就是我非但不服气，而且不相信。"

燕七道："只可惜他现在老了，而且旧伤复发，已有多年躺在床上不能动，否则他不把你灌得满地乱爬才怪。"

提起了她父亲的病痛，她眼睛里也不禁露出了悲伤之色。

郭大路也轻轻叹息了一声，道："他实在是个很了不起的人，我想不到他会让我们走的。"

燕七道："为什么？"

郭大路道："因为……因为他实在太寂寞，若是换了别人，一定会要我们陪着他。"

燕七道："可是他不同，他从不愿为了自己让别人痛苦，无论多么难以忍受的事，他都宁可一个人独自忍受。"

她眼睛里又发出了光，显然因自己有这么样一个父亲而骄傲。

郭大路叹道："说老实话，我从来也没有想到他是个这样子的人。"

燕七道："从前你以为他是什么样的人？"

郭大路讷讷道："你知道，江湖中的传说，将他说得多么可怕。"

燕七道："现在呢？"

郭大路叹息着，道："现在我才知道，江湖中的那些传说才真正可怕，他居然能忍受了这么多年，就凭这一点，已不是别人能比得上的了。"

燕七黯然道："这也许只因为他已没法不忍受。"

郭大路道："幸好他还有朋友，我看到神驼子他们对他的忠实和友情，总忍不住要替他觉得欢喜感动。"

燕七沉默了半晌，忽然道："你知不知道他们以前是想怎么对付他的？"

郭大路摇摇头。

燕七道："他们以前也是一心想要来杀他的，可是后来，经过了几次生死缠斗之后，他们才发现他并不是传说中那样的人，也被他的人格所感动，所以才成了他的朋友。"

她笑了笑，笑得很凄凉，又有些得意，接着道："为了他，金罗汉甚至不惜背叛了少林，不惜做一个终生再也见不得天日的叛徒。"

郭大路道："人岂非也就因为有这种伟大的感情，所以才和畜生不同。"

燕七道："这种感情也唯有在生死患难之中，才能显得出它的伟大来。"

他们说的不错。

一个人也唯有在生死患难之中，才能显得出他的伟大来。

南宫丑能博得神驼子他们的友情，所付出的代价是何等惨痛，只怕也不是别人能想象得到的。

若不是在生死关头，宁愿牺牲自己来保全别人，别人又怎知他人格的伟大？又怎会为了他牺牲一切？

这其中，当然也有段令人惊心动魄、悲伤流泪的故事。

这故事已不必再提。

因为我们现在要说的，是令人欢乐的故事。

这世上悲伤的故事已够多。

已太多。

04

未到黄昏，已近黄昏。

日色虽已西沉，但碎石路上仍是热烘烘的，摸着烫手。

前面的树荫下，有个褴褛憔悴的妇人，手里牵着个孩子，背上也背着个孩子，正垂着头，伸出手站在那里向过路人乞讨。

郭大路立刻走过去，摸出块碎银子，摆在她手里。

他从未错过任何一个乞丐，纵然他已只剩下这块碎银，也会毫不考虑就施舍给别人。

燕七看着，温柔的目光中，带着赞许之色。

她显然也以自己有这样的丈夫而骄傲。

这妇人嘴里喃喃地说着感激的话，正想将银子揣在怀里，有意无意间抬起了头，看了郭大路一眼。

她苍白憔悴的脸上，立刻发生了种无法描述的可怕变化。

她那双无神而满布血丝的眼睛，也立刻死鱼般凸了出来，就好像有把刀突然插入了她的心脏。

郭大路本来还在微笑，但笑容也渐渐冻结，脸上也露出了惊骇的表情，失声道："是你？"

那妇人立刻用双手蒙住了脸，叫道："你走，我不认得你。"

郭大路的表情已由惊骇变为怜惜，长叹道："你怎会变成这样子的？”

妇人道：“那是我的事，和你没关系。”

她虽然想勉强控制住自己，但全身都已抖得像是风中的烛光。

郭大路目光垂向那两个发育不全、满脸鼻涕的孩子黯然问道：“这是你跟他生的么？他的人呢？”

妇人颤抖着，终于忍不住放声大哭起来，掩面痛哭道：“他骗了我，骗去了我的私房钱，又和别的女人跑了，却将这两个孽种留下来给我，我为什么这么苦命……为什么？”

没有人能替她解答，只有她自己。

她这种悲惨的遭遇，岂非正是她自己找来的。

郭大路叹息着，也不知该说什么。

燕七慢慢地走过来，无言地握住了他的手，让他知道，无论遇着什么事，她总是站在他这一边的，总是同样信任他。

女人所能给男人的，还有什么比这种信任和了解更能令男人感激？

郭大路犹疑着，道：“你已知道她是谁了？”

燕七点点头。

女人对自己所爱的男人，仿佛天生就有种奇妙敏锐的第六感。

她早已感觉出这妇人和她的丈夫之间，有种很不寻常的关系，再听了他们说的话，就更无疑问了。

这妇人显然就是以前欺骗了郭大路，将他抛弃了的那个女人。

郭大路长长叹息，道：“我实在没想到会在这里看见她，更没有想到她已变成这样子。”

燕七柔声道：“她既然是你的朋友，你就应该尽力帮助她。”

这妇人忽然停下哭声，抬起头，瞪着她，道：“你是什么人？”

燕七的目光柔和而平静，道：“我是他的妻子。”

这妇人脸上又起了种奇特的变化，转头瞪着郭大路，诧声道：“你已经成了亲？”

郭大路道：“是的。”

这妇人看了看他，又看了看燕七，目中突然露出了一种恶毒的嫉妒之色，忽然一把揪住了郭大路的衣襟，大声道：“你本来要娶我的，怎么能和别人成亲？”

郭大路动也不动，脸色已苍白如纸，这种情况他实在不知道应该怎么样应付。

燕七却将他的手握得更紧，凝视着这妇人道：“是你离开了他，不是他不要你，以前的事你自己也该记得的。”

妇人的目光更恶毒，狞笑着道：“我记得什么？我只记得他曾经告诉过我，他永远只喜欢我一个人，除了我之外，他绝不再娶别的女人。”

她又做出要流泪的样子，抽动着嘴角，大声道：“可是他却骗了我，骗了我这个苦命的女人，你们大家来评评理……”

路上已有人围了上来，带着轻蔑和憎恶之色，看着郭大路。

郭大路苍白的脸又已变得赤红，连汗珠子都已冒了出来。

但燕七的神色却还是很平静，缓缓道：“他并没有骗你，从来也没有骗过你，只可惜你已不是以前那个人了，你自己也该明白。”

这妇人大叫大跳，道：“我什么都不明白，我不想活了……我就是死也要跟这狠心的男人死在一起。”

她一头向郭大路撞了过去，赖在地上，再也不肯起来。

遇见了这种会撒泼使赖的女人，无论谁都无法可施的。

郭大路简直不知道该如何是好了，只恨不得找个地缝钻下去。

燕七沉吟着，忽然从身上拿出了条金链子，递到这妇人面前，道：“你认不认得这是什么？”

妇人瞪着眼，怔了半晌，才大声道：“我当然认得，这本来也是我的。”

燕七道：“所以我现在还给你，只不过希望你知道，为了保存这条金链子，他不惜挨饿挨骂，甚至不惜被朋友耻笑——他这是为了什么，你也该想得到的。”

妇人看着这条金链子，目中的怨毒之色渐渐变为羞愧。

她毕竟也是个人。

人，多多少少总有些人性的。

燕七道：“你换了这条金链子，已可好好地做点小生意，好好地养你的孩子。以后你一定还会遇着好男人的，只要你不再欺骗别人，别人也不会来欺骗你。”

妇人的身子又开始颤抖，转过头，去看她的孩子。

孩子脸上满是惊恐之色，瘪着嘴想哭，却又吓得连哭都不敢哭出声。

燕七柔声道："莫忘记你已是母亲，已应该替你的孩子想一想，他将来也会长大的，你应该让他觉得，因为有你这样一个母亲而骄傲。"

妇人颤抖着，突又伏在地上放声痛哭起来，痛哭着道："老天……老天，你为什么又要让我看见他……为什么？"

这问题也没有人能为她解答，只有她自己。

你栽下去的是什么样的种子，就一定会得到什么样的收获。

你栽下去的若是砂石，就永远莫要期望它能开出美丽的花朵。

黄昏。

夕阳已由绚烂而转为平静。

郭大路慢慢地走在道旁，心情显然也和他脸色同样沉重。

燕七没有说话，没有打扰他。

她知道每个人都有他需要一个人静一静的时候，这也正是一个做人妻子的女人，所最需要了解的。

也不知道过了多久，郭大路才沉声道："你什么时候将那金链子赎出来的？为什么不告诉我？"

燕七笑了笑，道："因为我根本就没有赎出来。"

郭大路道："你没有？"

燕七道："刚才我给她的金链子，根本不是你的那条。"

郭大路愕然道："不是？"

燕七微笑着道："那是梅兰姐妹私下里送给我的贺礼。"

郭大路道："那你为什么要拿出来，为什么要这样做？"

燕七笑道："因为我也是个女人，我对女人总比你了解得多。"

郭大路道："你是说她看到了这条金链子，就会想起我以前对她总算是不错，所以才肯放过我？"

燕七抿嘴笑道："金链子看起来都是差不多的，连你都已经分不清了，又何况她。"

她笑得很愉快。

因为这金链子只不过是个象征，象征着以前的那一段往事。

现在他们既已连这金链子都分不清了，显然已将昔日的情感和怨恨全都淡忘。

无论多大方的女人，都不愿自己的丈夫还将往事藏在心里的。

郭大路道："可是她看到我的时候，就应该已经想起以前……"

燕七打断了他的话，道："她那样子对你，并不是为以前的事，而是因为嫉妒。"

郭大路道："嫉妒？"

燕七道："也不是嫉妒你，是嫉妒我。看看她自己的日子，再看看我们，她更悔恨自己以前为什么要那样做。"

她叹了口气，接着道："一个人对自己悔恨的时候，往往就会莫名其妙地对别人也怀恨起来，恨不得全世界的人都和她一样痛苦。"

郭大路叹道："所以她就想破坏我们。"

燕七道："她恨你，只不过因为她知道自己已永远无法再得到你了。"

郭大路道："可是她看到了那条金链子时，为什么忽然又变了呢？"

燕七道："因为金链子和你不同。"

她嫣然一笑，接着道："金链子不但比你好看，而且她知道自己一定可以得到。"

郭大路道："那是不是因为金链子已经在她的手里了？"

燕七笑道："答对了！"

世上的确只有女人才了解女人。

女人一向只相信自己已拿在手里的东西，就算她明知还有一百条金链子可以去拿，她也绝不肯用手里这一条去换的。

也没有几个女人肯将自己的金链子，送给她丈夫以前的情人。

只有最聪明的女人才会这样做。

她只用一条金链子，已换取了她丈夫对她的信任和感激，也换来了她自己的一生幸福。

郭大路凝视着他的妻子，情不自禁，握住了她的手，柔声道：“谢谢你。”

燕七眨着眼，笑道：“谢谢我？……谢谢我那条金链子？”

郭大路摇摇头道：“你应该知道我谢的是什么。”

燕七的确知道。

他感激的当然不是一条金链子，而是她的了解和体谅。

那远比世上所有的金链子加起来还要珍贵得多。

一个懂得了解和体谅的妻子，永远是男人最大的幸福和财富。

也永远只有最幸运的男人才能得到。

第四十六章

情人？仇人？

01

世上是不是真有天生幸运的人呢？

也许有，但至少我并没有看见过。

我当然也看见过幸运的人，但他们的幸运，却都是用他们的智慧、决心和勇气换来的。

幸运就像是烙饼一样，要用力去揉，用油去煎，用火去烤，绝不会从天上掉下来。

幸运的人就像是新娘子一样，无论走到哪里，都一定会被人多瞧几眼。

无论多平凡的人，一旦做了新娘子，就好像忽然变得特别了。

王动、林太平、红娘子三个人站作一排，盯着燕七，从头看到脚，又从脚看到脸。

燕七的脸已被看得像是刚摘下的山里红，红得发烫，忍不住垂下头，道："你们又不是不认得我，盯着我看什么？"

红娘子嫣然道："因为你实在已比以前好看三千六百倍。"

燕七的脸更红，道："但我还是我，连一点都没有变。"

王动道："你变了。"

燕七道："什么地方变了？"

林太平抢着道："以前你是我的朋友，现在却已变成我的嫂子；以前你是燕七，现在却已经变成了郭太太。这变得还不够多？"

燕七咬着嘴唇，道："我还是燕七，还是你们的朋友。"

红娘子吃吃笑道："但这个燕七至少已比以前干净多了。"

郭大路忍不住插口道："答对了，她现在每天都洗澡。"

他的话刚说完，红娘子已笑弯了腰。

燕七狠狠瞪了他一眼，红着脸道："你少说几句话行不行？又没有人当你是哑巴。"

红娘子失笑道："若能少说几句话，就不是郭大路了。"

郭大路干咳了两声，挺起胸，道："其实我现在也变了，你们为什么不看我？"

王动皱着眉，道："你什么地方变了？我怎么看不出？"

郭大路道："我难道没有变得好看些？"

王动上上下下看了他几眼，摇着头，道："我看不出。"

郭大路道："至少我总也变得干净了些。"

红娘子忍住笑道："现在你也天天洗澡？"

郭大路道："当然，我……"

这次，他的话还未说出口，红娘子已又笑得弯下了腰。

燕七赶紧打岔，大声道："这地方怎么好像少了一个人？"

林太平抢着道："谁？"

燕七眨着眼，笑道："当然是那个清早起床，就提着花篮上市场的小姑娘。"

红娘子笑道："这个人当然少不了的。"

燕七道："她的人呢？"

红娘子道："又上市场去了，但却不是提着花篮，是提着菜篮——因为我们的林大少忽然想吃新上市的菠菜炒豆腐。"

燕七也忍住笑，叹了口气，道："想不到她小小的年纪，就已经这么样懂得温柔体贴。"

红娘子道："天生温柔体贴的人，无论年纪大小，都一样温柔体贴的。"

她用眼角瞟着林太平，又道："那就好像天生有福气的人一样，你说是不是？"

林太平的脸也红了，忽然大声道："你们少说几句行不行，我也不会当你们是哑巴的。"

郭大路悠悠道：“不行，若能少说几句话，就不是女人了。”

王动道：“答对了。”

晚霞满天。

暮风中又传来悠扬清脆的歌声：

> 小小姑娘，清早起床，
> 提着花篮儿，上市场……

燕七和红娘子对望了一眼，忍不住笑道：“小小姑娘已经从市场回来了。”

红娘子笑道：“而且，她的花篮里还装满了青菜豆腐。”

只听一个银铃般清脆的声音笑道：“不止菠菜豆腐，还有酒。”

小小姑娘果然已回来了，挽着个竹篮子，站在门口，右手果然还提着一大坛酒。

她好像已没有以前那么害羞，只不过脸上还是有点发红。

王动道：“酒？什么酒？”

小小姑娘嫣然道：“当然是喜酒，我在山下看到他们两位亲热的样子，就知道应该去买些喜酒回来了。”

燕七眨着眼，道：“是谁的喜酒？是我们的？还是你们的？”

小小姑娘“嘤咛”一声，红着脸跑了，沿着墙角跑到后院。

燕七和红娘子都笑得弯下了腰。

林太平忽然叹了口气，喃喃道：“我真不懂，为什么你们总喜欢欺负老实人？”

王动道：“因为老实人已愈来愈少，再不欺负欺负，以后就没有机会了。”

这不是结论。

02

喜事里若没有酒，就好像菜里没有盐一样。

这句话当然是个很聪明的人说的，只可惜他忘了说下面的一句：

肚子里若有了酒，头就会疼的。

第二天早上起来，郭大路的头已疼得要命。

他当然已不是第一个起来的人——他刚刚发现睡觉有时也不能算是浪费光阴。

他起来的时候，林太平和那小小姑娘已经在院子里，嘀嘀咕咕，也不知在说些什么。

无论说什么，他们都一样觉得很有趣，很开心。

春天的花虽已谢了，但夏天里的花又盛开。

他们就站在花丛前，初升的阳光，照着他们幸福而愉快的脸。

他们也正和初升的太阳一样，充满了光明和希望。

郭大路看着他们，头疼就仿佛已好了些。

燕七悄悄地走了出来，依偎在他身旁，一只手挽着漆黑的长发，一只手挽着他的臂，目光中也充满了欢愉和幸福。

天地间，一片和平宁静，生命实在是值得人们珍惜的。

过了很久，燕七才轻轻道："你在想什么？"

郭大路道："我在想另外两个人。"

燕七道："谁？王动和……"

郭大路点点头，叹息着道："我在想，不知要等到哪一天，他们才会像这样子亲热。"

燕七凝视着她的丈夫，良久良久，才柔声道："你知道我为什么喜欢你？"

郭大路没有说话，在等着听。

他喜欢听。

燕七柔声道："因为你在你自己幸福的时候，还能想到朋友的幸福；因为你无论在什么时候，都不会忘记你的朋友。"

郭大路眨着眼，道："你错了，有时我也会忘记他们的。"

燕七道："什么时候？"

郭大路悄悄道："昨天晚上……"

他的话还未说出，燕七的脸已飞红，拿起他的手，狠狠咬了一口。

只听林太平笑道："想不到我们的郭大嫂居然还会咬人的。"

他们两个人不知何时已转过身子，正在看着这两个人微笑。

郭大路笑道："这你就不懂了，没有被女人咬过的男人，根本就不能算作男人。"

林太平道："这是哪一国的道理？"

郭大路道："我这一国的，但你说不定很快也会到我这一国来了。"

小小姑娘的脸也飞红，垂下头道："我去准备早点去……"

郭大路大笑，道："多准备一点，也好塞住我们的嘴。"

现在正是早饭的时候。

湛蓝色的苍穹下，乳白色的炊烟四起。

郭大路抬起头，喃喃道："这地方怎么忽然热闹起来了，是不是又搬来了很多户人家？"

林太平道："没有呀！"

郭大路望着自山坡上升起的炊烟，道："若没有人家，哪来的炊烟？"

林太平回头看了一眼，面上也露出惊异之色，道："若有人家，也是昨天晚上才搬来的。"

郭大路道："昨天还没有？"

林太平也在望着炊烟升起的地方，道："昨天下午我还到那边去逛过，连一家人都没有。"

燕七沉吟着，道："就算昨天晚上有人搬来，也不会忽然一下子搬来这么多家。"

林太平道："何况，这附近根本连住人的地方都没有。"

燕七道："只不过露天下也可以起火的。"

郭大路道："为什么忽然有这么多人到这里来起火呢？难道真闲得

没事做了？”

只听一人缓缓道：“你们在这里猜，猜到明年也猜不出结果来的，为什么不自己出去看看？”

王动正施施然从门外走了进来，脸上还是什么表情都没有。

郭大路第一个迎上去，抢着问道：“你已经出去看过了？”

王动道：“嗯。”

郭大路道：“烟是从哪里来的？”

王动道：“火。”

郭大路道：“谁起的火？”

王动道：“人。”

郭大路道：“什么样的人？”

王动道：“有两条腿的人。”

郭大路叹了口气，苦笑道：“看来我这样问下去，问到明年也一样问不出结果来的，还是自己出去看看的好。”

王动道：“你早该出去看看了。”

富贵山庄的后面就是山脊，根本就无法可通，前面的山坡上，竟在一夜间搭起了八座巨大的帐篷。

帐篷的形式很奇特，有几分像是关外牧民用的蒙古包，又有几分像是行军驻扎用的营帐。

每座帐篷前，都起了一堆火。

火上烤着整只的肥羊，用铁条穿着，慢慢地转动。

一个精赤着上身的大汉，正将已调好的作料，用刷子刷在羊身上，动作轻柔而仔细，就像是个母亲在为她第一个婴儿洗澡一样。

烤肉的香气，当然比花香更浓。

早餐的桌子上也有肉。

他们刚从外面转了一圈回来，本该都已经很饿。

但除了郭大路外，别人却好像都没有什么胃口。

每个人心里都有数，那些帐篷当然不会是无缘无故搭在这里的。

这些人既然能在一夜间不声不响地搭起八座如此巨大的帐篷来，

世上只怕就很少还有他们做不到的事了。

燕七终于长长叹了口气，道：“看来我们又有麻烦来了。”

红娘子目中也充满了忧郁之色，道：“而且这次的麻烦还不小。”

燕七道：“却不知这次的麻烦是谁惹来的？”

郭大路立刻道：“这次绝不是我。”

燕七道：“哦？”

郭大路道：“我还惹不起这么大的麻烦来。”

他忽又笑了笑，道：“我这人一向是小麻烦不断，大麻烦没有。”

燕七道：“你怎么知道这次麻烦是大是小？”

郭大路道：“若不是为了件很大的事，谁肯在别人门口搭起这么大的八座帐篷来？”

燕七道：“但直到现在为止，我们还看不出有什么麻烦。”

郭大路道：“你看不出？”

燕七道：“人家只不过是在外面的空地上搭了几座帐篷，烤自己的肉，又没有来惹我们。”

郭大路道：“你看没有麻烦？”

燕七道：“嗯。”

郭大路道：“刚才是谁说又有麻烦来了的？”

燕七道：“我。”

郭大路道：“你怎么忽然又改变了主意？”

燕七嫣然一笑，道：“因为这地方太闷了，我想跟你抬抬杠。”

郭大路道：“我若说没有麻烦呢？”

燕七道：“我就说有。”

郭大路叹了口气，苦笑道：“看样子我想不跟你抬杠都不行。”

燕七笑道：“答对了。”

一个女人若想找她的丈夫抬杠，每一刻中都可以找得出八千次机会来。

但抬杠有时也不是坏事，那至少可以让看他们抬杠的人心情轻松些。

所以他们一抬杠，别的人都笑了。

红娘子笑道："不管怎么样，至少人家现在还没有找上我们，我们又何必自找烦恼？"

只可惜现在已用不着他们去找，烦恼已经进了他们的门了。

门外已有个人慢慢地走了进来。

这人很高、很瘦，身上穿着件颜色很奇特的长衫，竟是惨碧色的。

他脸色也阴沉得像是衣裳一样，一双眼睛却暗淡无光，像是两个没有底的黑洞，连眼白和眼珠子都分不出，竟是个瞎子。

但他的脚步却很轻，就好像在脚底下生了双眼睛，既不会踩着石头，更不会掉进洞。

他背负着双手，慢慢地走了进来，脸色虽阴沉，神态却很悠闲。

郭大路忍不住，问道："阁下是不是来找人的？找谁？"

碧衫人好像根本没听见。

郭大路皱着眉，道："难道这人不但是个瞎子，还是个聋子？"

墙角下的花圃里，夏季的花开得正艳。

这碧衫人沿着花圃走过去，又走了回来，深深地呼吸着。

他虽已无法用眼睛来欣赏花的鲜艳，却还能用鼻子来领略花的芬芳。

也许他能领略的，有眼睛的人反而领略不到。

他沿着花圃，来回走了两遍，一句话没说，又慢慢地走了出去。

郭大路松了口气，道："看来这人也并不是来找麻烦的，只不过到这里来闻闻花香而已。"

燕七道："他怎么知道这里有花？"

郭大路道："他鼻子当然比我们灵得多。"

燕七道："但他是从哪里来的呢？"

郭大路笑道："我又不认得他，我怎么知道？"

王动忽然道："我知道。"

郭大路道："你知道？"

王动点点头。

郭大路道："你说他是从哪里来的？"

王动道："从帐篷里。"

郭大路道：“你怎么知道？”

王动的脸色仿佛很沉重，缓缓道：“因为别的人现在根本已不可能走到这里来，我们也没法子走到别的地方去了。”

郭大路道：“为什么？”

王动道：“因为那八座帐篷已将所有的通路全都封死。”

郭大路动容道：“你是说他们在外面搭起那八座帐篷，为的就是不让别的人到这里来，也不让这里的人出去？”

王动不再开口，眼睛盯着外面的花圃，神情却更沉重。

郭大路忍不住也跟着他回头瞧了一眼，脸色也立刻变了。

本来开得正好的鲜花，就在这片刻之间，竟已全都枯萎。

嫣红的花瓣竟已赫然变成乌黑色的，有风吹时，就一瓣瓣落了下来。

郭大路失声道：“这是怎么回事？是不是刚才那个人放的毒？”

王动道：“哼。”

郭大路道：“难道这人是条毒蛇，只要他走过的地方，连花草都会被毒死？”

王动道：“只怕连毒蛇也没有他毒。”

燕七道：“不错，我本来以为那无孔不入赤链蛇已是天下使毒的第一高手，可是他和这个人一比，好像还差了很多。”

郭大路道：“还差很多？”

这句话并不是问燕七的，他问的是红娘子。

红娘子叹了口气，道：“赤链蛇下毒还得用东西帮忙，还得下在食物酒水里、兵刃暗器上，但这人下毒却连一点影子都没有，仿佛在呼吸间就能将人毒死。”

郭大路不再问了。

若连红娘子都说这人下毒的手段比赤链蛇高，那就表示这件事已经无疑问。

现在的问题是，这人究竟是谁？为什么要到这里来把他们的花毒死？

这问题还没有答案，第二个问题又来了。

门外又有个人走了进来。

这人很矮、很胖，身上穿着件鲜红的衣服，圆圆的脸上满面红光，好像比他的衣裳还红。

他也背负着双手，施施然走了进来，神情看起来也很悠闲。

这次没有人再问他是来干什么的了，但却都睁大着眼睛，看着他。

院子里的花反正已全被毒死，看他还有什么花样玩出来。

这红衣人，居然也好像根本没有看见他们，在院子里慢慢踱了一圈，就扬长而去，非但没有说一句话，也没有玩一点花样。

但地上却已多了一圈脚印，每个脚印都很深，就像是用刀刻出来的。

郭大路叹了一口气，看着燕七问道：“我情愿让大象来踩我一下子，也不愿被人踩上一脚，你呢？”

燕七道：“我两样都不愿意。”

郭大路忍不住笑道：“你这人果然比我聪明得多了。”

他并没有笑多久，因为门外已又来了个人。

这次来的是白衣人，一身白衣如雪，脸色也冷得像冰雪。

别人都是慢慢地走进来，他却不是。

他身子轻飘飘的，一阵风吹过，他的人已出现在院子里。

就在这时，门外突然又有一道青虹般的剑光冲天而起，横飞过树梢，一闪而没。

树上的叶子立刻雪花般飘落了下来。

白衣人抬头看了一眼，突然长袍一展，向上面招了招手。漫天落叶立刻不见了。

他的人也立刻不见了，就像是突然被一阵风吹了出去。

也就在这时，只听门外有人沉声道：“王动王庄主在哪里？”

两丈外的白杨树下，站着个白发苍苍的褐衣老人，手里拿着张大红帖子，正目光灼灼地看着他们。

他们六个人一排站在门口，就好像特地走出来让别人看的。

褐衣老人的目光，从他们脸上一个个看了过去，才沉声道：“哪位是王庄主？”

王动道："我。"

褐衣老人道："这里有请帖一张，是专程送来请王庄主的。"

王动道："有人要请我吃饭？"

褐衣老人道："正是。"

王动道："什么时候？"

褐衣老人道："就在今晚。"

王动道："什么地方？"

褐衣老人道："就在此地。"

王动道："那倒方便得很。"

褐衣老人道："不错，的确方便得很，王庄主只要一出门，就已到了。"

王动道："主人是谁呢？"

褐衣老人道："主人今夜必定在此相候，王庄主必定可以看到的。"

王动道："既然如此，又何必专程送这请帖来？"

褐衣老人道："礼不可废，请帖总是要的，就请王庄主收下。"

他的手一抬，手上的请帖就慢慢地向王动飞了过来，飞得很稳，很慢，简直就好像下面有双看不到的手在托着一样。

王动又笑了笑，才淡淡地说道："原来阁下专程送这请帖来，为的就是要我们看看阁下这手气功的。"

褐衣老人沉着脸，冷冷道："王庄主见笑了。"

王动也沉下了脸，道："刚才还有几位也都露了手很漂亮的武功，阁下认不认得他们？"

褐衣老人道："认得。"

王动道："他们是谁？"

褐衣老人道："王庄主又何必问我？"

王动道："不问你问谁？"

褐衣老人忽然也笑了笑，目光有意无意间，瞟了林太平一眼。

郭大路也不禁跟着看了林太平一眼，这才发现林太平的脸竟已苍白得全无血色，神情就仿佛王动那次忽然看见天上的风筝一样。

这些人难道是来找林太平的？

褐衣老人已走了。

他走的时候，王动既没有阻拦，也没有再问。

每个人都已看出，今天来的这些人必定和林太平有点关系。

但也没有人问他，大家甚至连看都避免去看他，免得他为难。

郭大路甚至故意去问王动，道："你说他刚才露的那一手是气功，是哪种气功？"

王动道："气功就是气功，只有一种。"

郭大路道："为什么只有一种？"

王动道："女儿红有几种？"

郭大路道："只有一种。"

王动道："为什么只有一种？"

郭大路道："因为女儿红已经是最好的酒，无论什么东西，最好的都只有一种。"

王动道："你既然也明白这道理，为什么还要来问我？"

郭大路眼珠子转了转，道："依我看，最可怕的还是刚才那一剑，那简直已经和传说中，能取人首级于千里之外的御剑术差不多了。"

王动道："还差得多。"

郭大路道："你看过御剑术没有？"

王动道："没有。"

郭大路道："你怎么知道还差得多？"

王动道："我就是知道。"

郭大路叹了口气，苦笑道："这人怎么忽然变得不讲理了。"

王动道："你几时看见我讲过理？"

郭大路道："很少。"

他们说的当然是废话，为的只不过是想让林太平觉得轻松些。

但林太平的脸却还是苍白得全无血色，甚至连一双手都紧张得紧紧握在一起，一个人来来回回在院子里转了几圈，忽然停下脚步，大声说道："我知道他们是谁。"

没有人开腔，但每个人都在听着。

林太平看着地上的脚印，道："这人叫强龙，也正是天外八龙中硬功最强的一个。"

王动皱眉道："天外八龙？刚才出现的那三个人全都是天外八龙中的人？"

林太平道："全都是。"

王动道："是不是陆上龙王座前的天龙八将？"

林太平道："天外八龙也只有一种。"

王动道："你怎么知道的？"

林太平道："我就是知道。"

王动看了看郭大路，两个人都笑了，郭大路道："这就叫一报还一报，而且还得真快。"

林太平目中却露出痛苦之色，紧握着双手，来来回回又转了几个圈子，突又停下脚步，大声道："他们也知道我是谁。"

郭大路忍不住笑道："这就用不着他们告诉我了，我也知道。"

林太平盯着他，目光好像很奇特，道："你真的知道？"

郭大路道："当然。"

林太平道："我是谁？"

这本是最容易回答的一句话，但郭大路反倒被问得怔住了。

林太平忽然长长叹息了一声，脸上的表情更痛苦，缓缓道："没有人知道我是谁，甚至连我自己都不想知道。"

郭大路忍不住问道："为什么？"

林太平看着自己紧握着的手，道："因为我就是陆上龙王的儿子。"

这句话说出来，连王动面上都露出了惊讶之色。

郭大路也怔住，吃惊的程度简直已和他听到燕七是南宫丑的女儿时差不多。

红娘子勉强笑了笑，道："令尊纵横天下，气盖当世，武林中谁不敬仰？……"

林太平突然打断了她的话，大声道："我！"

红娘子怔了怔，道："你？"

林太平咬着牙，道："我只希望没有这么样一个父亲。"

郭大路皱了皱眉，道："你就算很不满他替你定下的亲事，也不该……"

林太平突又打断了他的话，道："替我定亲的也不是他。"

郭大路也怔了怔，道：“不是？”

林太平目中已有泪盈眶，垂着头，道：“我五岁的时候他就已离开我们，从此以后，我就没有再见过他一面。”

郭大路道：“你……你一直跟着令堂的？”

林太平点点头，眼泪已将夺眶而出。

郭大路不能再问，也不必再问了。

他看了看燕七，两个人心里都已明白，像陆上龙王这样的男人，甩掉个女人并不是一件奇怪的事。

但被抛弃的女人若是自己的母亲，做儿子的心里又会有什么感觉？

每个人心里都对林太平很同情，却又不敢表露出来——同情和怜悯有时也会刺伤别人的心。

现在能安慰林太平的，也许只有那小小姑娘一个人了。

大家正想暗示她，留下她一个人来陪林太平，但忽又发现这小姑娘脸上的表情竟也和林太平差不多。

她的脸色也苍白得可怕，垂着头，咬着嘴唇，连嘴唇都快咬破了。

这纯真善良的小小姑娘，难道也会有什么不可告人的秘密？

林太平忽然在喃喃自语，道：“他这次来，一定是要逼我跟他回去——他生怕我会走，所以才先将出路全都封死。”

郭大路忍不住道：“你准备怎么办呢？”

林太平紧握双拳，道：“我绝不跟他回去，自从他离开我们的那一天，我就已没有父亲。”

他擦干了泪痕，抬起头，脸上露出了坚决的表情，看着王动他们，一字字道：“无论怎么样，这件事都和你们没有关系，所以，今天晚上，你们也不必去见他，我……”

那小小姑娘忽然道：“你也不必去。”

林太平也怔住，怔了很久，才忍不住问道：“为什么我也不必去？”

小小姑娘道：“因为他要找的也不是你。”

林太平道：“不是我是谁？”

小小姑娘道：“是我。”

这句话说出来，大家更吃惊。

叱咤一世的陆上龙王怎么会特地来找一个卖花的小姑娘？这种事

有谁相信？

但看到这小姑娘的脸色，大家又不能不信。

她就像是已忽然变了个人，已不再害羞了，眼睛直视着林太平，缓缓地道：“你知不知道我是谁？”

这本来也是个很容易回答的话，但林太平也被问得怔住。

小小姑娘看着他，嘴角露出了一丝凄凉的笑意，缓缓接着道：“没有人知道我是谁，甚至连我自己都不想知道。”

这句话也是林太平刚说过的，她现在又说了出来，大家本该觉得很可笑。

可是看到她现在的样子，无论谁都笑不出来的。

若不是有燕七在旁边，郭大路几乎已忍不住过去握起她的手，问她为什么要如此悲伤，如此难受。

她还年轻，生命又如此美丽，又有什么事是不能解决的呢？

林太平已过去握起她的手，柔声道：“无论你是什么样的人都无妨，我只知道，你就是你。”

小小姑娘就让自己冰冷的手被他握着，道：“我知道你说的是真心话，只不过——你还是应该问清楚我是谁的。”

林太平勉强笑了笑，道：“好，我问，你究竟是谁呢？”

小小姑娘闭上眼睛，缓缓道：“我就是你未来的妻子，你母亲未来的媳妇，但却是你父亲以前的仇人。”

林太平忽然全身冰冷，紧握着的手也慢慢地放开，垂下……

他的心也跟着一起沉下，仿佛已沉到他冰冷的脚心里，正被他自己践踏着。

玉玲珑！

她竟然就是玉玲珑。

没有人能相信这是真的事，没有人愿意相信。

这温柔善良纯真的小姑娘，真的就是那凶狠泼辣骄横的女煞星？

每个人的目光都盯在她的脸上。

她垂着头，发已凌乱，心也似已碎了。

郭大路心里突也不禁有了怜悯之意，长长叹了口气，苦笑道：“你是他母亲选中的媳妇，却是他父亲的仇人？世上哪有这么复杂的关系？

你……你一定是在开玩笑。”

他当然也知道这绝不是玩笑，但却宁愿相信这不是真的。

玉玲珑笑得更凄凉，黯然道：“我明白你的好意，只可惜世上有些事就偏偏是这样子的。”

郭大路道：“我还是不信。”

玉玲珑垂着头，道：“陆上龙王和我们玉家的仇恨，已积了很多年，二十年前就发过誓，一定要亲眼看到玉家的人全都死尽死绝。”

郭大路失声道：“你父亲是不是他……”

他不敢问出来，因为如果玉玲珑的父亲真是死在陆上龙王的手里，杀父的仇恨，就没有别的人能够解得开了。

玉玲珑却摇了摇头，道：“我父亲倒不是死在他手上的。”

她目中又露出了怨恨之色，冷冷接道：“因为他就算有天大的本事，也没法子再杀一个已经死了的人。”

郭大路松了口气，又忍不住皱了皱眉，道：“你母亲……”

玉玲珑道：“我母亲不姓玉，姓卫。”

郭大路道：“姓卫？难道是林夫人的姐妹？”

玉玲珑点点头，道：“就因为这关系，所以他才放过了我母亲，但他却不知道那时我母亲腹中已有了我，我还是姓玉的。”

郭大路叹道：“后来他当然已知道有你这么样一个人了。”

玉玲珑道：“所以我一直都在躲着他，他在北边，我就不到北边来，他在南边，我就不到南边去。他的名气比我还大，我躲他，总比他找我容易。”

郭大路苦笑着喃喃道：“我早就说过，一个人太有名，也不是件好事。”

玉玲珑道：“也并不太坏。”

郭大路道：“其实，你母亲本不该让你成名的，你如果真的是个很平凡的小姑娘，他也许就永远找不到你了。”

玉玲珑咬牙道：“那么样地活着，和死又有什么分别？”

郭大路道：“世上有很多人都是那么样活着，而且活得很好。”

玉玲珑道：“但我们玉家从来没有那样的人，玉家的声名也不能从我这一代断绝。”

郭大路道："现在你母亲呢？"

玉玲珑默然道："已经在三年前去世了。"

她咬着嘴唇，道："她临死的时候，还怕陆上龙王不放过我，所以特地去找她的妹妹……"

郭大路道："是她去找林夫人的？"

玉玲珑点了点头，道："她希望林夫人能够化解开我们两家的冤仇，只可惜，林夫人自己也无能为力，所以……"

郭大路道："所以她才将你许配给她的独生子，希望你们两家的怨仇，能从这婚事中化解。"

玉玲珑道："我想她一定是这意思。"

郭大路用眼角瞟着林太平长叹道："只可惜她的儿子，却不明白母亲的好意。"

玉玲珑凄然笑道："下一代的人，总是不能了解上一代的好意，就连我也一样，我本来也一样不愿做他们林家的媳妇。"

她不敢去看林太平，但她的眼波还是情不自禁，向林太平瞟了过去。

林太平整个人都似已冰冷僵硬，忽然道："那么你为什么要到这里来找我？"

玉玲珑笑得更凄凉，幽幽道："你不明白？"

林太平大声道："我当然不明白。"

玉玲珑咬着嘴唇，勉强忍耐着，不让眼泪流下，又问了一句："你真不明白？"

林太平道："不明白！"

玉玲珑身子突然颤抖，嘶声道："好，我告诉你，我这么做，只为了我跟你说过，总有一天，要让你求我嫁给你的。"

林太平胸口像是忽然被人重重一击，连站都已无法站稳。

玉玲珑自己也像是要倒下去。

也不知过了多久，林太平才咬着牙，一字字道："现在我已明白了……总算明白了！"

他没有再说别的话，忽然转身，冲进了自己的房门里。

"砰"地，门关起。

玉玲珑也并没有再看他，但眼泪却已悄悄地流了下来……

第四十七章

人就是人

01

为什么暴风雨来临前，总是出奇地沉闷平静？

晴空如洗，一碧万里。

没有暴风雨。

暴风雨在人们的心里。

只有这种暴风雨引起的灾祸，才是最可怕的。

走廊下静得可以听见王动在屋子里的呼吸声。

他的呼吸声很沉重，竟似已睡着了。能在这种时候睡着的人，真有本事。

郭大路和燕七也不知到哪里去了，新婚夫妻的行动，在别人眼中看来总好像有点神秘。

只有红娘子陪着玉玲珑，两个寂寞的人，两颗破碎的心。

玉玲珑痴痴地望着远方。远方什么都没有，她眼睛里也什么都没有。

她整个人都似已变成空的。

红娘子忽然长长叹息了一声，道："我知道你刚才在说谎。"

玉玲珑茫然道："说谎？"

红娘子道："你这次来找他，并不是为了要报复，并不是为了要他跪着求你。"

玉玲珑道："我不是？"

红娘子道："以前你也许不愿做林家的媳妇，但现在却已愿意做林太平的妻子，我看得出。”

她长长叹息着，道：“但我却不懂，你为什么不肯告诉他呢？”

玉玲珑咬着嘴唇，道：“你既然看得出，他也应该看得出。”

红娘子叹道：“你还不了解男人，尤其是他这种男人，他看起来虽柔弱，其实却比谁都刚强。”

玉玲珑道：“哦？”

红娘子道：“但最刚强的人，有时也往往是最脆弱的人，别人只要有一点点地方伤害到他，他的心就会碎了。”

玉玲珑道：“你认为我伤害了他？”

红娘子道：“你不该对他那样说的，你应该老实告诉他，现在你对他的情意，让他知道你的真心，他才会以真心待你。”

玉玲珑凄然一笑，道：“我明白你的意思，我本来也想这么样做的，可是……”

她垂下头，垂得很低，轻轻地接着道：“现在无论怎么样做，都已太迟了……”

红娘子看着她，目中充满了怜惜和同情，仿佛已从这倔强孤独的少女身上，看到了她自己的影子。

不错，现在已太迟了。

机会一错过，是永不会再来的。

红娘子勉强笑了笑，道：“也许现在还来得及，也许你应该对他用点手段。对付男人，有时是要用些手段的，只要他娶了你，你就是林家的媳妇，陆上龙王想必也不会……”

玉玲珑突然抬起头，打断了她的话，道：“你不必再说了，我已有我的打算，无论如何，陆上龙王也是个人，我为什么一定要怕他？”

她神情虽然仍很悲伤，但目中已充满了倔强自傲的表情。

她本就不是个肯低头的人。

红娘子垂下头，知道自己的确已不必再说下去，也不能再说下去。

玉玲珑忽又握起她的手，柔声道：“无论怎么说，我还是一样感激你的好意。”

红娘子道：“我也知道。”

玉玲珑道：“但你却有件事不懂。”

红娘子道："你说。"

玉玲珑望着王动的窗口，轻轻地问道："你的确很能了解别人，但却为什么好像偏偏不能了解他呢？"

红娘子笑了笑，也笑得很凄凉，过了很久，才幽幽地叹了口气，道："这也许只因为他本来就不是个人，否则现在又怎么睡得着呢？"

王动真的睡着了么？

屋子里为什么忽然没有了他的呼吸声？

02

陆上龙王斜倚在他的虎皮软榻上，盯着王动，就像要在他脸上盯出两个洞来。

连王动自己都觉得脸上似已被盯出两个洞来。

他从未看见过这么样的眼睛，从来未看见过这么样的人。

他想象中的陆上龙王，也不是这样子的。

陆上龙王应该是个什么样的人呢？

当然一定很高大、很威武、很雄壮，紫面长髯，狮鼻海口，也许已满脸白发，但是腰杆儿还是挺得笔直，就好像你在图画中看到的天神一样。

他说话的声音也一定像是洪钟巨鼓，可以震得你耳朵发麻，等到他怒气发作时，你最好的法子，就是远远离开他。

王动甚至已准备好来听他发怒时的吼声。

可是他想错了。

他一看到陆上龙王，就知道无论谁想激起他的怒火，都很不容易。

只有从不发怒的人，才真正可怕。

他脸色是苍白的，头发很稀，胡子也不长，须发都修饰得光洁而整齐，一双手也保养得很好，令人很难相信这双手是杀过人的。

他穿着很简单，因为他知道已不必再用华丽的衣着和珍贵的珠宝，来炫耀自己的身份和财富。

王动进来的时候，他并没有站起来。无论谁进来他都不会站起来。

无论谁都不会怪他失礼。

因为他只有一条腿！

这纵横天下，傲视武林的当世之雄，竟是个只有一条腿的残废。

巨大的帐篷里，静寂无声，除了他们两个人外，也没有别的人。

王动已进来很久，只说了四个字："在下王动。"

陆上龙王连一个字都没有说，若是换了别人，一定会认为他根本没有听见自己的话。

但王动并没有这么想。

王动知道他必定是要拿定主意后才开口。

有种人是从来不会说错一句话的，他显然就是这种人。

奇怪的是，这种人偏偏通常是说错一万句话也没关系的。

王动在等着，站着在等。

陆上龙王终于伸出手，指了指对面的一张狼皮垫，道："坐。"

王动就坐下。

陆上龙王又指了指皮垫旁的小几上的金樽，道："酒。"

王动摇摇头。

陆上龙王目光灼灼，道："你只和朋友喝酒？"

王动道："有时也例外。"

陆上龙王道："什么时候？"

王动缓缓道："想敷衍别人的时候。但我并不想敷衍你。"

陆上龙王道："为什么？"

王动道："我从不敷衍值得我尊敬的人。"

陆上龙王盯着他，又过了很久，忽然笑了笑，道："你来早了。"

王动道："我本不是来喝酒的。"

陆上龙王慢慢地点了点头，道："你当然不是。"

他取起面前的玉杯，缓缓啜了一口，目光突又刀锋般转向王动，道："你在看我的腿？"

王动道："是。"

陆上龙王道："你一定在奇怪，有谁能够砍断我的腿。"

王动道："是。"

陆上龙王道："你想不想知道是谁？"

王动道："不想。"

陆上龙王道："为什么？"

王动道："因为无论他是谁，现在想必都早已经死了。"

陆上龙王忽又笑了笑，道："看来你并不是多话的人。"

王动道："我不是。"

陆上龙王道："我喜欢说话少的人，这种人说出的话，通常比较可靠。"

王动道："通常都是的。"

陆上龙王道："好，现在你不妨说出你是想来干什么的了。"

他不等王动开口，突又冷冷道："最好只用一句话说出来。"

王动道："你不能杀玉玲珑。"

陆上龙王沉下了脸，道："为什么不能？"

王动道："你若想叫林太平活下去，就不能够杀玉玲珑。"

陆上龙王道："我若杀了玉玲珑，林太平就会为她死？"

王动道："你不信？"

陆上龙王道："你信？"

王动道："我若不信，就不会来。"

陆上龙王道："你相信世上有肯为别人死的人？"

王动道："不但有，而且很多。"

陆上龙王道："说两个给我听。"

王动道："林太平，我。"

陆上龙王笑了。

王动道："你不信？"

陆上龙王道："你信？"

王动道："你不妨和我打赌。"

陆上龙王道："赌什么？"

王动道："用我的一条命，赌玉玲珑的一条命。"

陆上龙王道："怎么赌？"

王动道："林太平若不愿为玉玲珑死，你随时可以杀了我。"

陆上龙王道："否则呢？"

王动道："你就可以走了。所以无论输赢，你都毫无损失。"

陆上龙王冷笑道："毫无损失？……这么想的人，一定还有两条腿。"

王动道："我就算被人砍断了一条腿，也只会去找他，不会去找他的女儿。"

陆上龙王目光更锋利，又看了他很久，才缓缓道："你能证明林太平肯为她死？"

王动道："我不能，你能。"

他慢慢地接着道："可是我相信他一定很快就会到这里来的。"

果然又有人来了，来的不是林太平，是红娘子、郭大路和燕七。

他们进来的时候，王动已不在这帐篷里。

看他们脸上的表情，显然和王动刚才同样惊异——无论谁也料想不到陆上龙王会是这么样一个人。

他们来的目的也和王动一样，因为他们对朋友也同样有情感和信心。

"信心"确实是样很神奇的东西，好像永远都不会令人失望的——友情也一样。

林太平并没有令他们失望。

03

陆上龙王斜倚在虎皮软榻上，看着林太平。

这是他亲生的儿子，他的独生子，他已将近有十五年未曾见过他。

可是他在看着他的时候，就好像和看着王动时并没有什么两样。

过了很久，他才伸出手，指了指王动刚才坐过的狼皮垫，道："坐。"

林太平没有坐。

他的身子已僵硬，冷而僵硬，但他的眼睛却仿佛是潮湿的。

他面对着的，是他的父亲，十五年未曾见过一面的父亲。

他眼泪还未落下，已很不容易。

陆上龙王脸上还是全无表情，但眼角却似忽然多了几条皱纹，终于轻轻叹息了一声，道：“你长大了，而且看起来很有自己的主意。”

林太平的嘴还是闭得很紧。

陆上龙王道：“你若不愿说话，为何要来？”

林太平又沉默了半晌，才缓缓道：“我知道你从来不愿听废话。”

陆上龙王道：“是的。”

林太平道：“你是不是一定要玉家的人全都死尽死绝？”

陆上龙王道：“是的。”

林太平道：“现在玉家已只剩下一个人。”

陆上龙王道：“是的。”

林太平的手也已握紧，一字字道：“你若杀了她，我也一定要杀一个林家的人。”

陆上龙王沉下了脸，道：“你要杀谁？”

林太平道：“我自己。”

陆上龙王盯着他，眼角的皱纹更深。

这是他的儿子，他骨中的骨、血中的血，这少年身体里流着的血，也和他是一样的，一样倔强，一样骄傲。

谁也不能改变这事实，连他自己都不能。

陆上龙王长长叹息了一声，道：“你应该知道，林家人说出的话，是永无更改的。”

林太平道：“我知道，所以我才这么说。”

他忽又接着道：“我也知道她和你并没有仇恨，甚至从来没见过你。”

陆上龙王道：“她又是你的什么人？你为什么一定要她活下去？”

林太平道：“因为她活下去，我才能活下去。”

陆上龙王道：“你们的情感已如此深？”

林太平咬着唇，道：“本来我也不知道的……”

陆上龙王打断了他的话，问道：“你什么时候才知道？”

林太平道："你要杀她的时候——你杀了她你真的会很愉快？"

陆上龙王沉默着。

林太平道："你自己也不能确定，是不是？但我却可以保证，你杀了她之后，一定比不杀她时更难受。"

陆上龙王沉着脸道："你真的甘心为她死？"

林太平道："死并不容易，但也不是什么太困难的事。"

陆上龙王道："她呢？她是不是也肯为你做同样的事？"

林太平沉默着。

陆上龙王道："你也不能确定，是不是？"

林太平缓缓道："那也许因为他们家的人，并没有要杀我，并没有将你们上一代的仇恨，算在我们下一代人的身上。"

陆上龙王目光闪动，突然道："好，我答应你，可是我有条件。"

林太平道："什么条件？"

陆上龙王道："她若也肯为你牺牲自己，那就证明你们的情感已足够深厚，我就让她走。"

林太平道："否则呢？"

陆上龙王冷冷道："否则你就该明白，她根本不值得你为她死。"

林太平的手握得更紧，道："你难道是在跟我赌？用她的命来赌？"

陆上龙王道："这至少赌得很公平，因为无论胜负都由她自己来决定。"

林太平道："我怎知是否公平？"

陆上龙王道："我保证你一定可以看到的，但你也一定要答应我一件事。"

林太平在听着。

陆上龙王道："未分胜负之前，你绝不能插手——无论谁都不能插手。"

他目光如刀锋，一字字接着道："否则这场赌就算你们输了。"

帐篷后垂着重帘，暗得很，从外面根本无法看到里面来。

但帘后的人，却可以看得见前面发生的事。

王动、红娘子、郭大路、燕七都已在这里，也已听到林太平所说的每句话，每个字。

他们觉得很安慰，因为林太平并没有令他们失望。

可是玉玲珑呢？

现在不但她自己的性命，已被她自己捏着，连林太平的性命都已被她捏在手里。

这也是林太平自己下的决定，显然他对她也同样有信心。

她会不会令他失望？

他们听到陆上龙王又在问："你知不知道她以前是个什么样的人？"

林太平的回答很简单："那已是以前的事，我就算知道，也已忘了。"

陆上龙王道："她用了什么手段，使你能如此信任她？"

林太平道："她用了很多种手段，但有效的却只有一种。"

陆上龙王道："哪种？"

林太平道："她说了真话。"

他一字字缓缓接着道："她本不必说的，也没有人逼她，可是她说了真话。"

也不知为了什么，听了这句话，红娘子的头忽然垂下。

然后林太平也走了进来，看着他们，目光中充满了感激。

他的朋友也没有令他失望。

八个人静静地站在帐篷前，冷静得就像是八个石头人。

这正是陆上龙王座前的天龙八将，其中任何一个人，都足以威震一方。

但玉玲珑的眼睛里却好像根本没有看见他们。

她身上穿的还是那件卖花女的青布衣裳，昂着头，从他们之间走过去，走入帐篷。

她脸色很平静，但目中却充满了决心。

然后她就看见了陆上龙王。

陆上龙王并没有让她坐，但看着她的时候，目光却极锋利。

玉玲珑也没有等他开口，就大声道："你知道我是谁？"

陆上龙王点点头。

玉玲珑道："我已是玉家最后的一个人，你只要杀了我，就可以达成你的心愿。"

陆上龙王沉默了很久，才缓缓道："那并不是我的心愿。"

玉玲珑道："不是？"

陆上龙王淡淡道："那不过是我说过的一句话。"

玉玲珑道："你说的每句话都已做到。"

陆上龙王道："还未做成的只有这一句。"

玉玲珑道："你现在也许很快就会做到了。"

陆上龙王道："也许？"

玉玲珑道："也许的意思就是说不定。"

陆上龙王道："你难道还敢和我交手？"

玉玲珑冷笑道："为什么不敢，难道你以为自己真的很了不起？"

她不让陆上龙王开口，很快地接着又道："一个人若连自己的妻子和儿子都无法照顾，再了不起也有限得很。"

陆上龙王居然并没有被激怒，淡淡道："他们能照顾自己。"

玉玲珑冷笑道："那是他们的事，你呢？你有没有尽到你的责任？世上做父亲和丈夫的人，若都跟你一样，女人和孩子只怕就已快死光了。"

陆上龙王的脸终于沉了下去，沉声道："你来就是为了说这些话？"

玉玲珑道："我只是提醒你，你还有个妻子和儿子，你最好莫要忘记他们，因为他们也并没有忘记你。"

陆上龙王冷冷道："现在你已经提醒过了。"

玉玲珑长长吐出口气，道："不错，该说的话，我也全都说完了。"

她忽然挺起胸，双手抱拳，道："请。"

她明知自己面对的是天下无敌的陆上龙王，明知帐外还有威震八表的天龙八将在等着，可是她神情却丝毫没有畏惧。

她身子虽然纤弱苗条，但却充满了决心和勇气，此刻这一挺胸抱拳，居然已隐隐有和陆上龙王分庭抗礼的气势。

陆上龙王忽然笑了笑，道："你今年已经有多大年纪？"

玉玲珑虽然不知道他为什么忽然问出这句话，还是回答道："十七。"

陆上龙王道："你从几岁开始练武的？"

玉玲珑道："四岁。"

陆上龙王冷笑道："你只不过练了十三年武功，就已敢来与我交手？"

玉玲珑也冷笑着道："我就算只练过一天武功，也一样是要来跟你一较高低，我们玉家的人无论武功比不比得上你，骨头总是硬的。"

陆上龙王突然纵声长笑，道："好，好硬的骨头，好大的胆子。"

长笑声中，他身子忽然从榻上腾空而起，就像是下面有双看不见的手在托着他似的。

玉玲珑情不自禁，后退了半步。

她认得出这一招正是传说中"天龙八式"里的第一式"潜龙升天"。

但她却从未想到世上真的有人能将轻功练到这样的火候。

谁知陆上龙王身子腾空，居然还能开口说话，沉声道："小心你的左右青灵穴。"

这"青灵穴"在两肱内侧之下约三分之一处，若被点中，肩臂不举，不能带衣。

但你若不将双臂举起，别人也根本无法点中你这两处穴道。

玉玲珑冷笑着，在心里想："我就算不是你的敌手，但你若要点中我的青灵穴，只怕还不容易。"

她下定决心，在任何情况下，都绝不将双臂举起。

以陆上龙王的身份地位，既然已说明要点她的青灵穴，自然绝不会再向别处下手。

就在这时，陆上龙王的人忽然间已到了她面前，一股强劲的风声，震得她衣襟飘飘飞起。

她身子一转，刚想借势将这一股力量化开，只听"啪、啪"两响，左右肩井穴已被拍住，两条手臂再也举不起来。

再看陆上龙王，不知何时已又躺在那软榻上，神态还是那么悠闲，谁也看不出他刚才曾经出过手的。

玉玲珑急得脸都红了，大声道："你点的是我的肩井穴，不是青灵穴。"

陆上龙王淡淡道："这倒用不着你提醒，肩井穴和青灵穴，我倒还分得出。"

玉玲珑道："想不到你这么大一个人，说出来的话也不算数。"

陆上龙王道："我几时说过要点你的青灵穴？"

玉玲珑道："你刚才明明说过。"

陆上龙王道："我只不过要你留意而已，和人交手时，身上每一处穴道都该留意的。"

他淡淡接着道："何况武功一道，本以临敌应变、机智圆通为要，我点不中你的青灵穴，自然就只好点你的肩井穴，反正你两条手臂还是一样无法举起，我又何苦要点你青灵穴？你若连这道理都不懂，就算再练一百三十年，也一样无法成为高手的。"

他娓娓说来，就好像师父在教训徒弟、父叔在教导子侄。

玉玲珑气得一张脸又由红变白，咬着牙道："好，你杀了我吧。"

陆上龙王道："你不服气？"

玉玲珑道："死也不服。"

陆上龙王道："好。"

"好"字出声，只听"哧"的一声，也不知是什么东西从他手中发出，打在她神封穴上。

玉玲珑只觉一股力量自胸口布达四肢，两条手臂立刻可以动了。

隔空打穴，已是江湖中极少见的绝顶武功，想不到这陆上龙王竟能隔空解穴。

玉玲珑咬了咬牙，显然已明知对方武功深不可测，也已准备拼了。

谁知她身子刚掠起，一招还未使出，忽然觉得一阵暖风吹过，左右青灵穴上麻了麻，一个人又落在地上，两条手臂又无法举起。

再看陆上龙王，已又躺回软榻，神情还是那么悠闲，就好像根本没有动过。

玉玲珑面如死灰。

她就算再骄傲，现在也已看出，陆上龙王若要取她的性命，只不过是举手之劳而已。

她那一身也曾震惊过很多人的武功，到了陆上龙王面前，竟变得连出手的机会都没有。

陆上龙王看着她，淡淡道：“现在你服不服？”

玉玲珑长长吸进口气，道：“服了。”

她突又冷笑，很快地接着道：“但我服的只是你的武功，不是你的人。”

陆上龙王道：“哦？”

玉玲珑道：“你的武功纵然天下无敌，但你的人却是个气量褊狭的小人，你就算把我们玉家的人全都挫骨扬灰，也没有人会服你。”

陆上龙王沉下了脸，道：“小姑娘好利的嘴，竟敢在我面前如此放肆。”

玉玲珑冷笑道：“我为什么不敢？连死我都不怕，还有什么好怕的。”

陆上龙王目光闪动，喃喃道：“不错，一个人若已明知自己必死无疑，还有什么事不敢做，什么话不敢说的？”

他嘴角忽又露出一丝奇特的笑，接着道：“但我若答应不杀你，又如何？”

玉玲珑怔了怔，道：“你……你说什么？”

陆上龙王道：“我非但不杀你，而且绝不伤你毫发，你我两家的恩怨，也从此一笔勾销。”

玉玲珑道：“真……真的？”

陆上龙王道：“我说的话，几时有过不算数的？”

玉玲珑忽然觉得身子发软，几乎连站都站不住了。

她刚才面对空前未有的强敌，明知必死，却还是昂然无惧。

但现在别人已答应不杀她，她两条腿反而软了，直到这时她才发现，她本来是不想死的。

一个人只要还能活得下去，又有谁还真的想死呢？

陆上龙王锐利的目光，似已看透了她的心，慢慢地接着道：“只要你答应我一件事，我立刻就让你走，从此绝不再找你。”

玉玲珑忍不住问道：“什么事？”

陆上龙王道：“只要你从此不提你和我儿子定下的那门亲事，从此不再见他。”

玉玲珑的脸色又变了，颤声道：“你……你要我从此不再见他？”

陆上龙王道：“从今以后，你只当世上根本没有他这么样一个人，只当从来没有见过他，你一样还是能活得很好的。”

他忽又笑了笑，淡淡道：“世上的男人很多，你说不定很快就会忘了他。”

玉玲珑脸色苍白，身子又开始颤抖，道：“我若不答应呢？”

陆上龙王悠然道：“你为什么不答应？你死了之后，岂非还是一样见不到他？”

玉玲珑慢慢地摇了摇头，喃喃道：“不一样……绝不一样。”

陆上龙王道：“有什么不一样？”

玉玲珑凄然一笑，道：“你不会懂的，你这种人永远都不会懂的。”

她笑得虽凄凉，但目中却又仿佛充满了一种神秘的幸福之意。

因为她已爱过。

这种感觉既没有任何事能代替，也没有任何人能夺走。

无论她的爱是苦是甜，至少已比那些从未爱过的人幸福得多。

陆上龙王看到她面上的表情，自己的脸色似已变了，忽然从金樽旁的一只碧玉壶中，倒出了一杯惨碧色的酒，沉声道：“你若真的不答应，就将这杯酒喝下去，从此也不再有烦恼。”

玉玲珑盯着这杯毒酒，一字字道：“我只能答应你一件事。”

陆上龙王道：“什么事？”

玉玲珑目光凝视到远方，道：“我绝不能忘记他，也绝不会忘记他，我无论是死是活，我心里总有他，无论你有多大的本事，也拿我没办法。”

她忽然冲出，将那杯毒酒喝下。

然后她的人也立刻倒下。

可是她的嘴角，却还是带着那种神秘的、幸福的微笑。

因为她知道，此后无论是天上地下，都没有人再能要她忘记他了……

04

陆上龙王似已怔住。

世上居然真有这种人，这种情感，这的确是他永远不能了解的。

林太平已冲了过去，扑倒在玉玲珑身上。

陆上龙王没有去看他，已不忍再去看他。

也不知过了多久，林太平才站起来，脸上毫无血色，眼睛里却满是血丝，瞪着他，嗄声道："你答应过我的……"

陆上龙王只长长叹息了一声，似也不知道该说什么了。

林太平道："你答应过我，一定会做得很公平，但现在……"

陆上龙王打断了他的话，道："我知道这并不公平，但世上不公平的事本就很多，一个人若想活下去，就应该学会忍受这种事。"

林太平道："我学不会，永远都学不会……"

他脸上的表情，忽然也变得很神秘，很奇特，嘴里甚至也露出一丝和玉玲珑同样的微笑，慢慢地接着道："我只知道世上绝没有人能要她忘记我，也绝没有人能要我忘记她……"

听到这句话，看到他面上的表情，郭大路的热泪已忍不住泉水般夺眶而出。

他了解这种人，了解这种情感。

他知道林太平也不想活了，忍不住跳起来，就要冲出去。

但也不知为了什么，王动却拉住了他，沉声道："再等一等。"

郭大路嗄声道："现在还等什么？"

王动的眼睛里发着光，道："再等一等你就会知道的。"

但就在这时，林太平已将桌上的那壶毒酒，全都喝了下去。

"我也答应过你，你若杀了她，我也一定要杀一个林家的人。"

他杀了他自己。

他也倒了下去，倒在玉玲珑身上。

两个人的嘴角，都带着同样的微笑，笑得幸福而神秘……

郭大路眼睛都红了，正想一把揪住王动，问他为什么要他等。

但也就在这时，他忽然听到一个神秘而动人的声音："你输了。"

一个人忽然出现在帐幕里，长身玉立，风华绝代，赫然竟是林太平的母亲"卫夫人"。

她嘴角竟也带着同样神秘的微笑。

郭大路又怔住。

她看着自己的儿子死在面前，怎么还笑得出？

陆上龙王脸上的表情也很奇特，也不知是愉快？还是痛苦？是得意？还是失望？

过了很久，他才慢慢地点了点头，长叹道："不错，我输了。"

卫夫人道："现在你总该相信，并不是每个人都和你一样，都是为了自己活着的，现在你总该知道，世上有很多事都比生命更重要。"

陆上龙王垂下头，忽又笑了笑，道："总算我知道得还不太迟。"

卫夫人凝视着他，柔声道："还不太迟？"

陆上龙王也抬起头，凝视着她，道："不迟。"

两个人目光中忽然都涌出一种神秘的情感，忽然相视一笑。

他们多年的误会和恩怨，就仿佛都已在这一笑之中，化作了春风。

本就是刻骨难忘的人，她对他还有什么不能原谅、不能了解的事呢？

可是她的儿子……

陆上龙王眼睛还在凝视着她，微笑着道："他已喝下了他们一生中最苦的一杯酒，现在你已不妨给他们喝些甜的了。"

卫夫人柔声道："大家都应该喝些甜的了……"

她忽然回头向垂帘中的郭大路他们一笑，道："现在你们总该已明白是怎么回事了，为什么还不出来喝一杯甜酒？"

郭大路还不明白，燕七却已明白了。

燕七道："第一个跟陆上龙王赌的，并不是王老大，是卫夫人。"

王动道："为了她儿子一生的幸福，所以她才不惜去找陆上龙王赌。”

燕七道：“她的赌法也跟我们一样，她知道世上有很多人都可以为别人牺牲他自己的，所以她赢了。”

她凝视着郭大路，目中也充满了温柔之意。

郭大路轻轻握住她的手，柔声道：“不错，明白这道理的人，永远都不会输的。”

王动道：“陆上龙王给他们喝的那杯酒，当然绝不是真的毒酒。”

当然不是。

因为林太平和玉玲珑现在已又站了起来，正紧紧地拥抱在一起。

现在世上已没有任何人再能拆散他们了，因为他们有勇气喝下生命中最苦的那杯酒。

是苦酒，但却不是毒酒。

你知不知道世上有种神秘的酒，能让你逃避这尘世片刻，然后再复活？

你知不知道世上本就有很多神秘的事，是特地为了真心相爱的人而存在的？

郭大路转向王动，道：“你刚才拉住我，难道你早已知道那不是毒酒？”

王动道：“我不知道——但我却知道，没有一个做父亲的人，能忍心毒死自己的儿子，我相信只要是人，就一定有人性。”

郭大路道：“你有信心？”

王动道：“有！”

郭大路叹了口气，道：“这就难怪你也永远不会输了。”

垂帘后已只剩下红娘子和王动。

红娘子垂着头，道：“他们都在外面等你，你还不出去？”

王动道：“你呢？”

红娘子道：“我……我不配跟你们在一起。”

王动道：“为什么不配？”

红娘子目中已有了泪光，垂着头道：“因为我也跟陆上龙王一样，从来不知道，真正的情感，是用不着用任何手段的，你若要得到别人的真情，只有用自己的真情去换取，绝没有第二种法子。”

王动道：“但现在你已经知道了？”

红娘子点点头。

王动道：“你现在知道总算还不太迟。”

红娘子霍然抬起头，凝视着他，目中充满了希望，道：“现在还不太迟？”

王动也在凝视着她，声音也变得非常温柔，柔声道：“不迟，只要你真的能明白这道理，永远都不会太迟的。”

他伸出了手，握住了她的手，柔声道：“所以现在我们也应该跟他们一起去喝杯甜酒，我们的苦酒也已喝得太多了。”

05

酒是甜的，甜而美。只有经得住考验，受得住打击的人，才能喝到这种酒。

也只有他们才配喝。

陆上龙王金樽在手，看着他的儿子和媳妇，道：“我亏待了你们，我应该补偿，随便你们要什么，我都可以给你们。”

林太平道：“我们不要。”

陆上龙王道：“为什么不要？”

林太平道：“因为我们要的，没有人能给我们，你也不能。”

陆上龙王道：“我也不能给你们？谁能给你们？”

林太平眼睛里发着光，道：“我们自己，只有我们自己。”

陆上龙王道：“你们究竟要什么？”

林太平道：“我们要的，现在我们已经有了。”

他握住他妻子的手，充满了幸福和满足。因为他要的是自由、爱情和快乐，现在他全都得到。

这绝不是别人赐给他们的，也绝没有任何人能给他们。

你若也想要自由、爱情和快乐，就只有用你的信心、决心和爱心去换取，除此之外，绝对没有别的法子。

绝对没有。就因为他们明白这道理，所以他们才能得到。所以他们永远都很快乐。

谁说英雄寂寞?

我们的英雄就是欢乐的!

《欢乐英雄》完